文庫

インビジブルレイン

誉《ほん》田《だ》哲也

光　文　社

目次

序章

姉さんは、知らないだろうけど。

あの夜も、ちょうどこんな感じの雨が、降っていたんだよ。ぼつぼつと町中を鳴らす、大粒の雨がね――。

ふいに人影が現われ、自動ドアが開いた。冷たく湿った風と共に、黒い影が近づいてくる。傘はそのまま、雨水も切らず傘立てに。

「……いらっしゃいませ」

この仕事に、笑顔や親しみはいらない。店員と客との人間的な結びつきなんて、誰も求めちゃいない。

「何時間の、ご利用ですか」

客は数秒、カウンターに貼り付けた料金表に視線を落とした。

「……三時間」

身分証による年齢確認は、必要なしと。

「パソコンとテレビ……ご希望は」

「……パソコン」

要望に合うブースをこっちで勝手に選び、打ち出した伝票を手渡す。

「Bの十番にお入りください」

縦に連なる大きな木箱。パーティションが作り出した小部屋と、通路。客の頭が、コミックを詰め込んだ棚の角を曲がり、遠ざかっていく。

そして僕は、また店の外に目を向ける。

自動ドアの向こう。人通りの少ない商店街。日曜の、午前九時四十分。向かいのクリーニング屋のシャッターはまだ閉まっている。通りかかった老婆の傘は、ねずみ色。

ああ。姉さんは無地の、濃い緑色の傘がお気に入りだったね。何か理由はあったのかな。制服のブレザーが茶色だったから？　みんなが、もっと派手な色を好んで使っていたから？　それとも、東京には緑が少ないから？　そうかもね。そうかも、しれないね。

右奥の方で客が立ち上がった。上着を着て、荷物を背負う様子がパーティションの上に覗《のぞ》いて見える。ブースのドアを開け、通路に出てくる。Aの五番。ナイトパックの利用客だ。

「……ご利用、ありがとうございました。スタンプカードは、お持ちですか」

「いいえ」

「お作りしますか」

「九時間ナイトパックのご利用で……千九百円です」

「いいえ」

千円札二枚。釣りを渡す。こっちは一応頭を下げる。

紺色の、ナイロン製のリュックを担いだ背中。太っている上に猫背の、丸っこい後ろ姿。

ビニール傘を広げ、駅の方に歩いていく。

入れ替わるように、別の小さな影が入り口に現われる。ドアが開ききるのを待たず、二十センチくらい隙間ができたところで半身を捻《ね》じ込んでくる。

「おはよ」

「ああ……おはよう」

「遅刻、してへんやろ」

「うん……大丈夫」

安堵したような笑みを浮かべ、表に向けて傘を振る。

奇《く》しくも、濃い緑色の傘。

それを傘立てに突っ込んだら、カウンターの端を勢いよく跳ね上げ、こっちに入ってくる。

「あがり、十時？　十時半？」

「……十時半」

「じゃ、三十分は一緒にいれるね」

また笑みを浮かべ、奥のスタッフルームへと入っていく。すれ違う際、肩が当たったことを気にする様子はない。

荷物を置き、コートを脱ぎ、スタッフ用の赤いエプロンを着けて出てくる。手に何か持っている。タッパーだ。

「……ゆうべな、急に食べたなって、お稲荷《いなり》さん作っててん。一緒に食べよ」

半透明のフタに透けて見えているのは、三角形に膨らんだ油揚げだ。

「好かん？」

「いや……」

「じゃあ食べよ。な？」

カウンター内側の小さなデスクに、無造作に置く。

「あれやな……東京のお揚げは、小さいのばっかりやな。あれやったら、確かに俵形なるわ。苦労してん、大きいの探すの……あ、中は五目。味は、けっこうイケると、思うねんけど……」

フタを開け、こっちに押し出す。

さほど大きくないタッパーに、ぎゅうぎゅうに詰められたそれを、僕はなんとか一つつまみ出した。途中で少し、油揚げが破けた。

汁が垂れる。受け皿代わりにフタを渡される。

「……いただきます」

冷たい。味は薄口。にんじん、椎茸、こんにゃく、鶏肉。

「どう?」

「……うん。美味《おい》しい」

「そらそうや。うちが作ってんもん」

そこからなぜか、母親の話。兄、妹の話。

「内田《うちだ》さん……ちょっと」

指を口元に立てたら、なぜか睨《にら》まれた。

「なにそれ。内田さんて……名前で呼んでてゆうたやん。貴代《たかよ》って。なんなら、オマエ、でもええわ……そういう仲やん」

いや。僕は今、君の声の大きさを、注意したつもりなんだが。

予定通り十時半にあがり、店を出た。雨は、依然降り続いている。

さして賑わってもいない商店街を歩く。中心地から離れるにつれ、閉まったシャッターが多くなる。

あの頃、姉さんが住んでいた辺《あた》りにも、こんな商店街があったよね。いや、もうちょっと寂れてたか。買い物に不自由するほどではないけど、決して賑わっているともいえない、東京の私鉄沿線ではよく見かける感じの、小さな商店街。夕方だけ、どこからともなく住人が湧き出てきて、つかのま賑わう。そんな、どうってことない町。

姉さんは、携帯は高くつくからまだ買わないっていってたね。だから、固定電話。留守電を何度か入れたのに、姉さんからの連絡はなかった。

僕は学校を終えて、いったん家に帰っていた。父さんとは何日も顔を合わせてなかった。夕飯は、何を食べたっけな。覚えてないけど、自分で何か作って食べたんだと思う。姉さんほど、上手くはできなかったけど。

ちょっと、胸騒ぎがしたんだ。今日電話して出なかったら、直接いってみようって思ってた。そうしたら案の定、姉さんは出なかった。

夜、九時頃だった。僕はダウンを着て、マフラーもして家を出た。雨、けっこう降ってたんで、ビニール傘じゃなくて、ちゃんとした大きいのを差していった。

父さんは帰ってきてなかった。それでも、駅からの道で鉢合わせする可能性もあると思ったから、わざわざ遠回りをして駅まで走ったんだ。

駅には下り電車がきてた。降りてきた客が散らばって、いなくなるのを待ってから改札を通った。なるべく目立たないようにホームの端まで歩いた。暗い、風の強いところで、また傘を開いて、誰もいない向かいのホームを見ていた。

電車を二つ乗り継いで、姉さんのアパートの最寄《もよ》り駅までいった。まだ十時前だったと思う。入れ替えたばかりだったのかな。真新しい精算機で、乗り越し分を払ったのを覚えてる。

何度も後ろを振り返った。暗かったし、雨で煙《けぶ》っててよく見えなかったけど、すれ違う車を目で追うと、ヘッドライトが当たってけっこう遠くまで様子が分かった。誰にもつけられてはいないようだった。

すっかり人通りも絶えた商店街を抜け、対向二車線の通りを渡って、薄暗い住宅街を歩いた。静かだった。雨の音と、路面の雨水を撥ね上げる車の音が、いつまでも背後に響いていた。

手前の道で黒っぽいセダンとすれ違った。道の右側は、暗い生垣。左側は、黴《か》びた上に黒く濡れたブロック塀。せまかったけど、あそこ、車は通れたんだね。別に、どうでもいいことだけど。

次の角を左に曲がって、すぐ右手。あの辺りでは、比較的綺麗で新しいワンルームだったよね。姉さんくらいの、若い女の人の一人暮らしにはもってこいだった。外廊下には照明もたくさんあって、明るかった。あそこに着いたときは、なんとなく安心したのにな。

一階の一番奥の部屋。建物の裏手に回って窓を確認した。姉さんの部屋に明かりはなかった。カーテンが閉まってるだけかもと思って、よく見てみたけど、隙間にも明かりはないように見えた。

やっぱり、留守なのかな。

しばらく辺りをうろうろした。でもどうしても心配で、諦めがつかなかったから、いってみることにした。びしょ濡れで、けっこう寒かったし。

一番奥のドア前に立ち、呼び鈴を鳴らした。けど、応答はなかった。

合鍵は、ちゃんと持ってきてた。留守でも上がってていいっていわれてたから、入るのに躊躇《ちゅうちょ》はなかった。鍵を挿して、開けた。だから、鍵は閉まってた。それは間違いない。

ドアの中は暗かった。最初に感じた異変は、臭《にお》いだった。生ゴミにしては変な臭いだな、と思ったけど、さして気にはしなかった。そんなに強烈な、我慢できないほどのものではなかったから。

照明のスイッチを探した。ドアのすぐ脇にあったそれを押すと、玄関だけが明るくなった。奥の八畳間の方にも少し明かりが当たったけど、でもそのときはまだ何も分からなかった。

靴を脱いで上がった。臭いは、ずっとしてた。何日も留守にして、ゴミ出しができなかったのだろうか。姉さんはそういう人じゃなかったけど、でも慣れない一人暮らしで、何かと勝手が違うのかも。そんなことを思いながら、また手探りでスイッチを探した。

カーブした突起に指先が当たり、軽く押すと、パチパチッと何度か瞬《また》いて、部屋全体が明るくなった。

姉さんは、奥に置いたベッドの手前に、折れ曲がるようにして倒れていた。

天井を向いた顔は無表情で、真っ白だった。緑色のフリースはジッパーが開いていて、中の、柄物のニットはめくれ上がって、顔と同じ、白い腹が見えていた。濃い緑のスカートも、まくれていた。尻の下辺りは、何か、茶色っぽい液体で湿っていた。首には小豆《あずき》色の、見覚えのある柄のネクタイが絡みついていた。

叫ばなかった、と思う。たぶん、呼びかけもしなかった。

それくらい明らかに、姉さんは死んでいた。素人《しろうと》の僕ですら、確かめる必要がないくらい、完全に姉さんは、死んでいたんだ。

僕もまだ携帯電話は持ってなくて、でも部屋の電話は触っちゃいけない気がしたから、公衆電話を探して町を走り回った。一一〇番にかけて、なんていったらいいんだろう。そんなことを考えながら。

実際、なんていったのかは覚えてない。電話して、住所をいって、急いでまたアパートまで戻って、入り口で待ってたら、合羽《かっぱ》を着た警察官が自転車に乗って現われた。

「通報をくれたのは、きみ?」

「はい……」

一緒に中に入ろうとしたけど、外で待ってなさいっていわれた。仕方なく、そうした。吹きつける雨風が冷たかったのを、今でもよく覚えている。

まもなくパトカーがきて、僕はそれに乗せられた。警察署にいくのかと思ったけど、すぐには動き出さなかった。制服警官と、私服の刑事の二人がいて、刑事の方が、これで拭きなさいってタオルを貸してくれた。乾いた、あたたかいタオルだった。

いろいろ訊かれた。姉さんの名前、僕の名前、住所、本籍、家族構成、父さんの名前、姉さんの仕事、僕の学校、父さんの会社、連絡先、発見時の状況、そこに至るまでの経緯。さらにさかのぼって、どんどんいろんなことを喋らされた。いえないこともたくさんあった。それは全部、分からないことにしておいた。

父さんと会ったのは、警察に連れていかれてからだった。

当時の僕に話せることはすべて話して、取調室から出てきて、事務室みたいなところの応接セットに座っていたら、入ってきた。

父さんは今にも泣き出しそうな、それでいて怒ってもいるような、変な顔をしていた。周りにいた刑事にお悔やみをいわれ、それには冷静に頭を下げていた。ここにくるまでに、事情は大体聞いてきたんだなと思った。

僕は警察が貸してくれたジャージと、ジャンパーに着替えていた。

父さんはその肩を摑んで、低く唸《うな》った。

お前——。

その続きは、なかった。

でも、何をいいたいのかは分かった。

お前、千恵《ちえ》の居場所を、知ってたのか。

ああ、知ってたよ。僕は全部、知ってたんだ。


あれから九年。

僕はいまだに、あの雨の中にいる。

どうしたらいいのか分からなかった、警察になんていっていいのかも分からなかった、あの夜のままなんだ。

だから、雨が降ると、なんだかほっとする。あの夜からやり直しができるような、別の人生が作れるような——。

いや、違うな。あの雨の夜で、すべて終わりにしてしまえばよかったんだ。姉さんと、父さんと、一緒に終わってしまえれば。なのに、よく分からないまま、僕は今日まで生きてきてしまった。あの頃の僕たちに、少しでもケジメをつけようとか、そんなふうにもがきながら、生き続けてきてしまったんだ。

だから、実際こういう状況になってみると、かえって困る。

ケジメと思ってきたことが済んで、何もかもが終わってしまうと、急にまた、どうしていいのか分からなくなった。いや、より一層、わけが分からなくなってるのかもしれない。

アパートに着いた。

傘を畳んで、ドアを開ける。

薄暗い部屋。表面の塗装がかすれた床。台所の、ボコボコに歪《ゆが》んだ流し台。焦げたコンロ。黄ばんだ冷蔵庫。夏から置きっぱなしの、ゴキブリハウス。

六畳の和室には万年床と、パソコンを載せた低い机。

脱いだダウンジャケットを、壁にあったハンガーに掛ける。ジーパンも靴下もかなり湿っていたけれど、それはそのままにしておく。

パソコンの電源を入れる。ハードディスクが回転を始め、いくつかのソフトが自動で立ち上がるのを待つ。

カーテンは開けない。ここに越してきてから、ほとんど開けたことがない。だから、開けたらものすごい埃《ほこり》がたつと思う。

回転が落ち着いた頃、パソコンの前に座る。

ふと思い立って、内田貴代に一本メールを打った。これだけでは意味が通じないだろうが、今のところ、これ以上どうしていいのか分からない。また今度、改めて考えるとしよう。

あとは、いつも通りだ。

もはや日課といっていいかもしれない。これを続ける意味なんて、もうほとんどないのだけれど、惰性で続けている。これをやらなくなったら、本当に僕という人間は終わってしまうんじゃないかと思う。

基地の方に設置してあるサーバにアクセス。蓄積されたデータをこっちに吸い上げ、一つひとつチェックしていく。変換ミスで意味の通じない文章も多々あるけれど、そこは勘で、なんとか解釈して進む。そもそも暗号を暗号化したようなものだから、解読したものにさらなる解読が必要なのは当たり前だ。

モニターの文字と睨めっこをしていられる時間には限りがある。目が疲れたら続きはプリントアウトし、紙で読む。だがそれにも、いずれ限界は訪れる。五時間、六時間ぶっ通しでやり続けると、さすがに気が滅入《めい》ってくる。

意味のある情報なんて、千の中に十かそこらだ。その十の内に金になるものがあるかないかというと、ないことの方が圧倒的に多い。それでも、僕は続ける。何も期待せず、意味も問わず。ただ読み続ける。

これも姉さんは知らないことだけど、あのあと、うちにも警察がきたんだよ。家宅捜索ってやつだ。刑事と作業服の人が何人もきて、家のあちこちを調べていった。

奴らは、僕の部屋にもきた。当時は自分の部屋を基地にしていたから、当然、奴らもそれを目にすることになった。

驚いてたよ。でもすぐ、それはあからさまな不快感へと変わった。一人の刑事なんて、蹴飛ばして壊そうとしたからね。かろうじて、その上司っぽい奴が止めたけど。

「よせ、ミゾグチ」

「……ええ、分かってますよ。これ自体は、罪でもなんでもないっていいたいんでしょう……離してください」

それからそいつは、蔑《さげす》むような目で僕を見下ろした。

「まったく、どうなってんだ、この家の人間は。どいつもこいつも、碌《ろく》なもんじゃねえ」

それが、仮にも被害者の実家に上がり込んで、警察官が吐く台詞《せりふ》かよ、と思ったけど、黙ってた。いっても、しょうがないと思ったから。

急に呼び鈴のブザーが鳴って、現実に引き戻された。

珍しい。この部屋を誰かが訪ねてくるなんて。

とりあえず、胡坐《あぐら》をかいた状態から、四つん這いになった。

「……はい」

足の痺れを誤魔化しながら、這って進む。

返事が聞こえたのか、相手が続けてブザーを押すことはなかった。

玄関の方を見る。合板製のちゃちなドア。顔の高さにある小窓は、白い空の色を映している。来客が誰なのか以前に、人がそこにいるのかどうかも定かでない。近所の小学生のピンポンダッシュ。そういう可能性もなくはない。

ようやく玄関まできて立ち上がる。

「……はい、どなたですか」

すぐには、返事がなかった。

「どなた、ですか」

路面の雨水を撥ね上げる車の音。近所で鳴っている、ラジオかテレビの音。だがそれ以外は、何も聞こえない。

「……誰だ」

トラックだろうか、近づいてくる大きなエンジン音。荷台の荷物が暴れる音。それが過ぎると、また静寂。

「誰だよ……」

すると、ようやく小窓に、手の影が映った。

「……あ、た、し」

囁《ささや》くような、かすれた声。

誰なんだよ、一体——。

第一章

1

十二月十九日、月曜日。

姫川玲子《ひめかわれいこ》は二人の部下を連れ、日比谷まで飲みにきていた。大人の隠れ家的な、お気に入りのバーの個室だ。

二杯目のグラスビールを飲み干す。

「……菊田《きくた》、メニュー」

「はい」

そもそも今日玲子が誘ったのは、係でも一番若い葉山則之《はやまのりゆき》巡査長、彼一人だった。だが、どこでどう情報が漏れたのか、この通り。菊田巡査部長もついてきてしまった。

「……アンリオの、ブリュット・スーヴェランね」

「え、なんですかそれ」

菊田は玲子の三つ上、今年三十四歳。付き合いも長く、もっとも信頼している部下であるのは事実だが、だからといって、いつでもどこでも一緒がいいわけではない。

「フランスのシャンパンよ。ボトルでね」

「マジっすか」

「マジよ」

警視庁刑事部捜査第一課殺人犯捜査第十係。玲子はその第二班、通称「姫川班」の主任を務めている。

菊田の隣にいる葉山が、相変わらずの無表情でひと口、ビールを飲む。

もう葉山も、姫川班に配属されてきて二年以上経つ。それだというのに、なぜかいまだに彼は班に溶け込んだ感じがしない。どうしてだろうと、玲子は常々疑問に思っていた。いつか機会を作ってじっくり話をしよう。そう考えていた。

そんな葉山と今日、たまたま一緒に、逮捕術の訓練に参加することになった。これはいい機会だと思い、訓練後の予定を訊くと、特にないという。だったらちょっと付き合いなさいと、彼一人を誘った。つもりだったのだが、

「なあ、ノリ。お前、カノジョいないの?」

本部庁舎を出る頃には菊田も話に加わっており、一緒にくることになっていた。

葉山はすらりと背が高いうえに、なかなか端整な顔立ちをしている。確かに、恋人くらいいて当たり前な感じではある。

「ウソだろう。いるんだろう、本当は」

「いませんよ。本当に」

しかし今日、玲子がしたかったのはそういう話ではない。もっとこう、刑事という仕事に対してどういう考えを持っているのか。あまり意見や感情を表に出さないが、何か理由はあるのか。ひょっとして打ち解けられないのは、女主任である自分に何か原因があるのか。そうならそうとはっきりいってほしい――。大まかには、そういう話をするつもりだったのだが、もう無理だ。まるっきり台無しだ。菊田が一緒では、絶対にそういう話はできない。

「そっか……実は、俺も、いないんだ……まあ、好きな人は、いるんだけど……」

ちらりと、菊田がこっちを見る。

後輩をダシにして、そういう話に持っていこうとするのはいかがなものか。

すると、急に葉山は背筋を伸ばし、玲子と菊田を見比べた。

「……だったら、付き合えばいいじゃないですか。菊田さんと主任、お似合いだと思いますよ。お邪魔なら、自分はもう帰りますから」

「……いません」

BGMは、ジャズ。

「いや、ノリ、俺は、別にそういう……ねえ、主任」

サックスのソロが、急に激しく辺《あた》りの空気を掻き回し始める。

「あ……うん」

間がいいのか悪いのか、スタッフがそこに顔を出す。

すかさず葉山が、先のシャンパンをオーダーする。

アンリオのブリュット・スーヴェラン。ボトルで。

「主任、菊田さん、他には何かありますか」

いいえ。特にはないですけど。


まもなく葉山は帰っていった。

「……バカッ。なんであんな話、ノリに振るのよ」

「すんません……いや、でも俺は」

「俺は、じゃないわよ。あたしはノリと、仕事の話をじっくりしたかったのに。あの子、なんかイマイチ、ウチに溶け込んでない感じあるでしょう」

菊田は眉をひそめ、小首を傾《かし》げた。

「え、別に、そんなことないですよ」

「ウソ。誘ったって三回に一回くらいしか付き合わないし」

「そんなのは個人の自由でしょう。だいたい、早く帰りたい奴を引き止めるなんて……そんなオヤジ臭い」

あ、菊田、そういう口利くんだ。

「早く帰ったって、どうせ四谷の待機寮でしょう。カノジョもいないっていうし。あんなとこに一人で帰って、何やってんのよ」

「知りませんよそんなこと」

ほらごらん。

「でしょ？　知らないでしょ案外、ノリのこと。だから、そういうことも含めて、腹を割って話したかったんじゃない。それを、いきなり肩組んで、カノジョいないのか、なんて……ちょっと菊田、デリカシーなさ過ぎ」

もう四、五発、ガツンガツンといってやりたかったが、またまた間の悪いことに電話がかかってきてしまった。

「……ブレイク」

スーツのポケットから携帯を取り出す。フタの小窓を見ると、十係長、今泉《いまいずみ》警部の携帯からだった。

「はい、もしもし」

『ああ、私だ。お前、今どこだ』

「日比谷です。菊田が一緒です。ノリもさっきまでいたんですけど、先に帰りました」

『そうか……いや、今すぐでなくてもいいんだが、東中野《ひがしなかの》でコロシだ。死んでだいぶ経っているようだから、明日の朝一番、そのつもりでいてくれ』

死んで、だいぶ経っている？

「だいぶって、どれくらいですか」

『いや、鑑識の話じゃ、腐ったり溶けたりはしていないらしいから、まあ、せいぜい二日か三日だろう。俺も出先なんで、詳しくは聞いてないんだが』

この冬場で二、三日なら、臭いといってもせいぜい生ゴミか公衆便所程度だろう。大したことはない。

「じゃあ、中野署に集合ですか」

『ああ。それでもいいし、もし今夜いけるんだったら、現場を見ておいてもいい。控えられるなら住所をいうが』

「ちょっと待ってください……はい、お願いします」

『いうぞ……』

中野区、東中野五丁目、◎△-□と。

「……了解しました。ちなみに係長、今夜は」

『すまん。ちょっと俺はいけそうにない。もしお前がいくんなら、遅くてもかまわん。あとで様子を知らせてくれると助かる』

「分かりました。菊田といってみます」

失礼します、と電話を切り、一瞬、さっきのシャンパンをキャンセルできないかと考えた。

が、遅かった。

「……主任。これ、美味いっすね」

「あーっ」

いつのまに。ああ、もう半分も残ってない。

「ちょっと菊田、よこしなさいよ」

「もう一杯、いや、半分でいいっすから」

そんなこんなしていたら、また電話がかかってきた。

『……よお、姫。これからなんじゃが、池袋で一杯やらんか。干物の旨い店を見つけてな』

東京都監察医務院の監察医、國奥定之助《くにおくさだのすけ》からだった。國奥は玲子の、法医学的知識の師匠。

でも、だからといってそうそう飲みにばかり付き合ってはいられない。

「ごめん、今日はこれから現場なの」

『嘘じゃろう。そんなこといって、またわしを……』

「それが本当なのよ。また連絡してね。ヨロシク」

切る――。

まったく。どうして自分の周りには、こういう変な男ばかり寄ってくるのだろう。

すぐに会計を済ませ、店を出た。

日比谷通りからタクシーに乗り込み、運転手にさっきの住所を告げる。

「……菊田。ちょっと、ハァーッてしてごらん」

店を出るときに見た顔はさして赤くなかったが、酒の臭いをぷんぷんさせて事件現場にいくのは、さすがによろしくない。

「ああ、はい……ハァーッ」

うん。まあ、大丈夫そうだ。この程度で文句をいう者はいないだろう。

「主任はどうですか」

「あたしは大丈夫よ。ブレスケア、いっぱい飲んだから」

「それ、俺にもくださいよ」

「嫌よ。二人で同じ匂いしてたら変でしょ」

「はあ……まあ」

東中野には四十分くらいで着いた。

運転手は、一方通行が交差する十字路に差し掛かったところで車を停めた。

「……ええと、さっき伺った住所だと、この先になるんですが……困りましたね。なんかあったみたいですね」

どこにでもあるような、二階家の多い住宅街。時刻はもう八時半を過ぎている。だがそれにしては、やたらと人が多く通りに出てきている。とても通り抜けできる状況ではない。

「うん、ここでいいわ」

そこで精算を済ませ、玲子たちはタクシーを降りた。

一方通行の細い道。右手には一戸建ての民家が数軒連なり、左手は月極駐車場になっている。現場はどうやら、その月極駐車場に面したマンションのようだった。

バッグから「捜一」と入った腕章を出し、左腕に巻く。ついでに髪留め用のゴムも出し、後ろを一つに括《くく》る。ここで括れるくらいは、いつも髪を伸ばしている。

現場から三十メートルほど手前には立入禁止のテープが渡っており、一般人の通行はシャットアウトされていた。

テープのところにいる制服警官に腕章を向ける。

「捜査一課です」

「ご苦労さまです」

会釈《えしやく》と共にテープを上げてくれる。だが視線は、どちらかというと後ろにいる菊田向きだった。まあ、菊田は体格もいいし、実際年も上だし、なんとなく玲子より上官に見えるのは仕方ないことだが。

さらに十メートルほど進んだ辺りからは、道の右側にゴム製の通行帯が敷いてある。玲子たちはその上を歩き、さらに現場へと接近していった。

四階建ての小綺麗なマンション。ここからでは現場がどの部屋なのかも分からない。ブルーシートで囲われたエントランスを覗き見ると、私服警官と活動服を着た鑑識が忙《せわ》しなく出入りしている。鑑識作業の進み具合も、正直よく分からない。

と、その中に知った顔を見つけた。

元刑事部捜査四課、今でいう組対《そたい》四課（組織犯罪対策部第四課）の主任だった下井正文《しもいまさふみ》だ。四課は今も昔も暴力団絡みの案件を扱う部署。下井が現在もその畑を離れておらず、階級も警部補のままならば、さしずめ中野署刑組課（刑事組織犯罪対策課）の暴力犯捜査担当係長といったところだろうか。ひょっとすると、今回のマル害（被害者）はヤクザ者か、あるいはその関係者か。

下井はエントランス前で電話をしていたが、ひと言怒鳴って切り、ポケットにしまってまた中に入ろうとする。

玲子は小走りで追いかけた。

「下井さん」

整髪料でピッシリ整えた灰色の頭が振り返る。グレーのコートの裾が大袈裟に翻《ひるがえ》る。

「ん……あ、なんだ。一課の名物ネエちゃんじゃねえか」

ニホンザルによく似た顔。深く皺の刻まれた肌は、醤油で煮しめたゴボウのような色をしている。

「ご無沙汰しております。三十過ぎてもそういっていただけるとは光栄です」

「おやまあ……とうとう、嫌味も通じねえ年になっちまったか」

失敬な。

「とんでもない。受け流し方を覚えただけです」

下井は小さく鼻息を噴き、上目遣いで玲子を見上げた。背は、玲子の方がちょっとだけ高い。

「……ネエちゃん、いま何係だ」

「変わりません。まだ殺人班十係です。下井さんは」

「こっちも変わんねえ。相変わらずのマルB（暴力団担当）だ……お前んとこ、他に主任は」

「日下《くさか》警部補が」

ああ、そうだったな、と納得した顔をする。

「……で、決まりなのか、お前んとこで。このヤマは」

「ええ。在庁の顔ぶれからしても、そういうことになると思います」

在庁というのは、つまりこういった事件現場への出動待機のことだ。今日夕方五時の時点で在庁に入っていたのは殺人班十係、四係と、特殊班の特捜一係。順番からいっても、十係が出るのが理に適っている。

「……ま、いずれそっちとはやり合うことになる。あとで汚《きたね》えだの癒着だのいわれねえように、最初にネタ明かしといてやるよ……きな」

「はい」

下井に続いてエントランスを通る。菊田も後ろからついてくる。集合郵便受けのある壁を迂回すると階段室。エレベーターはないようだ。

「マル害氏名、コバヤシミツル、二十九歳」

そんな、いきなり階段でいわなくても。

「漢字は」

「小さい林に充電のジュウ、で、小林充。ロクリュウ会って組のチンピラだ……ああ、六つの難しい方のリュウで、六龍会な。大和会《やまとかい》系石堂《いしどう》組傘下の、ジンユウ会の下部組織……そういえば、なんとなくイメージできるか」

「ええ。大まかには」

大和会は日本最大の指定暴力団。石堂組はその下部組織。今の石堂組組長はたぶん、現大和会会長の、奥山広重《おくやまひろしげ》の舎弟だったと思う。その石堂組傘下に、確か仁勇会という組があった。六龍会がさらにその下なのだとすれば、大和会から数えたら四次団体ということになるだろうか。

下井は三階も通り過ぎ、さらに上へと上っていく。

「……で、その小林充というのは、どんな男なんですか」

「さあな……正直いうと、俺もよく知らねえんだ。うちのデカ長（巡査部長刑事）の話じゃ、シノギが下手な上にカッとなりやすい、どうにも使えねえ野郎だって話だけどな」

最上階の四階まできた。廊下にも通行帯が敷いてあり、現場であろう二つ目のドア周りはブルーシートで囲われている。

「ちなみに、下井さん……遺体は」

「藤代《ふじしろ》さんがいいっていったから、病院に運んじまったよ。見たかったか」

藤代警視は検視官。死体検案のスペシャリストであり、同時に最高責任者でもある。

「ええ。そりゃ、見られるものなら」

「残念だったな……まあ、現場だけでも見てけや。ちょうど鑑識が出たところだから」

「はい」

下井について中に入る。

入ってすぐのところにビニール製の靴カバーが用意してあった。それを菊田と二枚ずつ取り、足にかぶせる。白手袋も着ける。

「奥だ」

「はい」

天井が若干低い。そういえば玄関ドアの間口、タタキ、奥の居室にいくまでの廊下も、すべてサイズが微妙に小さい。最近は賃貸物件も天井を高く造る傾向にあるが、ここは違うのだろうか。あるいは外装と内装をやり直しただけの、実は古い物件なのだろうか。

「……まあ、こんな感じだよ」

下井は廊下と居室の境目で立ち止まり、玲子たちを中にいざなった。

「失礼します」

頭を下げ、菊田と中に入る。

「……はあ、なるほど」

「だいぶ、派手にやりましたね」

十畳より少し広そうなリビング。奥にもうひと部屋あるようだが、殺害現場となったのはこのリビングで間違いなさそうだ。

部屋の向こう半分に、ソファとローテーブル。ソファから最も見やすい対面の壁際に、薄型テレビが置かれている。

マル害が倒れていたのはソファの手前らしい。まだチョークで描いた人形《ひとがた》が残っている。

「……菊田、鑑識から現場写真もらってきて。カメラ本体でもいいし、誰かのノートにコピーしてでもいいから、とにかく今すぐ見せるようにいって」

了解、と短くいって菊田は部屋を出ていった。

今一度、遺体のあった場所を見る。

チョークからすると、ソファに背を向け、こっちに足、右側を下にする横向きで倒れていたものと思われる。上半身、それも腹か胸の辺りから大量の出血があった模様。血液が黒く変色して、フローリングにこびりついている。

だが異様なのは、遺体のあった場所そのものではない。むしろ周辺だ。天井から、窓に掛かった白いレースのカーテン、同じく白いクロスの壁、よく見ればテレビの画面にまで、血が四方八方に飛び散っている。

菊田がノートパソコンを抱えて戻ってきた。

「……お待たせしました。ちょうどバックアップし終わったところだったんで、これごと、借りてきました」

画面をこっちに向ける。

「ここをクリックして、どんどんめくってってください」

「分かった」

はい、と手渡される。とはいえけっこうな重さだったので、玲子は廊下に戻って、床に直接置いて見ることにした。

すでに専用の閲覧ソフトが起動している。とりあえず「００１」と番号が振られた画像をクリックしてみる。

新たにウィンドウが立ち上がる。その中に、

「……うーわ」

「ひどいっすねこりゃ」

いきなり血塗《ちまみ》れの遺体が現われた。思った通り、右側を下にした横向きで倒れている。着衣は白っぽいスウェットの上下。そのため、余計に赤黒い血の色が目立つ。二枚目から五枚目までは、少しずつ角度をずらして撮られたものだった。

六枚目からは顔のアップ。どうやら、左目に刃が直接当たったらしい。瞼《まぶた》と眼球が縦一文字に割れている。傷自体は眉毛の上から頬骨まで、十センチほど。鼻と口も斜めに割れている。右小鼻から、上唇の真ん中を通って、下唇に。乾燥して開いた唇の切れ目からは、歯と歯茎が直接見えている。これだけの傷を負っているのだから、当然顔面は血だらけだ。血が乾いて固まって、ちょうど麩菓子《ふがし》のような色合いになっている。昔、駄菓子屋で十円くらいで売っていた、黒糖を塗って焼いた、あの麩菓子の色だ。

次、十枚目。白いスウェットの上半身も、あちこち切りつけられている。肩や腕。でも大きな傷は、遺体の左側に集中している。マル被（被疑者）は右利きか。これも似たようなのが四カット。

十四枚目からは肩の傷のアップ。スウェットの切れ目と同じ形で、右肩の筋肉がぱっくり

割れている。皮膚に何か彫り物があるようだが、布の切れ目がせまくて絵柄までは確認できない。

十七枚目からは胸部及び腹部のアップ。これが致命傷になったのだろう。傷の具合は分からないが、出血の量が他とは比べ物にならないほど多い。ほとんど、胴体の前面に白い余白はない。全体が血の色に染まっている。この分では、刃は直接心臓にまで達したのだろう。肺も、相当傷ついているに違いない。ひょっとすると顔が血だらけなのは、肺が破れて出た血液が気道に回り口から吐き出された、というのもあるかもしれない。

二十一枚目は左掌。二十二から三枚は右掌。双方に防御創らしき複雑な形状の切創《せっそう》がある。特に右の傷が深い。マル害は抵抗している間に、とっさに刃部を握ってしまったのだろう。だがマル被は力ずくで凶器を引き抜いた。右掌にあるのは、そんな感じの傷だ。

二十五枚目から、カメラは下半身、背面と、傷のない方に回り込んでいく。詳細に撮ってはいるが、これといって注目すべき点はない。

三十三枚目からは部屋の様子。あちこちに飛び散った血痕を一つひとつ、記号の札を立てて撮影してある。

下井が、ズッと洟《はな》をすする。

「……殺人班の主任さんは、どう見る。このヤマ」

玲子は立ち上がり、今一度リビングを見回した。

「現時点では、よく分かりません。ただ、素人臭い犯行だな、という印象は持ちました」

下井は小さく頷いた。

「ああ……凶器はドスなんかじゃなくて、出刃とか牛刀包丁、もしくは大型のジャックナイフのような、大振りで幅の広い刃物だろうな。最後に突き刺してはいるが、それまではこう、振り回すようにして切りつけてる。ドスでそれができねえわけじゃねえが、心理的にな。ドスは持ったら刺しにいくもんだ。ヤクザ者だったらなおさら、まず刺しにいくだろう……まあ、その辺は、解剖の結果を見ねえと、なんともいえねえが」

玲子は奥を指差した。

「あっちの部屋は」

「ベッドルームだ。あっちはちょいと血が跳ねてるだけで、どうもなっちゃいねえ。荒らされた形跡もない。宝石類も手つかずで残ってる」

「宝石類？」

手つかず？

「ああ、ここはな、小林の女の部屋なんだよ。第一発見者もその女だ。今、うちの強行班が聴取してる最中だろう」

玲子は首を傾げてみせた。

「……その女がホシ、という可能性は」

何度となく切りつけた挙句《あげく》に、腹部を刺して息の根を止める。ヒステリックな女性をその場面にはめ込んでも、さほど違和感はない。

だが、下井は小さくかぶりを振った。

「第一発見者をまず疑え、か？　オメェ、下手なドラマの見過ぎじゃねえのか」

失敬な。殺人班の刑事にテレビドラマを見ている暇などない。

「可能性の話をしているだけです。それがゼロでないのなら、被疑者のリストからはずすことはできません」

下井は片頬を吊り上げ、つまらなそうに笑った。

「知らねえよ。俺だって会ったわけじゃねえし、話に聞いただけだからな。そんなにいうんだったら、ネエちゃんが聴取してみりゃいいだろう」

「ええ。ぜひ」

暇があったら、そうさせてもらうとしましょう。

2

うっかり、タバコを切らしていた。

パッケージを捻る。

「おい」

「はい」

隣を歩いていた川上が走り出し、二十メートルほど先の販売機の前で立ち止まる。牧田《まきた》の吸う銘柄はマルボロの赤。入ってない販売機はまずない。

川上がタバコを手にするのと、こっちが追いつくのとどっちが早いだろう。そんなことを思いながら歩いていたら、ちょうど追いついたところで川上は立ち上がり、こっちに向き直った。

「……すんません、お待たせしました」

慌てて封を切り、箱の端を叩いて二、三本吸い口を飛び出させる。

一本つまんで銜《くわ》えると、すかさず川上が火をあてがってくる。

深く吸い、細く、長く吐き出す。

ああ、美味い——。

冬、外で吸うタバコが、牧田は案外好きだった。

「兄貴」

川上が封を切っていないパッケージを差し出す。

「……ああ」

受け取って、スーツのポケットに入れておく。封を切った方は、川上が自分のポケットにしまった。

八百屋の前にきた。昔から知っている店主が、二つに切った白菜を店先の台に並べている。

「……おはよう、おじちゃん」

「おお、勲《いさお》さん。また早いね今日は。寒いのに」

「ああ。年かな、早く起きちまうんだ」

牧田は今年、四十八になる。

吸い差しを野菜クズの中に放り込もうとしたら、店主がコーヒーの空き缶を差し出してきた。悪いね、といってその中に落とす。

「ミカンか、リンゴ……どっちにしようかな」

「んー、そのゴールデンは蜜も入ってるし美味しいけど、勲さん、硬いの嫌いでしょう。ミカンにしときなよ。酸っぱくなくて美味しいよ」

「そう。じゃあ、そうしとくか」

へい毎度あり、と店主がミカンの入ったザルを持ち上げる。

紙袋に詰めた頃合いを見計らい、川上が千円札を出す。

牧田がその横から「釣りはいいから」というと、店主は満面の笑みで「いつもすんません」と頭を下げた。

紙袋は、川上が受け取った。

毎度どうも、の声に送られて歩き出す。

「……兄貴。釣りはいい、もいいですけど、ちょっと気前よ過ぎやしませんか」

あそこの奥さんは一昨年、軽トラックから荷を降ろしているときにつまずいて転倒、股関節を複雑骨折した。以来、寒くなると店に出る日がめっきり少なくなる。店主は一人で、何かと大変な日々を過ごすことになる。

「極道なんてもんは、形も値段もねえものを売り買いする商売だ。形あるものを扱ってる真っ当な商人には、それなりの金を払うもんだ」

「いや、分かりますけどね。でもだからって、これひと袋、三百六十円ですよ。釣りの方が……」

「その釣りで、こっちは義理を買った……そういうもんだ。何度もいわせんな」

さっき買わせたタバコの封を切る。一本銜えると川上はライターを出そうとしたが、牧田は「いい」と手で制した。

自前のガスライターで点ける。火種が真っ赤に光るまで、たっぷりと吸い込む。

「……それよりよ、義則《よしのり》。お前もそろそろ、事務所を持ったらどうだ。マンションも買ったんだしよ。いつまでも、俺の鞄持ちじゃ恰好つかねえだろう」

見た目は若いが、この川上ももう四十三になる。

「いえ。俺は一生、兄貴のイチ舎弟です。組は持ちません……その考えに、変わりはありません」

「だから……それじゃあよ、下のもんがやりづれえんだよ。お前に遠慮してるのは一人や二人じゃねえんだ」

川上が、ミカンの袋を抱え直す。

「分かってます……だから、謙太《けんた》や秀彦《ひでひこ》には、遠慮なくやれって、いってあります。俺に義理立てする必要はねえって」

「そうはいくかよ。示しがつかねえって話だよ」

「じゃあ兄貴、俺と盃直してください。舎弟じゃなくて、子分にしてください。それならいいでしょう」

「いや……そういうことじゃなくてよ」

まったく。困ったもんだ。

新宿区百人町《ひゃくにんちょう》二丁目。新本山《しんもとやま》ビル。決して新しくはないが、そこそこ大きな構えのビジネスビルだ。牧田の事務所は、その二階にある。

川上が「双葉興行株式会社」と金文字の入ったドアを開ける。

「あっ……おはようございますッ」

入り口近くの机を拭き掃除していた新入りが勢いよくお辞儀をすると、二十人ほどいる社員全員がこっちを向き、同じ声をあげた。

牧田は手を挙げて応えた。

「おう……お前、電話の下もちゃんと拭けよ」

「はい、ありがとうございます」

机の間を縫って歩き、奥の社長室に向かう。途中で川上が若い者にミカンを渡す。

牧田は通りがかりに、ある子分の肩を叩いた。

「隆夫《たかお》、台帳持ってちっとこい」

「……あ、はい……」

呼ばれる理由は本人が一番よく分かっているのだろう。返ってきたのは、重く沈みそうな声だった。

牧田は、他とは違う木彫りのドアを開け、少し頭を下げながら社長室に入った。

そう。牧田はドアを出入りする際、頭を下げる癖をどうしても直せずにいる。最後に測ってから縮んでいなければ、今も身長は百九十二センチあるはずだ。

牧田が生まれ育った家の戸口は、どこもぎりぎりか額をぶつける高さだった。それが嫌だったので、この事務所にあるドアはすべて二メートルぴったりに造らせた。だから、どこも直立したまま通れるはずなのだが、どうも癖で、ついつい頭を下げてしまう。

部屋の中には簡単な応接セットと事務机。木彫りのドアと釣り合う調度品は、残念ながら一つもない。

「……失礼します」

茶とミカンを持った若い者。その後ろには、さっき肩を叩いた夏木《なつき》隆夫がいる。

牧田が応接セットのソファに座ると、二人はきびきびとした動作で入ってきた。

一人は茶とミカンを置いて下がった。

夏木は、黒表紙の台帳を脇に抱えたまま直立不動だ。

「……隆夫。確か二千万、昨日が期限ってのがあったな」

彼には二軒の街金を任せている。

「はい……あの、それに関しては、むろん……店に呼びつけて、取り立てはしたんですが」

「したんですが、なんて話が聞きてえんじゃねえんだよ。ちゃんと回収しましたって、そのひと言を待ってんだ。俺は」

立ち上がる。それだけで夏木の顔が限界まで引き攣《つ》る。

「隆夫よ……この商売、相手に舐められたら終わりなんだよ。いくらオメェが極清会《きよくせいかい》の名前を使ったところで、テメェで落とせねえなら、オメェなんざうちにゃいらねえって話になる……違うか。不動産もダメ、水商売もダメ、風俗はもっとダメ。金貸しでがんばるっていうから、シノギ回してやったんだろうが。性根据えて、死ぬ気になって取ってこい。それでダメなら俺がいってやる……が、そうなったら隆夫、オメェにはもうあとがねえぞ。そこんとこ、よく考えろ」

いけ、と顎で示す。夏木は泣きそうな顔で頭を下げ、社長室を出ていった。

すぐに机の電話が鳴る。音からすると内線だが。

「……ああ」

『川上です。六本木の、ドゥービーズ・エージェンシーって覚えてますか。芸能事務所の』

ドゥービーズ——。

「ああ、おっぱいネエちゃん専門の事務所か」

『そうです。あそこの社長からの電話ですが……なんか、切羽詰《せっぱつま》った感じです。注意してください』

「分かった」

繋ぎます、のひと言で接続が切れ、また別のノイズが鳴り始める。携帯からか。

「……牧田です」

『あ、ああ、よかった、いてくださって……その節は、お世話になりました。ドゥービーズの、船山《ふなやま》です。あの、その、早速《さっそく》で、なんなんですが……あの、うちの、栗山優菜《くりやまゆうな》って、分かりますか』

「ええ、分かりますよ」

オヤジ系週刊誌の巻頭グラビアによく出ている娘だ。

『あれを……代々木の、フェイス・プロモーションって、ご存じでしょうか』

「はい。分かります」

こう見えても芸能界事情には明るい方だ。フェイスプロといえば、グラビア系ではいま業界トップの大手事務所だろう。

『その、フェイスプロがですね、うちの優菜を、引き抜こうとしていることが分かったんです。優菜を……あの娘をとられたら、うちは潰れてしまいます』

まあ、そうなるだろう。

『お願いします、牧田さん。あっちのバックには、松浪《まつなみ》組がついてるんです。とてもじゃないけど、私が怒鳴り込んでどうなる相手じゃないんです……頼みます、牧田さん。お力を貸してください』

松浪組か。ちょいと相手が悪いな。

詳しい事情を聞いた上で、船山には、まったくの無傷で収めることはできないと思う、とまず断った。だが、ある程度の手傷を負うことにはなるが、それでも栗山優菜を失わずに済む方向にならなら持っていけるかもしれない。そう話した。船山は了解し、すべてを牧田に委《ゆだ》ねるといって電話を切った。

そんなわけで、朝っぱらから代々木くんだりまで足を運ぶ破目になってしまった。

敵地の真ん前に路上駐車した、白のエルグランド。これくらい大きな車でないと、牧田には窮屈で仕方ない。ちなみに窓は真っ黒のフルスモーク仕様だ。

「……兄貴、俺もいきますよ」

「いいから、お前はここで待ってろ……出番はある」

しつこく喰い下がる川上を運転席に残し、牧田は一人で車を降りた。

最寄りの駅は代々木だが、住所でいえば千駄ヶ谷《せんだがや》五丁目。第二飯干《いいぼし》ビル。外壁に軽石のようなものを貼りつけた、なかなか小洒落《こじゃれ》た建物だ。一階に画廊か何かが入っていてもおかしくない、ハイソな雰囲気である。

とりあえずエントランスをくぐり、ステンレス製の案内表示を見る。二階が飯干土建、三階が飯干建設、四階がオフィス飯干。「飯干」は三代目組長の名字。おそらく組事務所として使っているのは四階だろう。ちなみに五階がフェイス・プロモーション。なんと、松浪組はフェイスのケツ持ちであるのと同時に、大家でもあるようだ。

通路を奥まで進み、エレベーターの上ボタンを押す。

やがて扉が開くと、中から小柄な女の子と、牧田ほどではないが背の高い男が出てきた。タレントとマネージャーといったところか。

入れ違いに乗り込み、「4」のボタンを押す。さして緊張はしていなかった。相手が筋者《すじもの》だろうと素人だろうと、トラブルを治める方法にそういくつもパターンはない。

再び扉が開いた。

降りた正面が、いきなり入り口。一見するとごく普通のオフィスだが、曇りガラスのドアに書かれた文字は「オフィス飯干」より、明らかにその上の「松浪組東京総本部」の方が大きい。字体も後者の方が筆文字調で荒々しい。

ガラスドアの前に立つ。静かに開いたドアを入ると、今度はグレーのパーティションに前を塞がれる。左にもパーティション。右に進むほかなさそうだ。

と、足を向けた途端、ダークスーツの人影が現われた。監視カメラででも見られていたのだろうか。

「……おやおや。初代極清会会長さんともあろうお方が、直々になんのご用ですか」

松浪組若頭補佐、坂西《さかにし》。年の頃は牧田とさして変わらないが、背はだいぶ低い。

牧田は溜め息をつき、短い髪の頭を掻いてみせた。

「ああ……こちらの芸能担当は、どちらさんでしたかね」

「なんの話だ」

「ええ……実は六本木の、ドゥービーズってタレント事務所の社長に、泣きつかれちまいましてね。この上のフェイスプロさんに、看板タレントを引き抜かれそうになっている、なんとかならんか、とね……そんなわけで、まずこちらさんに筋を通してからと思い、お邪魔した次第……ですんで、なにとぞ。芸能担当の方を、ご紹介いただきたい」

ここで「芸能担当」と繰り返したのには理由がある。牧田は、それが誰なのかちゃんと分かっているのだが、名指しというのは何かと相手を警戒させる。そうならないように、この段階ではわざととぼけておいた。

だが、目的の人物は意外と早い段階で現われた。

「……その話なら、俺が聞くが」

「あ、兄貴……」

坂西の後ろに出てきたのは、武藤《むとう》。ここの若頭だ。体格も貫禄も坂西とは大違いだ。

「ああ、武藤さんの扱いでしたか。それは失礼いたしました。お忙しいところ、いきなりでなんなんですが……コーヒーでも、いかがですか。行きつけのお店などおありでしたら、ご案内いただけると助かります」

武藤が頷く。

ここまでは、すべて計算通りだ。

武藤のあとについて第二飯干ビルを出る。その際、エルグランドに向けて手招きをしておく。川上が慌てないよう、ゆっくりと、二度繰り返す。

明治通りを渡り、武藤は五十メートルほど駅方面に歩いた。

その、道沿いにある喫茶店の前で立ち止まる。

「ここでいいか」

「はい。けっこうです」

武藤の行きつけの店にいきたい、といったのは、むろん武藤を安心させるためだ。と同時に、急に組長の飯干武朗《たけろう》がしゃしゃり出てこないよう、交渉の場を組事務所以外に設定する目的もあった。

すぐ、川上が追いついてきた。

「……兄貴」

川上は武藤にも軽く会釈をした。

「お前、車は」

「さっきんとこに停めっぱですけど」

「ちゃんとパーキングに入れてこい。シール貼られるぞ」

武藤は、店のドアを押したまま制止していた。

「……連れがいたのか」

「ええ。まあ、運転手です」

怪訝《けげん》な顔をされる。これも計算通り。

さあ、と促《うなが》して中に入る。

店は空いていた。先客はたったの一人。小さな白い犬を抱いた老婆が、カウンター席にいるだけだった。犬はマルチーズか。

武藤は奥のテーブル席を選んだ。別に、席はどこでもいい。武藤を奥に座らせ、それから ゆっくりと牧田も腰を下ろした。

水を持ってきたマスターらしき中年男に、川上の分も入れ、三つコーヒーを頼む。

「……で、なんだって。引き抜きがどうたらこうたら」

「はい」

武藤の頭上にあるフォトフレーム。そのガラスには店の入り口が映っている。川上が、ドアを開けて入ってくるのが見えた。

席につくのを待って紹介する。

「うちの、舎弟頭をさせております、川上です」

「……初めまして」

武藤が渋い顔で頷く。

これで役者はそろった。ちょうど、コーヒーも運ばれてきた。

「で、その……話というのは、簡単なことです。ドゥービーズの看板タレント、栗山優菜が、松浪組さんの上の階に入っている、フェイスプロさんに引き抜かれそうになっている。ドゥービーズの船山とは、昔から付き合いがありましてね。泣きつかれたら、こっちとしても知らん振りはできない」

付き合いといっても、とあるイベントに際してショバ代を要求し、そのときに「面倒が起きたら相談に乗ってやる」といっただけのことだが。

「なんでも……芸能界には、いろんな種類の金貸しがいるそうですね」

軽く振ってはみたが、武藤の顔つきにこれといった変化はない。

「なんの関係があるのか分からないが、スタジオの端っこにいつもいるおじさん。プロデューサーとやけに親しげに話している、派手な身なりのおばさん。あるいは……ロケバスの運転手」

栗山優菜は「週刊キンダイ」という週刊誌によく出ていた。その編集部が使っていたロケバス会社が松浪組のフロント企業であることは、すでに確認済みである。

「……芸能人は収入が不安定だ。カードを持てない娘も決して少なくない。すべてを現金決済しなければならないのに、事務所からの給料はまだ十日も先……そんなとき仕事場で、十万融通しようか、と知った顔の人がいってくれたら、じゃあお願い、となるのも無理はない。しかも、利子や期限の話もするにはするが、最後は必ずこういう……あるとき払いでいいからね。そもそも、そんな手合いに金を借りるくらいの娘……財布の紐は押し並《おな》べてゆるい。そこにあるとき払いでいいという金貸しが現われたら、そりゃあ、いくらだって借りちまうでしょう」

武藤がタバコに火を点ける。まだ、こっちに喋らせる気らしい。

「……栗山優菜も、それにはまっちまった。あろうことかマネージャーの目を盗んで、ロケバスの運転手から、百万以上の金を借りちまった。だがそれが、どういうわけかフェイスプロの知るところとなった」

本当は借用証書も存在し、額面は利子で千五百万以上に膨らみ、それをフェイスが肩代わりするから移籍してこい、という話なのだが、細部はぼかしておく。

「どこで話が繋がってんだか知りませんが、ケチなやり口じゃありませんか。借金の形《かた》に身売りですか……今どき、江戸吉原《よしわら》じゃあるまいし」

正直にいうと、他所《よそ》では牧田も似たようなことをしているのだが、今日この場ではとぼけておく。

ようやく、武藤がタバコを消す。喋る気になったようだ。

「牧田さんよ。あんた、うちがフェイスのケツ持ってんの、知らないでいってんの。それとも知ってていってんの」

ここは黙って、首を傾げておく。

「……知らないでいってんなら、あんた世間知らずもいいとこだぜ。あそこの社長、梶尾《かじお》隆《たか》昌《まさ》と、うちの三代目は古くからの博打仲間だ。いま専務をやってるセガレ、梶尾恒晴《つねはる》と俺は遊び仲間だ。それでなくたって、あの会社はうちの店子《たなこ》だ。悪くいわれたら黙っちゃいられねえ」

よしきた――。

面子《メンツ》の話になったらこっちのものだ。

「ほう……するってえと武藤さん。あんた、俺と刺し違えてでもその小娘一人を梶尾親子に進呈したいと、そういう覚悟で話をしておられるんで」

武藤は何かいおうとしたが、そうはさせない。

「分かりました。こっちは親と舎弟頭がそろって頭を下げにきてんです。それを悪くいったのいわねえので潰されたんじゃ、今度はこっちの面子が立ちませんや。……やるんなら、この場で私をやってください。そうしたらこの川上が、牧田も体を張ったがダメだったと、船山に弁解もできましょう。……さあ、バッサリやってください。首でも腹でもお好きなところを。ヤッパくらいお持ちでしょうが、なければお貸ししますんで」

少し、上着の襟をめくる。匕首《あいくち》の柄をちらりと見せる。

武藤の眉がぴくりとする。

「さあ……武藤さん。やってください」

中腰になって頭を下げ、首を前に差し出す。

たっぷり、三十秒はそのままだった。

BGMは流行りのポップスと、明治通りを行き交う車の音。

ふいに、武藤の気配が遠ざかる。背もたれに、寄りかかったようだ。

「牧田さん……まあ、座んなよ」

勝負、あった——。

極道の最大の武器は、いうまでもなく暴力である。だが、現代社会でそれを使ってしまったら、使った側も少なからず傷つく。極道同士の揉め事ともなれば、その傷はさらに大きなものとなる。だから、暴力は最終手段。使わないに越したことはない。

ただ、端《はな》から使わないと分かっている暴力に価値はない。それではもはや極道とはいえない。いつでもやる。やるときはやる。そういう覚悟こそが、極道の極道たる所以《ゆえん》である。

その覚悟の大きさを示せるのは、誰か。

この場では、それが牧田だったということだ。

極清会は決して大きくはないが、会長の牧田がやるといったら本気でやる。そういう組織だ。おまけに今日は舎弟頭の川上もきている。極清会単体ではなく、牧田の横の繋がりまで動く可能性を秘めた布陣である。

では、武藤はどうか。

若頭といえば組のナンバー2。三代目松浪組組長の飯干武朗に次ぐ実力者ではあるが、逆にいえば親分ではない。親の意向を聞かずに大きな決済をすることは、基本的にはできない。つまり、この場で抗争を決断する資格が、武藤にはないことになる。

その絵図さえ頭に入っていれば、あとはどう話を持っていくかという問題である。松浪組という大所帯の若頭、武藤と、大きくはないが極清会の親、牧田。

客観的に見れば、牧田より武藤の方が上だ。集められる兵隊の数も、持っている金も、ひと桁違うはずである。

では、その差を何で埋めるのか。

それが、覚悟だ。やるときはやるという、肚《はら》だ。

武藤はそれを受け止めた。牧田の覚悟を認めて、一歩引いた。

「……俺に、どうしろってんだ。え？　牧田さんよ」

しかし、だからといってここで一気に攻め入ってはならない。とことん追い込めば、今度は武藤の面子が潰れるばかりではない。この話が飯干の耳に入り、本物の、組同士の抗争が勃発する可能性が出てくる。そうなったら極清会に勝ち目はない。そんな間違いは、絶対に犯してはならない。

「はい……ここは一つ、武藤さんのお力で、フェイスとドゥービーズの業務提携……という線で、落とし処を作っていただけると助かります。栗山優菜に関しましては、実務はこれまで通りドゥービーズで、窓口はフェイスさんで、上がりは五分、契約年数は要相談と、いうことで……いかがでしょう」

武藤は笑みを浮かべた。

そう。これは双方にとって、そんなに悪い話ではないはずなのだ。

話をつけ、喫茶店を出た途端、川上の携帯が鳴った。

「ああ、もしもし……ハァ？」

会話の内容は分からない。だが、いい話でないことだけは顔と声で分かる。

川上が携帯を耳から離す。切るボタンを押す。

「どうした」

そう訊いても、すぐには答えない。

「ええ……」

気まずそうに眉をひそめる。

「なんだ。いってみろ」

ようやく、小さく頷いて口を開く。

「その、例の……柳井《やない》健斗《けんと》が、どうも、飛んだようです」

あの柳井が、逃げた？

3

十二月二十日火曜日、朝八時半。

玲子は、中野署四階の講堂に設置された「東中野五丁目　暴力団構成員刺殺事件特別捜査本部」の初回会議に出席していた。

「……通信指令センターに通報があったのが、昨日、十九日の、十八時四十三分。東中野駅前交番のオグラ巡査長が、遺体発見現場、東中野五丁目◎△の□、サニーハイツ東中野、四〇二号室に現着したのが、同時五十分」

司会をするのは、捜査一課管理官の橋爪《はしづめ》警視。同じ上座のテーブルには、捜査一課長の和《わ》田《だ》警視正、殺人班十係長の今泉警部ほか、中野署長、副署長、刑組課長、本部組対四課長、組対四課暴力犯捜査第六係長らがいる。

こっち側の席についている捜査員は、捜査一課、組対四課、中野署と近隣所轄から集められた刑事課員たち。それに鑑識を加えた、ざっと八十名超といったところだ。通常の特捜本部より、やや規模は大きいといえる。

「第一発見者、及び通報者は、同室賃借名義人の、シムラメグミ、二十五歳。シムラは板橋の志村署の志村、メグミは恩恵のケイにジツ。で、志村恵実。職業はフロアレディ……まあ、キャバクラ嬢だ。池袋の『クラブ・アリス』という店に出ていることは確認できた。恵実は十六日金曜の夜から三泊四日の北海道旅行にいっており、十九日の通報時刻直前に帰宅。小林充の遺体を発見、通報したとのこと。恵実がマル害と同棲を始めたのは七ヶ月前。当初は家賃を折半する約束だったが、ここ三ヶ月はそれが滞っていた……が、恵実自身は、それもある程度は覚悟していたといっている。漠然と、稼ぎがよくなさそうなのは感じていたらしい」

玲子は、あらかじめ配られていた小林充の顔写真を見た。たぶん、免許証の写真を拡大したものだ。

男臭い、骨太な感じの、それなりに整った顔ではあるが、ちょっとめくれ上がった上唇がなんとも。品がないというか、野蛮な印象を見る者に与える。ヤクザなのだから、それくらいでちょうどいいといえばそうなのだが。

「よって恵実自身は、マル害との間に金銭トラブルや、異性関係にまつわるトラブルはなかったと供述している。異性関係の線は、北海道旅行の同行者を当たれば、ある程度、目星がつくだろう……では次に、マル害と、その所属団体について。……松山《まつやま》係長」

立ち上がったのは、組対四課暴力犯捜査の六係長だ。

「はい……ええ、順番に系統立てていいますと……マル害は、大和会系、石堂組傘下、仁勇会の下部組織、六龍会の構成員です。役は特にありません。年齢、二十九歳。東京都武蔵野市出身。都立武蔵野中央高校中退。七年前に恐喝、四年前に暴行で逮捕されていますが、恐喝は不起訴、暴行では執行猶予になっています。実刑はありません。犯歴、来歴に関しましては現在、確認できているのはそれだけです。……六龍会は、練馬区、杉並区、中野区近辺で活動していたマル走（暴走族）グループ、ドラゴンヘッドの元総長、タケシマカズマが、二十歳で引退して仁勇会入りしたのち、十年目に結成したものです。現在の構成員は十七名。事務所は高円寺。マル害はタケシマから親子の盃を受けています。二十一歳のときです」

六龍会。暴走族を卒業しきれず、とうとう本職になってしまった男が新たに作った団体。するど、マル害自身もそういった来歴の持ち主なのだろうか。高校も中退しているようだし。おっと、これは偏見が過ぎるか。

「……六龍会については、そんなところです」

「何か質問は……なければ、鑑識」

橋爪の指名で、刑事部鑑識課の秋吉《あきよし》主任が立ち上がる。

「はい……ええ、遺体に関しましては、東朋《とうほう》大にて、まもなく、司法解剖が始まる予定です……ので、結果は夜の会議にでも、詳しく報告いたします……ので、今朝のところは、簡単に……藤代検視官立ち会いのもと、検視を行いました……死亡時刻は、十七日の夜と見られています。致命傷となったのはミゾオチの、幅八センチの刺創。下から、こう、突き上げるように、心臓を突いています。……ので、凶器となった刃物……ああ、凶器は現場からは発見されていませんが、その、刃の幅が八センチ、ということではありません。実際は、もっと細いはずです。あとは、軽めの切創ですね……顔面が二ヶ所。左目を中心に、縦に十一センチ五ミリ。もう一つは鼻から口。角度としては、十一時五時、くらいの傾きですね……下唇まで、パックリいってます。あとは……左上腕に三ヶ所、左前腕に四ヶ所、左手の甲に二ヶ所、左掌に一ヶ所、右掌に大小合わせて四ヶ所、右前腕に二ヶ所、計十六ヶ所……これらはすべて、防御創と見ていいでしょう」

玲子は、現場で見た写真を思い浮かべながら聞いていた。

つまり、小林充は素手のまま凶器を持ったマル被と対峙し、おそらくボクサーのようにガードを固め、十数回、刃物による攻撃を受けた。途中で刃物を奪い取ろうともし、掌に傷を負った。実際、それらが致命傷になることはなかったが、最後に、そのガードをくぐり抜けるような下からの攻撃で、心臓をやられた、と。そんな感じではないだろうか。

報告は別の、若い鑑識課員に引き継がれた。

「遺体発見現場から採取できた指紋は、七種類ありました。一つは小林充、一つは志村恵実……小林はともかく、志村と残りの五つはすべて、犯歴なしです。内訳は……大きさからすると、女性が三名、男性が二名でしょうか」

橋爪がマイクを取る。

「マンションにきたことのある人間の氏名、年齢、住所、志村恵実に確認してくれよ……聴取担当、誰だ」

はい、と中野署の捜査員が手を挙げる。

「ああ……いや、あとで組み替えるから、あんたじゃなくていいや……はい、鑑識、続けて」

じゃあ茶々入れなきゃいいじゃない、と玲子は思ったが、むろん口には出さない。

「はい……ただ、遺体の倒れていた位置と、その五つの指紋の位置を照らし合わせると、犯行には無関係と思わざるを得ません……というのは、マル被らしき靴下様の足痕《そっこん》が現場内に残っておりまして、それと五人の指紋の位置とは、まったく重ならないので……」

すると、

「だったらそう先にいえッ」

急に、廊下側の席から怒声がした。

日下だった。うちの、もう一人の主任警部補だ。

「……あんたな、そんなことは、昨夜の段階で分かってることだろう。こっちは早く聞き込みに出たいんだ。報告に漏れがあるのは言語道断だが、それでも発表は簡潔に、分かりやすく順序立ててやってくれ。足痕、続けてッ」

いまだに玲子はこの日下が好きではないが、まあ、言い分はおおむね間違っていない。指紋の件は、玲子も下手な報告だったと思う。

「……はい、すみません……えっと、足痕は、二十四センチ程度。靴下の種類、銘柄等は、現在分析中です。若干、外反母趾《がいはんぼし》っぽい変形が見られますので、女性である可能性も、あるかと思います……続きまして、位置です……マル被は玄関から入り、リビングまでいき、犯行に及んでいます」

「断言するなッ。及んだものと思われる、だ」

また日下だ。今のはちょっと言い過ぎだろう。

「す、すみません……犯行に、及んだものと、思われます……で、それは、玄関から、リビングまでいく廊下に、血痕がないことから、そう、推察しました……現場から採取した毛髪、繊維、等の鑑定は、まだ済んでいません。……こちらからは、以上です」

若い鑑識課員は深く一礼し、腰を下ろした。

可哀想に。日下のせいで、完全に萎縮《いしゅく》してしまった。

まったく。今後、彼が会議での結果報告をしたがらなくなったら、一体どうするつもりだ。

組分けが発表された。

玲子はなんと、あの下井警部補と敷鑑《しきかん》（関係者への聞き込み捜査）を担当することになった。

「よろしくな、ネエちゃん……あんま速く歩くなよ」

玲子の身長はベタ靴を履いても百七十センチを超える。一方の下井は、がんばっても百六十センチ台半ばだろうか。確かに歩幅は合いそうにない。

「はい。あんまり張り切らないように、気をつけます」

一応、名刺と携帯番号を交換しておく。案の定、下井の肩書きは「刑事組織犯罪対策課

暴力犯捜査係　担当係長」となっていた。

「……すまねえ。ちょっと、待っててくれ」

ふいに下井はいい、上座の方に歩いていった。

「はい……」

なんだろう、と思って見ていると、下井は今泉や橋爪の前を素通りし、和田捜査一課長の前に立った。

そこでひと声かける。

座っていた和田が顔を上げる。ほんの一瞬、きょとんとした様子を見せたが、すぐに誰だか分かったのだろう。和田も眼鏡をはずしながら立ち上がった。久し振りだな。そんなふうに下井の二の腕を叩く。下井も嬉しそうに、繰り返し、頷くように頭を下げる。

和田はまもなく定年。下井はたぶん五十代前半。よき先輩と後輩。そんな間柄に見えた。ひょっとしたら同じ部署にいた時期もあったのかもしれない。
二、三分和田と話したあと、下井は今泉や橋爪とも言葉を交わし、じゃあと手を挙げてこっちに戻ってきた。
「待たせたな、ネエちゃん」

「いえ……」

そのまま、先に立って廊下に出ていく。だがエレベーター前では止まらず、階段室の方に進む。

「健康のため、できるだけ階段を使いましょう……ってな」

「ええ」

下井が、ほい、ほい、と声をかけながら下りていく。足取りは思いのほか軽い。玲子もリズムを合わせてついていく。それだけで、なんとなく楽しい気分になる。

一階まで下りて、署の玄関を出たら、歩道を右。

「……下井さん、和田課長とは、古いんですか」

思ったより寒い。手袋をしよう。

「ああ。俺も四課の前は、いっとき一課にいたからな。当時はあれだ、本部もまだ、強行犯捜査係っていってたよ。俺たちは七係だった……和田さんには、ずいぶん世話になった。俺たちにとっちゃ、いい兄貴分だった」

「俺……たち？」

ちょうど歩行者信号が青になった。横断歩道を渡る。

「ああ。あの頃の七係は、そうそうたるメンバーがそろってたぜ。係長が、ツダさん……和田さんの何期か前に、一課長をやった人だ。主任が、和田さんと林《はやし》さん。林さんは知ってるだろ、今も資料班長をやってる」

「ええ」

知っている。いつもお世話になっている。

「で、下には俺と、イマハル。あとからガンテツも入ってきた」

「へえ……」

「イマハル」は十係長の今泉春男《はるお》警部、「ガンテツ」は現五係主任の勝俣健作《かつまたけんさく》警部補のあだ名だ。

「それから、特殊班の係長やってる麻井《あさい》も、いっときいたな。……みんな偉くなっちまってよ。俺とガンテツくらいだろう。いまだに地べた這いずり回ってんのは」

確かにそうそうたるメンバーである。特に、和田と下井に加え、今泉、勝俣までもが同時期、同じ係に在籍していたとは驚きだ。

まもなくきたタクシーを停め、下井が先に乗り込む。

「高円寺の、氷川《ひかわ》神社にいってくれ」

「はい、高円寺の氷川神社、ですね……」

そう。今日はまず、高円寺にある六龍会事務所への訪問を予定している。

六龍会事務所は、氷川神社より少し高円寺駅寄りの、そこそこ新しいマンションの二階にあるようだった。

「ネエちゃん。とりあえず、ヤクザもんの相手は俺に任せな。堅気に聞き込むときは、あん若干芝居がかったふうではあるが、玲子はさほど、この下井の振る舞いが嫌いではなかった。

「分かりました。じゃあここは」

お手並み拝見といきましょう。

エントランスを入り、階段を上ったら右手。二〇五号室。見たところ、両隣の世帯と違うところはない。マットブラックの小洒落たドアに、ゴールドのドアスコープ。表札にある文字も「六龍会」ではない。名義はあくまでも「竹嶋事務所」。ただし業務内容は不明。

下井がチャイムを押すと、意外なほど高い声がインターホンのスピーカーから聞こえてきた。

『はい、どちらさまでしょう』

ンンッ、と一つ、下井が咳払いをはさむ。

「……中野警察署のもんですが、ちょっとお話、いいですか」

『はい、少々……』

十秒ほどして、ドアチェーンをはずす音がした。

ドアが、ゆっくりとこっちに開く。隙間から顔を覗かせたのは、ヤクザというよりはホストに近い、ひどくチャラけた雰囲気の男だった。

　下井が奥を覗こうとする。

「中野署の、下井っていいますがね。竹嶋《たけしま》さん、いらっしゃいますか。竹嶋和馬《かずま》さん」

「ええ……社長でしたら、中に」

「ちょっと話、させてもらっていいですか」

「どういった内容でしょう」

　すると、途端に下井は視線を戻し、頭突きをしそうなほどの勢いで男に顔を近づけた。

「おい。テメェんとこの若中《わかちゅう》がバラされたんだ。サツカンが話聞きにくるのは当たりメエだろう。なに寝ぼけてやがる」

　男はちらりと、玲子たちの顔を見比べた。まだ迷いはあるようだったが、

「どうぞ……お入りください」

　まもなくドアを大きく開け、玲子たちを招き入れた。

　室内も土足で入れる、という以外は、特に普通のマンションと変わりないようだった。キッチンも、浴室らしきドアもある。正面にある窓はおそらく南向きなのだろう、日当たりもよく、レースのカーテンが白く輝いている。ごく小さなボリュームで流れているのはクラシックだ。たぶん、バッハの管弦楽組曲——何番だったかは忘れた。

　リビングの中央には応接セット。その、黒い革張りのソファに座っていた男が立ち上がる。

四十代半ばの、やたらと色の黒い、非常に遊び人臭い男だ。

「……刑事さん。朝っぱらから、そんな大声出さないでくださいよ。喪に服す、って風習まで、廃《すた》れちまったわけじゃないでしょう」

下井は、聞こえていないかのように辺りを見回している。

「おたくが、竹嶋和馬さんかい」

「ええ、そうです。どうぞお座りください。そちらの女性も」

まだ下井は、部屋のあちこちを値踏みするように見ている。

「ああ……そうさしてもらうよ」

「失礼します」

曲が替わった。さっきのが三番で、これが四番か？　まあいいか。

玲子たちが腰を下ろすと、竹嶋はさきほど応対に出た若者にコーヒーを淹れるよう命じた。

「……かまわんでいい。すぐに失礼する」

「そうはいきませんよ。むろん、そちらのご質問にはお答えするつもりですが、こっちにだって訊きたいことはいくつかある。それには、やっぱり答えてもらわないとね……困るんで」

竹嶋とあの若者以外には、ぱっと見たところ誰もいない。このリビングに繋がっている部屋は、あと二つ。そこに隠れているのか。あるいは本当に二人だけなのか。

下井が前に身を乗り出す。

「一服、していいかい」

「ええ……どうぞ」

竹嶋が、テーブル中央にあったガラスの灰皿を手で示す。

下井が、一本銜えて火を点ける。

青白い煙が、カーテン越しの陽光を霞《かす》ませながら広がっていく。

「小林が死んだことは、どうやって知った」

「何いってるんですか。おたくの署から問い合わせがあったんですよ。小林は六龍会の人間で間違いないか、ってね……間違いないと、お答えしたはずですが」

捜査本部の誰かが探りを入れたのか、あるいは本当に確認の電話だったのか。今のところ玲子には分からない。

「どうやって死んだか、聞いてるか」

「ええ……メッタ刺し、らしいですね」

それは情報として正しくない。メッタ斬り、プラスひと刺し、というべきだろう。

「また……なんで、そんなことになっちまったんだ」

「知りませんよ。この件に関しては、うちはまったくの部外者だ」

部外者、というひと言に、玲子は少々違和感を覚えた。

下井も、同じように感じたらしい。

「おい、そりゃどういうこった。自分とこの若中がメッタ刺しに遭って、それでその親分が部外者ってことはないだろう」

どういう心境なのだろう。竹嶋は苦笑いを浮かべ、何度もかぶりを振った。

「あのですね……刑事さん。小林って男はね、組絡みのイザコザで的にされるようなタマじゃないんですよ」

下井が首を傾げる。

「……と、いうと」

「要するに、使えないってことです」

竹嶋がテーブルに手を伸ばす。重ねて置いてあったタバコとライターを取る。

「……今日日《きょうび》ね、極道だってパソコンくらい使えなきゃならんし、経済知識だって法知識だって、身につけなきゃならない時代なんですよ。ところが、奴ときたら……そこんとこが、からっきしダメでね。だからカツだのなんだの、つまらねえネタでパクられるんですよ。何かっちゃあブチキレて、ゲンコだヤッパだ振り回して……そのくせ、喧嘩が誰より強《つえ》えのかってえと、そうでもない。本気でやったら、やっぱり私の方が上ですからね。盃がどうこうの問題じゃなくて、技術的にね。俺なんかの方が、まだまだ喧嘩は上手い……どう思います、刑事さん。そういうヤクザ者って」

ふう、と竹嶋が吐き出す。逆に、下井はタバコを灰皿に潰す。

「……死んでくれて清々《せいせい》してる、ってか」

「いやいや、そんな物騒をいっちゃいけませんよ」

竹嶋は笑った。子分が殺されたことについて話しているというのに。

「あのね、だから……充ってのはね、はっきりいって、テメェの手ぇ汚してまで殺したいような、殺す価値のあるような男じゃないんですよ。少なくとも、この業界内の人間にとってはそうだ。身内であろうと、敵対する組であろうとね。まあ……個人的な見解ですが、あれでしょ、メッタ刺しにされたんでしょう？　だったら、殺《や》ったのは女じゃないですかね。なんていいましたっけ、あの女……メグミでしたっけ」

下井は一度だけ、顎を横に振った。

「……志村恵実だったら、充が殺された晩は旅行中だった。むろん、昨日の今日でその裏がとれてるわけじゃないがな」

「よく調べたら、あれじゃないですか。時刻表トリックとか、ああいうのじゃないんですか」

なかなか、面白いことをいう組長だ。

「ひょっとしたら、そうかもしれんが……念のために教えてくれ。志村恵実の他に、充が付き合っていた女はいなかったか」

下井も女の線を疑っているのか。まさか、足痕に外反母趾の気があったからか。だとしたら、それは早計といわざるを得ない。外反母趾は決して女性限定の障害ではない。男性だってなる人はなる。

竹嶋はしばし首を捻《ひね》った。

「さあ……たぶん、いなかったと思いますよ。ろくなシノギもできねえ……それ以前に、確か、そもそもは家賃が払えなくなったから、女のところに転がり込んだんじゃなかったですかね……奴にできることっていったら、そのメグミって女に食わせてもらうことくらいでしょう。他に女ってのは、ちょっと難しいんじゃないですかね」

下井が、ぐっと身を乗り出す。

「じゃあ、こういうのはどうだ……シノギができねえで食い詰めた充は、とうとう組の金に手をつけた。それで志村恵実と逃げようとしたが、恵実はあいにく旅行にいっちまって帰ってこない。帰るのを一人で待ってたら、こわーい奴らが現われて……」

竹嶋の目つきが険しくなる。

「刑事さん、いい加減にしてくださいよ。うちの金庫番はね、充に抜かれるようなヘタレじゃあありませんよ」

玲子は一人、心の内で溜め息をついた。

この話、どこからどこまでを信じていいのか、さっぱり見当がつかない。ただ、印象だけでいいのなら、全部だ。

なんとなく、全部本当っぽく、玲子には聞こえた。

4

相当、難しい捜査になるだろう——。

捜査員の出払った講堂を見渡し、今泉は小さく溜め息をついた。

被害者は二十九歳の暴力団員。どんなに下っ端であろうと、ヤクザ者が殺されたとなれば組織犯罪対策部に一枚嚙ませないわけにはいかない。犯人が敵対組織の人間であれば、抗争に発展する可能性が少なからずあるからだ。もしそうなったら、刑事部捜査一課だけで事態を収めることは難しくなる。その段になって「抗争になってしまいました」といっても遅い。「お前らが下手に弄《いじ》ったからだ」と組対にそっぽを向かれたら目も当てられない。だったら最初から、双方が協力して捜査に当たった方がいい。

その点に関していえば、小林充は暴力団員であると、中野署から情報が上がってきた時点で刑事部長に報告し、組対との連携を図った和田一課長の判断は正しかったといえる。

だがやはり、イデオロギーの違う組織を、たとえ一時であろうと同じ一つの枠にはめ込むことは難しい。

このところ警視庁組対部は、何件かのガサ入れ（家宅捜索）で失敗を続けていると聞いている。慎重に内偵を進め、磐石《ばんじやく》の備えを持って攻め入ったはずなのに、どういうわけか現場からブツが出てこない。拳銃も実弾も、覚醒剤も大麻草もない。銃器や薬物の取り締まり、それ自体は組対五課の所掌事務だが、組対部全体が負け組ムードに支配されていたのは事実だった。

そこにきての、今回の事案だ。

担当するのは組対四課だが、組対部長がこの案件に相当入れ込んでいるらしいことは耳にしている。刑事部より先にホシを挙げ、少しでも失点を取り返せ。そういう至上命令が下っているという。

そうなると組対の捜査員は、刑事部とは違うセオリーで動くことになる。小林充というヤクザ者が持つ人間関係、背景となる団体が抱える問題、力関係、利権、抗争の火種。そういったものから、小林充を殺して最も得をする人間を絞り込んでいく。そういう発想で動くことになる。

一方刑事畑の、特に捜査一課の人間は、あくまでも殺人事件捜査のセオリーに則《のっと》って調べを進める。事件現場から得られた物証、周辺地域を聞き込んで得られた情報、関係者から得られた証言。そういったものを総合し、精査し、被疑者を特定しようと試みる。

組対は、ヤクザ業界という大枠から、徐々に捜査の輪をせばめていく。

刑事は、現場という一点から、放射状に捜査の枠を広げていく。

両者の発想は、そのスタートからして正反対のベクトルを持っている。これでは調整が上手くいくはずがない。

そう。どうしても刑事畑の人間の目には、組対の捜査は「事情通の当てずっぽう」と映ってしまう。小林程度の三下《さんした》の死が、大本の母体である大和会にまで影響を及ぼすとは考えづらい。系図をたどって、その下の石堂組、というのでもまだ話が大き過ぎる。では、そのまた下の仁勇会辺りか。仁勇会は小林が籍を置く六龍会の直上組織。これくらいの傘を最初に揺すって、様子を見てみよう。そういう発想であるのが見え見えだった。

「……仁勇会は、うちで当たらせてもらいますから」

初回会議前のすり合わせで、組対四課長の宮崎《みやざき》警視正はいきなりそういった。しかも十三名の四課捜査員は、刑事部捜査一課や所轄署の人間とは組ませず、組対同士のペアで動かす。端数は単独か三人組にして運用する、という。

むろん、これには和田が異を唱えた。

「宮崎さん。これはあくまでも、殺人事件の捜査だ。ヤクザの上下関係だけ揺さぶれば、いずれ餅は落ちてくる……そんなふうに考えてもらっちゃ困るよ」

だが、意外なのはここからだった。

「和田さん……申し訳ないが、今回だけはこっちに華を持たせてくれませんか。あなたに盾突くような真似は、できることなら私だってしたくはない。でも、こっちはもう、とうの昔に尻に火が点いてるんですよ。……ガサの連敗。あれ、マスコミに漏れたらなんて書かれると思います？　情報管理の甘さ、癒着、果ては証拠もないのに、警察によるチャカとシャブの横流し……もうお決まりでしょう。目に浮かぶでしょう」

宮崎は、会議テーブルに両手をついた。

「……だから、頼みます。このヤマ、うちはうちのやり方でやらせてください。あとになって、そちらが挙げた手柄をこっちに回してほしいなんて……そこまではいいません。私も、そこまで恥知らずじゃない。捜一は捜一で動いてくれてかまわない。ただ、ネタの割り振りは、こっちに先に、一枚取らせてほしい。そこからは〝行って来い〟ってことで……差し当たり仁勇会だけは、うちの手で当たらせてほしい。頼みます」

そんな事情で、仁勇会の聞き込みは組対四課暴力犯六係の捜査員に任せることになった。

組対がそこまで仁勇会に拘《こだわ》るのは、何かしら情報を摑んでいるからなのだろうとは思ったが、あえて今泉は訊かずにおいた。

ほかでもない和田が、宮崎の申し出を吞むといったからだ。

和田徹《とおる》というのは不思議な男で、刑事畑、しかも強行犯捜査一本できたわりに、他部署からの評判がすこぶるいい。先の宮崎もそうだが、和田と反目し合うようなことにはなりたくない。そういう考えが、捜査畑の人間には少なからずある。

むろん今泉も、これ以上はないというくらい和田のことは尊敬している。

出会いを語れば、二十二年前にまでさかのぼることになる。

その年の秋、西池袋でOLの殺人事件が起こり、池袋署の刑事課所属だった今泉は、当然その捜査本部に参加することになった。そこで組んだ本部捜査員が、当時の強行班七係の主任をしていた、和田警部補だった。

このとき今泉は二十八歳。刑事になって六年。もう、捜査のイロハは充分に分かっているつもりだった。それなりに手柄も挙げていたし、刑事は天職と、自分でも思い始めていた頃だった。

しかし、そんなちっぽけな自尊心は呆気《あっけ》なく砕け散った。

当時の和田は、まさに捜査の鬼だった。

さして大きくもないその体のどこに、それほどのスタミナが蓄えられているのかと首を傾げたくなるくらい、聞き込みとなったら朝から晩まで休みなく歩き続け、受け持ち区域の隅から隅まで、漏らすことなく話を聞いて回った。

しかもその間、メモらしきものは一切とらない。

じっと相手の目を見て、馬鹿がつくくらい真剣な顔つきで頷き続ける。そして、もう終わりかな、というタイミングで、それで？　と続きを促《うなが》す。すると、どういうわけか相手は慌てて言葉を継ぎ、いつのまにか余計なことまでペラペラ喋り出す。そんな光景を、今泉は何度となく目の当たりにした。

そうやって得た情報は、あとでまとめて大学ノートに書く。通りかかった公園のベンチでだったり、ひどいときは歩きながらだったり。字も汚いなんてものじゃない。意味不明としかいいようがない雑なものだったが、本人はそれで充分らしかった。あとで話をしても、それはな、といってノートのある個所をつつく。ちゃんと細大漏らさず、書き留めてあるようだった。

今でもよく覚えている。夕方近くになって入ったラーメン屋で、和田はぼそりと呟いた。

「……ホシはこの、中村《なかむら》って男だな」

テーブルに広げた例の大学ノート。右端の、ぐるぐるっと書かれた奇妙な記号。どうやらそれが、中村という男を意味しているらしかった。しかもこの時点で、和田はその中村には会ってもいない。

「なぜ、ですか」

「うん……まあ、強《し》いていえば、勘……かな」

そんな馬鹿な、と思った。

勘が云々をいうなら、今泉もかなり自信があった。ぱっと見たら目を逸《そ》らした。それで怪しいと思って問い詰めたら、なんと窃盗犯だった。またあるときは、やたらと目撃者が被害者について喋りたがった。怪しいと思って締め上げたら、案の定殺していた——。それまでの手柄には、多かれ少なかれそういった勘が作用していた。自分の刑事としての勘は、比較的鋭い方だ。そう思うようにもなっていた。

だが和田のそれは、今泉にも理解できない不可思議なものだった。

和田は中村の顔を見てもいない。一体どうやって、レンタルレコード店の店員をしているという、その男に着目したのか。

和田は実は、中村に会ってはいないが、会ったという捜査員の話はしっかりと聞いていた。

「ヘビーメタルっつーんですかね。黒い革ジャンを着て、金具があちこちに飛び出たような、イカレた恰好をしてる奴ですよ」

これを聞いたとき、ピンときたらしい。

殺害現場となったアパートの一室。その壁にあった、比較的新しい凹《へこ》み。もともとは犯人が凶器を振るった際、時計か何かが当たってできたのではないかと考えていたようだが、ヘヴィメタル、着衣に金具、と聞いて、それが和田の中にある現場イメージの空白に、ピッタリとはまったのだという。

「……そいつ、指輪、してたか」

「ああ、そういえばしてましたね。銀の、ドクロのを」

決まりだ、と和田は思ったらしい。

それから今泉と二人で、池袋で売っているドクロの指輪を片っ端から買って回った。途中で今泉は、現場にいって壁の凹みを型にとり、樹脂で複製することを提案した。こうして壁の複製を持ち歩けば、いちいち買わなくても店先で確認作業ができる。実際そうやって、壁の凹みに合う指輪の特定に成功した。

その指輪はまさに、中村がしているものと同型のものだった。むろん、それが直接犯行の証拠となるわけではないが、嫌疑を掛けるきっかけとしては充分だった。

結果をいえば、中村を逮捕したのは和田でも今泉でもなかった。最初に中村に面接した七係の捜査員だったが、それでも和田は満足げだった。

「楽しいじゃないか。……こうかな、ああかなと考えを巡らせて、ああ、こうだッ、と思ったものが正解だったら、なんか、楽しいだろう」

捜査本部解散の打ち上げで、和田はそういって笑った。

そして、さらにこう付け加えた。

「そりゃそうと、今泉……お前、その気があるんだったら、うちにこないか。俺のデタラメに、一つも異を唱えずについてくるなんて奴は、案外珍しいんだ」

むろん、今泉は「お願いします」と即答した。

その一年半後、今泉は実際、捜査一課七係に取り立てられることになった。

十二月二十二日、木曜日。

朝の捜査会議を終えた直後、デスク担当をしている十係のベテラン、石倉保《いしくらたもつ》巡査部長が神妙な顔つきで今泉の横に立った。

「係長、ちょっといいですか」

「……ああ」

外に出てほしそうだったので、そのまま席を立った。

講堂から廊下に出ると、石倉はそっと、一枚のメモを差し出してきた。

「……タレ込みです」

メモには「柳井健斗　26才」と書かれている。

「……これが?」

「ええ。小林殺しのホシだっていうんです。声は女でした」

なんと。

「漢字も、これか。確認したのか」

「はい。はっきりと」

「声の、年の頃は」

「分かりません。わりと年配のようにも思えましたが、酒焼けした、水商売女の声にも聞こえました。それくらい、ハスキーな声でした」

水商売女といえば、真っ先に浮かぶのは志村恵実だが。

「他には」

「いえ。単刀直入に、これだけ」

「口調は」

「はっきりしていました。慌てた様子もなく、淡々と」

「番号は」

「公衆電話でした」

「今のところ、浮かんでいる人名に柳井というのは」

「ありません。警視庁のデータベースにも、同姓同名で二十六歳というのはありません。資料班を当たってみれば何か分かるかもしれませんが」

心象としては、五分五分といったところか。

本当に有益な情報なら、令状を取ってNTTを当たり、タレ込みに使われた公衆電話を割り出してもいいのだが、現段階でそこまでする必要があるかどうかの判断はしづらい。また、仮に公衆電話を割り出すのに成功したとしても、それから現地に向かって情報提供者に会えるとは到底思えない。

「……たもっつぁん。すまないが資料班にいって、洗ってきてもらえるか」

「了解しました」

そんなやり取りから二時間半。今度は今泉の携帯に直接、連絡が入った。

『マズいですね、係長。これ、下手にほじくれませんよ』

「……どういうことだ」

石倉は、柳井健斗というのは、九年前に起こったある事件の、被害者遺族なのだといった。

管理官の橋爪と相談し、和田に連絡をとって事情を説明し、午後には今泉も霞が関の本部庁舎に出向いた。

話はすでに刑事部長の長岡《ながおか》警視監にまで伝わっており、話し合いは六階の部長室でということになった。

テーブルを囲んでいるのは長岡、参事官の越田《こしだ》警視正、和田に橋爪、今泉と石倉、そして十係日下班の溝口《みぞぐち》巡査部長の、計七名である。

長岡が和田に訊く。

「……小林充という男の事件については、分かりました。……で、現在までにその、柳井何《なに》某《がし》という男の名前は、捜査線上には浮かんできていないんですね」

「はい。まったく」

「……で、その小林充と、タレ込みの該当人物……柳井何某という男の関係が、なんですって?」

それには「はい」と石倉が応じた。

「小林充の最終学歴は、都立武蔵野中央高校中退。柳井健斗はその三学年下ですが、同じ都立武蔵野中央高校を卒業しています」

長岡が首を捻る。

「関係あるような、ないような話ですが」

「はい……しかし問題は、その、柳井健斗の姉です。柳井千恵、享年十九。千恵は九年前、健斗が十七歳、小林充が二十歳のときに、自宅アパートで絞殺されています。千恵も出身は同じ武蔵野中央高校。小林とは一年違いの先輩後輩……当時の捜査資料によると、二人は事件当時、交際していたことになっています」

交際、と長岡が首を傾げる。

「……そのタレ込み電話を信ずるならば、姉を殺された男、柳井健斗が、九年経ってその元恋人である小林充を殺害した、ということになりますね」

「仰《おっしゃ》る通りです」

「なぜです」

石倉がこっちを向く。まあ、順番的にも、ここは今泉が続きを引き受けるべきだろう。

「……むろん、まだ確かなことは何もいえません。しかし、姉殺しの犯人は小林充であると、柳井健斗がそう考えていたとするならば、あるいは考え得る情報を持っているとするならば、柳井健斗による小林殺しは、姉の復讐と、そう動機を測ることはできます」

「待ってください」

長岡は左掌をかざし、一同の顔を見回した。

「そもそも、九年前のその事件は、現在はどうなっているのですか。まだ未解決のままなのですか」

和田がかぶりを振る。

「いえ。被疑者死亡という結論で、片はついています」

「被疑者、とは？」

「……父親です。健斗と千恵の、父親」

長岡が目を剝く。

和田はさらに続けた。

「柳井、篤司《あつし》という男です」

「……死亡、というのは」

「当時の捜査本部は、柳井篤司を重要参考人と考え、繰り返し事情聴取をしていました。しかし、九年前の十一月二十二日……篤司は聴取を終えて三鷹警察署を出る際、たまたま受付を通りかかった地域課所属の、池田春敏《いけだはるとし》巡査部長の拳銃を奪い、その場で頭部を撃ち抜き、死亡……三鷹署の捜査本部は事件を書類送検。検察は、被疑者死亡で不起訴という処分を下しています」

長岡の目が泳ぐ。

「……ああ、思い出しました……ええ、ありましたね。確かに、そんな事件が。それを機に、誤射防止キャップの装着を徹底するよう、警察庁が各本部に通達したのではなかったですか」

隣に座る越田参事官が頷く。

「マスコミにも、だいぶ騒がれました」

和田が続ける。

「この事件で、当時の刑事部長を始めとする、捜査責任者は全員更迭。池田春敏巡査部長は一週間後、勤務中に交番で首吊り自殺……そういう事件でした」

長岡の顔が、見る見る白くなっていく。

「当時の、刑事部長は、その後……？」

「平松清忠《ひらまつきよただ》、元警視監は、その後に宮城県警本部長を務められ、退官されました。当時の捜査一課長、藤原幸一《ふじわらこういち》元警視長も、管理官だった三枝亮《さえぐさりよう》元警視長も、すでに退官されています。捜査員の何名かは現在も捜査一課に所属していますが……その一人が、彼です。溝口巡査部長は柳井宅に家宅捜索で出向いており、健斗にも直接会っていますが、篤司の聴取には関与していません」

溝口が恭《うやうや》しく頭を下げる。

「……資料などを見て、また思い出せることもあるかもしれませんが、現時点で、この案件の捜査の役に立つようなことは、何も……すみません」

もはや長岡は、溝口の言葉など聞いてはいないようだった。

「……困ったことに、なりましたね……」

しばらくの間、鉛の中に閉じ込められたような、重く冷たい沈黙が部長室を支配した。

無理もない。この事件を捜査し、仮に柳井健斗が犯人であると判明、逮捕した場合、警視庁は当然その動機について何かしらの発表をしなければならなくなる。

柳井健斗が小林充を殺害したのは、姉の復讐のためである。九年前の事件の真犯人は小林充であり、父親の柳井篤司ではなかった——。

それが事実か否《いな》かを確かめる方法があるのかどうか。それすらも、現時点では分からないとしかいいようがない。だが仮に、そういう話が出てきたら、警視庁は再び、大きなダメージを被《こうむ》ることになる。

長岡は、ふいに天井を見上げた。

「……和田さん」

「はい」

「あなたはなぜ、この話を、私の耳に入れたのですか」

和田は俯《うつむ》き加減で、一つ咳払いをした。

「……仮に、最悪の事態になった場合。そのときは、長岡部長にも、ある種のお覚悟を、していただかなければならなくなります。しかし、事がそうなってからでは、対処の方法を充分に検討することはできないでしょう。ですので今から、最悪の事態を想定しておいていただきたい。そう考え、ご報告申し上げました」

長岡が顔を戻す。ゆっくりと頷く。

「……一つ、確認しておきたいことがあります」

はい、といったのは和田だが、長岡の目は、今泉に向いていた。

「今のこの案件は、確か、組対との合同捜査……でしたね」

少し周りを見たが、やはり、長岡は自分に訊いているようだった。

「はい……組対四課の、暴力犯六係が捜査本部に参加しています」

「ちなみにこの、柳井健斗に関する情報を、組対四課は、すでに知っているのですか」

「いえ……まだ報告していません。この件を知っているのは、刑事部でも、ここにいる者と、あとは……資料班の、ごく一部の人間だけです」

長岡が大きく頷く。

「ちなみに、警視庁の総合的なデータベースに、柳井健斗の名前は」

段々嫌な予感がしてきたが、答えないわけにもいかない。

「いえ……ありません。名前が載っているのは、刑事部が保有する、柳井千恵事件の捜査資料のみと、思われます」

長岡は和田の方を向き、人差し指を立てた。

「和田さん。では、こうしましょう。最悪の事態は……起こさない」

全員が、無言のまま長岡を見る。

「まず一つ。組対に、この件は明かさない。もう一点は、刑事部の捜査員に、今後、柳井健斗という名前が捜査線上に浮かんでも、捜査をしてはならない……そう命じるのです」

和田の目が険《けわ》しく細められる。

「……なんですか、それは」

しかし長岡は引かない。

「和田さん。安っぽい勘違いをしてもらっては困りますよ。私は何も、与《あずか》り知らぬ九年前の案件で泥をかぶるのは嫌だなどといっているわけではないのです。むしろ、テーマは現在ですよ。起訴がなかったとはいえ、警視庁の当時の捜査本部は、冤罪で一人の男を自殺にまで追いやった可能性があるわけでしょう。それに起因して新たな殺意が芽生え、今回の事件は起こった……そういう話をね、結論の出ない昔話をいまさら蒸し返されて、挙句に恥の上塗りをされたんじゃ、あなた方、警視庁のためにならない……そう、私は思うんですよ」

暗に自分は、警察庁から出向してきているキャリアに過ぎない、といいたいわけか。

思わず口を開きかけたが、和田の方が早かった。

「しかし部長、現在のこれは、現状ではただのタレ込みです。なんの捜査もせずに放置するなんてことは」

長岡がかぶりを振って遮る。

「……よく考えてください。この情報が仮に正しいのだとしたら、柳井健斗の犯行動機は、小林充個人に対する復讐ですよ。愉快犯でも通り魔でも、連続殺人でもない。仮に逮捕されなくても、大勢の社会秩序に影響はありません」

耳を疑うような言葉だった。仮にも警察官僚ともあろう者が、殺人犯が逮捕されなくても、社会秩序に影響がないとは。

「それよりも、九年前と同じ事態……大量の捜査関係者の更迭の方が、この首都東京の治安維持には大きなマイナスになる。和田さん……あなたは短期の代行就任を合わせれば、都合三回も現在の任に就いておられる、いわば、名捜査一課長です。そんな方を、過去の汚点の蒸し返しで失うのは、どう考えても割に合わない。いや、今回は課長や部長のすげ替えでは済まないかもしれない。ひょっとしたら、警視総監の首まで、危うい事態になるかもしれない。……そこのところを、よく考えてください。そこまで賭ける価値があるものですか？その、小林充というヤクザ者の命は」

もう誰も、何もいわなくなった。

長岡はそれを、全員の納得ととったようだった。

「……まあ、私は何も、柳井健斗について一切の調査をしないなどと、そんなことをいっているのではありません。それに関しては、ちゃんと考えがあります。……そこは、私に一任してください。よろしいですね」

やはり、誰も、何もいわなかった。

5

玲子たちは小林充についての調べを進めていたが、なかなか、これといった成果はあげられずにいた。

暴力団員は俗に「シノギ」と呼ばれる資金源を何かしら持っている。もっとも有名で悪質な方法といえば暴行や恐喝、違法薬物の販売となるだろうが、その他にもいろいろ、彼らには金を稼ぐ方法がある。

たとえば、水増し請求によるミカジメ料の徴収だ。

うちの縄張りで商売をするならショバ代を払え、という昔ながらの方法は、暴対法が施行された現在は通用しなくなっている。指定暴力団の構成員は組の代紋が入った名刺を見せるだけで相手を恐喝したと見なされるため、現在は法律上、そういった行為もできない。

では、どうするのか。

言い訳に使えるような、ごく真っ当な営業内容を用意するのだ。おシボリでも観葉植物のレンタルでもいい。名入りの使い捨てライターでもコースターでもいい。そういったものの注文を受け、実際に品物を納め、しかし相場とはかけ離れた、法外な代金を受け取る。通常価格の十倍の商売をしたとしたら、九割がミカジメ料というわけだ。その代わり、何かトラブったらうちにいってこい、解決してやるから、といっておく。結局、そういった客商売をする店と暴力団の、持ちつ持たれつの図式は今も変わっていないというのが実情だった。

小林もご多分に漏れず、印刷物の注文を受けることでミカジメ料を徴収していた。主に店のチラシだが、こういったことに関して何か恨みを買っていたかというと、そういう様子はない。

あるキャバクラの店長に話を聞く。

「いや、けっこうカッコいいデザインでやってくれてましたよ。店で打ち合わせして、注文したら、三、四日で持ってきてくれて。しかも思っていたよりいいデキで。うちなんかは逆に助かってましたけどね」

確かに。見せてもらったチラシは、けっこうカッコよかった。

他にも、メニュー表なども手掛けていたという。

「これなんかも……ね？　いいでしょう。こういう配置とか、洒落てるでしょう。字体も凝ってるし。なんか、カノジョがそっち系のセンスがある人みたいで、得意だから、その人にやらせてるって……だから早いんですねって、いったことあったんですけど……はあ、亡くなったんですか、小林さん」

こっちは、志村恵実にそんなセンスがあったことの方が驚きだ。

いや、案外裏を取ったら、別の女だったりするのかもしれないが。

十二月二十二日、木曜日。

玲子たちは夜七時頃、中野署に戻った。

四階。廊下の突き当たりにある講堂に入り、なんとなく全体を見渡す。戻ってきている捜査員は大体半分くらいだろうか。

そのとき、ふと玲子は視線のようなものを感じ、振り返った。

なんだろう――。

ドアロの向こう。エレベーターの方に真っ直ぐ伸びた廊下。ちょうどその、突き当たり付近。曲がり角左の壁際で、黒っぽいものがちらっと動いて、すぐ隠れたような。

「どうした、ネエちゃん」

「あ、いえ……」

気のせいかと思ったが、見続けていたら、また、ちらっ。

「……下井さん、すみません。ちょっと失礼します」

玲子は小走りで廊下を戻った。

途中で、またちらっと黒っぽい影は現われ、すぐに隠れた。だが今度は、それがなんだかはっきりと分かった。外勤の制服だ。つまり地域課の男性警官とか、そういう人影だ。

さらに足を速め、エレベーターの前を左に曲がると、その人影は意外なことに、階段室の端っこでうずくまっていた。こっちに背中を向け、膝を抱えて震えている。

「……誰？」

そう訊くと、肩越しに、ゆっくりと振り返る。

「……ひょっとして……井岡《いおか》くん？」

三年ほど前、世田谷で起こった殺人事件の捜査本部で初めて一緒になった刑事。二度目と三度目はその翌年。亀有と蒲田で、一年のうちに二度も組んで捜査をさせられた。去年はなぜか見かけもしなかったが、今年、ここにきて——。

「井岡くんなの？」

帽子跡で髪の潰れた頭が、こっくりと頷く。

「……見んといて、ください」

そういいながらも、しゃがんだまま、こっちに体を向け始める。両腕で膝ごと、自分の体を抱き締めている。まるで、誤って裸のまま人前に出されてしまった女性のようだ。なんとか自分の体を、少しでも見えないように隠そうとする。無理なのに。

「……今のワシを……玲子主任には、見られたないんです」

見られたない、って。自分から出てきたくせに。

「なんなの一体。変よ、そんなとこで。よしなさいよ」

気持ち悪いから――。

やがて井岡は、震えながらも顔を上げた。なんと、涙を流している。

「ワシ……地域課の配属に、なってもうたんですわ」

「ああ……どうも、そのようね」

すると、はぁーッと、聞こえよがしに溜め息をつく。

「……ワシと玲子主任は、赤い絆《きずな》で結ばれた、運命のデカ同士……それやのに、ワシは……見んといてください……んもぉ、ワシ、自分が恥ずかしゅうて、恥ずかしゅうて……なんでこんな、交番勤務なんかに……はぁ……」

今度はオネエ座りに足を崩し、制服の右袖を出っ張った前歯で噛む。

「ちょっと井岡くん。警察官の制服姿の、一体何が恥ずかしいの。それも、交番勤務なんか、って……そんなこといってると、全国十万人の地域課警官に袋叩きにされるわよ」

「それでもエエですッ」

噛んだ袖をぐっと引っ張る。

「ワシには、玲子主任との絆を失ったことの方が……同じ屋根の下にいながら、同じ空気を、その唇と……この唇で、吸い合っていながら……それやのに、共に捜査することができひんなんて……むご過ぎる。こないなことなら、死んだ方がマシです……」

いやー、すごい。もともと気持ち悪い人だとは思っていたけれど、しばらく見ないうちに、数段パワーアップしている。

「玲子主任……せめて、せめて……捜査会議終了後の飲み会に、ワシを、誘ってはいただけまへんやろか」

ここでちょっと、玲子の中に悪戯《いたずら》な心が芽生えた。

思わずニヤリとしてしまったが、慌てて真顔に戻す。

「お願いします……玲子主任」

井岡の手が、玲子のパンプスの足に伸びてくる。それを玲子は、さっと一歩下がってかわした。

「……ダメよ、井岡くん。だってもう、あなたは刑事じゃないんですもの……失望したわ。残念だけど、仕事が終わっても、一緒に飲むのは無理ね……さようなら」

すると、予想外の事態が起こった。

「ふわァッ」

悲鳴にも似た声をあげ、今度は左手の甲に歯を立て、

「し……しどいッ」

勢いよく立ち上がったかと思うと、井岡は一目散に、階段を駆け下りていった。

「しどい」の「い」だろうか。「イィーッ」という、叫びともなんともつかない声が、徐々に階下に遠ざかっていく。それだけならまだよかったのだが、突如それは、アァアーッ、という本物の叫び声に変わった。同時に、バタバタというか、ゴチゴチというか、とにかく鈍い音が連続して起こった。

上から覗いてみたが、どの辺りで落ちたのかはよく分からなかった。だがまあ、特に心配はいらないだろう。

なんといっても、あれは井岡という名の生き物だ。

そう簡単には死なない。

講堂に戻ると、また下井に訊かれた。

「どうした。なんかあったのか」

「いえ、なんでもないです」

さあ、会議までに今日の聞き込みについて整理しておこう、と思った途端、携帯が震え始めた。だが、ポケットから取り出す前に治まった。どうやらメールだったようだ。

こんな時間に誰だろう。そう思いながら開いてみると、なんと。今泉からだった。

【会議終了後、病院裏の児童公園にて。】

それだけの文面。しかし、今泉がメールとは珍しい。

玲子は会議の間中、その件が気になって仕方がなかった。

わざわざメールをよこすということは、この講堂で手招きをして呼ぶことは避けたい、ということだろう。果たして、呼ばれたのは自分だけなのだろうか。菊田は。日下は。その他の係員たちは——。

会議の報告は玲子たちの組も含め、成果なしというのがほとんどだった。組対だけは、率先して当たり始めた仁勇会についてああだこうだいっていたが、それも小林殺しに本当に関係あるのかどうか疑わしい内容だった。そもそも、所属していた六龍会自体が「小林は使えなかった」といっているのだ。そんな小林の死が、上部団体である仁勇会に何らかの影響を及ぼすとは考えづらい。

ただ、仁勇会が今現在、微妙な状況にあることは事実のようだった。

仁勇会の直上組織は石堂組。その四代目組長、石堂神矢《しんや》がこのところ健康を害し、長期にわたって入院しているらしい。

その留守を預かっているのが、石堂組の若頭にして三代目仁勇会会長の、藤元英也《ふじもとひでや》という男なのだそうだが、その藤元がどうも、石堂の不在をいいことに何か良からぬことを企んでいる節がある、と組対部員はいうのだ。

要するに、藤元を中心とするグループが、近々石堂組内で内乱を勃発させる。小林殺しはその布石だったのではないか、というのが組対の読みなのだ。

正直、そっち関係のぐちゃぐちゃした内情は、玲子にはまったく分からない。分からないが、あえて印象をいうならば、それは関係ないように思う。組関係の内乱のきっかけにするには、小林という男は器が小さ過ぎる。家賃も払えず、デザイン料をケチるために自分の情婦に印刷物のデザインをさせ、親である六龍会会長の竹嶋にすら、死んで笑われているような男なのだ。そこに面子だの報復だのという、任侠沙汰の空気は微塵《みじん》も漂ってはこない。気の毒だが、今回の組対のアプローチは失敗だと、玲子は思っている。

会議を終え、下井には用があるといって講堂を出た。普段だったら何かしらいってくる菊田も、今日は「お疲れさまでした」とにこやかに玲子を見送った。石倉は今回デスク担当のため、そもそもこっち側の席にはいない。ずっと講堂奥の、事務机を寄せて作った離れ島にいる。そして、まあ葉山はともかく、もう一人の巡査長刑事、湯田康平《ゆだこうへい》も玲子を誘わない。

なんなのだろう。この空気は。

階段で一階まで下り、そのまま玄関を出る。

メールにあった病院というのは、中野署裏手にある宮本総合病院のことだろう。歩いてその脇道を通り過ぎる。さらに病院の裏手ということだが。

ああ、ちゃんとあった。

V字の分かれ道。ちょうど、住宅街にできた三角州のような場所が公園になっている。高い生垣や怪しい物陰はない。比較的見通しはいい。もうすぐ十一時。むろん園内に子供の姿はない。

遊具は、丸太作りのすべり台とブランコ。砂場もあるが、ネコ避《よ》けかネットがかぶせられている。大きい感じはしないが、かといって小さくもない、東京の街中にはちょうどいい大きさの公園だ。

その、砂場の向こうのベンチに、コートを着た男の姿があった。

ひょっとして、日下か――。

植え込みを迂回して園内に入っていくと、向こうも気づいたのか立ち上がった。

「姫川……お前だけか」

「ええ。うちの班の人間は、たぶん呼ばれてないんだと思います」

日下は一つ頷き、そのまま辺りを見回した。

まだどこにも、今泉の姿はない。

「なんなんだろうな。こんなところに呼び出すなんて」

「ええ……」

乾いた風が吹き、ブランコが、ギイと鳴った。

粗く砂を敷いた地面を、枯れ葉がカラカラと音をたてて転がっていく。

玲子が入ってきた出入り口前に、白かベージュっぽいコートの人影が現われ、一瞬今泉かと思ったが、でも違った。近所の住人だった。もう二十メートルほど歩いて、明かりの灯った玄関に入っていく。まもなく、その電灯も消えた。

それから、五分ほどした頃だろうか。

ようやく今泉は現われた。

「……すまんな。変なところに呼び出して」

寒そうに肩をすくめ、きゅっと首をこごめる。

「それはかまいませんが……何か、内密な話ですか」

日下が訊くと、今泉は頷き、ポケットから何やら取り出し始めた。缶コーヒーが、全部で三本。日下と礼をいい、一本ずつ受け取る。

あたたかい。握っていると、じんわりと緊張がほどけていく。飲むのがもったいない——。だが、男二人は申し合わせたように、シパシパッとプルタブを引き、ぐっと上に傾けた。次に吐いた息は、さっきより白さが増していた。

今一度、今泉が頷く。

「……実は、今回の捜査に、一つ、制限が加わることになった」

制限？

怪訝に思ったが、訊き返しはしなかった。日下も黙っている。

「今後……捜査線上に、ヤナイケントという名前が浮かんできても、決して追及はしないようにしてもらいたい」

漢字の説明をする。「柳井健斗」と書くらしい。

「……捜査会議での発表はもちろん、報告書への記載も不可だ。捜査員同士で会話するのも慎んでほしい。折を見て、各自そう班員に伝え、徹底してくれ。これについて、絶対には報告も説明もしない。機捜（機動捜査隊）や所轄同士のペアについては、こっちでなんとか対処する」

ぐつっと、玲子の中に煮え立つものがあった。

まだ捜査線上に浮かんでもいない人物について、先んじて捜査をするなと命じるなんて。

「……なんですか、それは」

今泉は答えない。

「係長ッ」

思わず声が大きくなった。

玲子の声が、暗い公園に尾を引いて消えていく。

今泉が眉をひそめる。

「慎め。近所迷惑だ」

どうだっていい。今そんなことは。

「何者なんですか、その、柳井健斗というのは」

玲子の問いに、今泉はゆるくかぶりを振るだけだった。

「係長。そんな、ただ柳井健斗という男の捜査はするななんて……そんな命令、納得できません。せめて理由を説明してください」

日下がなだめるように手を出してきたが、玲子は触られる前に、その手を払い除けた。

「殺人事件の捜査で、ある特定の人物の捜査をしてはならないなんて、そんなの、聞いたこともありません。それで、そんな下命《かめい》で、本当に私が柳井健斗に触らないとでもお思いですか。……いえ、私だけじゃありません。これを伝えたら、他の捜査員だって、逆に興味を持つはずです。柳井健斗とは何者なのかと……ナンセンスです。おかしいですよ係長」

もうひと口。今泉はコーヒーを口に含み、すべり台の方に目をやった。

「……姫川。おかしいと思っても、今回だけは……目をつぶってくれ。柳井健斗の素性については、いずれ説明する。本部捜査員の接触が不可だというだけで、別働隊が柳井については調べることになっている。だから……何もいわず、触らないと、そう約束してくれ」

おかしい。これは、普段の今泉の言葉ではない。

「……上からの圧力、ですか」

今泉は、肯定も否定もしない。

名前の響きから、簡単にその人物像を探ってみる。ケント、という語感自体は、若い男性をイメージさせる。

「……柳井健斗は、どこかの、官僚の息子とかですか」

依然、無反応。

「警察官僚の息子とかなら、私はその条件、呑めません。そういった輩《やから》は二年前の亀有で……」

「違う」

苛立ったようにいい、だがそれだけで押し黙り、今泉はきつく奥歯を噛み締めた。

それでも玲子は続けた。

「……官僚の息子じゃなければ、なんなんですか。官僚本人ですか。代議士の息子？　関係者……まさか」

「よせ、姫川」

日下が割って入る。その肩を、今泉がぽんと叩く。

「日下、姫川。こんな説明しか、今はできんが……」

短く、溜め息をはさむ。

「……とにかく、今回のこれを下手に弄ると、和田さんの……和田一課長の首が、飛ぶかもしれんのだ」

「は？」

下手に捜査をすると、一課長の首が飛ぶ？

「むろん、橋爪さんも俺も、無事では済まない。ただ、俺たちにはまだあとがある。これで一課を追われることになっても、まだ挽回のチャンスはくる。だが、和田さんにはもうあとがない。今回の課長職を終えたら、あとは参事官か、学校長か、他課の課長か……なんにせよあと一つポストを回ったら、もう定年だ。これまで……家庭も持たず、ただ一課のためだけに生きてきたあの人に、この、定年間際の今になって、失点を負わせるなんて……俺には、とてもじゃないが耐えられん」

今泉が、和田に対して特別な感情を抱いていることは玲子も知っていた。単に先輩や上司に対するそれとは違う、もっと、師弟や親子関係に近いものなのだろうと察していた。

その和田が、いわば警察界から抹殺されるような事態に直面している？　その鍵を握っているのが、柳井健斗？

一体、何者なのだ。柳井健斗とは。

「俺も、こんな方法が正しいとは思っちゃいない。だが今は、どうしていいか分からんのだ。……このままにしておくつもりはない。ただ今は、黙ってこの命に従ってくれ。頼む。……こんな形で俺は、あの人の警察官人生を、終わらせたくはないんだ」

日下が頷いた。

「分かりました。とりあえず、柳井健斗に関しては、触らない方向でやってみます」

「……すまん……そういってもらえると、助かる」

だが玲子は、返事をできずにいた。

調べません。触りません。

そう宣言することが、どうしてもできなかった。

第二章

1

あの頃の姉さんは、本当に大変だったと思う。母親であり、長女であり、一人の少女でもあったのだから。

母さんが亡くなったのは、僕が十一歳、姉さんが十三歳のとき。長い間病院に入ってたから、いつかはそういう日がくるかもしれないって、子供ながらに覚悟はしてたけど。でもやっぱり、つらかったよ。実際に死なれたのは。

家の中にいると、入院してた頃となんにも変わらなかったのに。毎日の食事も、ずっと姉さんが作ってたし、洗濯だって掃除だって、全部姉さんがやってたのに。でもやっぱり、何かが悲しかったんだ。

僕は階段の、一番上に座ってよく泣いた。特に、一人ぼっちの夕方は。

西日が当たって、明るかったじゃない。うちの玄関。よくあそこを見下ろして、母さんが、ただいまって入ってくるのを想像してた。お陰さまでよくなりました、って、大きなバッグを玄関に置いてさ。さあ、溜まった洗濯物を片づけなきゃ、なんていいながら腕まくりする姿を思い描いて。でももう、それはないんだって思うと、やたらと泣けてきてさ。

でも、姉さんの前では泣かなかったよね。泣かなかったはずだよ。だって、我慢してたんだもん。心配かけちゃいけないと思ってたから。

姉さんは、中学一年。部活もやらずに、スーパーで買い物をして帰ってきてたよね。それから洗濯物を畳んで、僕とおやつを食べたら、すぐ夕飯の支度を始めて。

そう。姉さんが新しいメニューにチャレンジして、成功すればいいけど、失敗すると、なんか暗い雰囲気になったよね。姉さんが、ごめんね、ちゃんとお母さんに習っとけばよかったね、なんていうから。そういうこというから、悲しくなっちゃったんだよ。ああ。そういうので、何回か姉さんの前で泣いたことはあったかもしれない。

父さんは、十時とか十一時くらいに帰ってくることが多かった。姉さんはそれから父さんに夕飯を作るから、いつも遅くまで起きてたよね。早く寝なさいって、二人にいわれたのを、今でもよく覚えてる。

あれは、なんでだったんだろう。眠れなかったんだ。あの夜に限って。

僕は自分のベッドから出て、なんとなく二階の、あの階段の一番上のところに腰掛けてた。

廊下の電気は点けてなかった。だから、下の明かりがやけに眩《まぶ》しかったのを覚えてる。

テレビの音がしてた。どんな番組だったかは覚えてない。でもそれが、急にパチッと消えた。で、大きな影が、下の廊下の床を旋回していった。父さんだった。それが分かった瞬間に、リビングの明かりも消えた。廊下の明かりも、次々と消えていった。

やがて、一階は真っ暗になった。だからつまり、全部。我が家は消灯時間を迎えていた。

あれ。姉さん、もう自分の部屋に戻ったのかな。いや、そんなはずはない。僕はずっと起きてたんだから。姉さんは上がってきていない。しかも姉さんは、自分の部屋に戻る前に、必ず僕の部屋を覗くんだ。ちゃんと電気を消してるか、布団をかぶってるか、確かめにくる。でもその夜は、それがなかった。なかったように、記憶している。

姉さん、ひょっとしてまだ下にいるのかな――。

何か、それがいけない行為であることは、僕も薄々感じてはいたんだ。だから、足音を忍ばせて階段を下り、一階の廊下を、忍び足で進んだ。

驚いたよ。父さんの寝室から、すすり泣くような声が聞こえたときは。

「智子《ともこ》……智子ぉ……」

弱々しい、情けない感じの声だった。

まさかと思ったよ。だって、父さんは僕らの自慢の、エリートサラリーマンだったからね。

今でも父さんの勤めてた会社は、家電業界じゃ日本一、いや世界一で。そんな中でも、同期の出世頭っていわれてた人だから。そんな人が、まるで子供みたいに、智子、智子って。死んだ母さんの名前を呼びながら泣くなんて、子供からしたら考えられないことだった。

　今ふうにいえば、ドン引きってやつだ。

だから、だと思う。自分が泣きたい気持ちも何もかもすっ飛ばして、父親の情けない姿を見てやりたいという、意地悪な気持ちの方が勝っていた。

　寝室のドアをそっと開ける。スタンドライトが点いてたから、室内の様子は充分に分かった。父さんはベッドに突っ伏していた。なぜか、上半身だけ。下半身は、ベッドの下にひざまずいて。

そう。ベッドには姉さんがいたんだ。しかも、裸の。上半身を起こして、後ろに手をつくようにして腰掛けていた。その腿の辺りに、父さんは顔をうずめて、智子、智子っていいながら、姉さんの下半身に頬ずりしていたんだ。

　確かに、姉さんは母さん似だった。でもだからって、それはないだろうと思った。僕ももう小学五年生だったから、男と女のことも大まかには知ってた。だからこそ思ったんだ。それはヤバいんじゃないか、って。

　やがて立ち上がった父さんは、自分でパジャマを脱いだ。そして、姉さんに覆いかぶさった。姉さんは、一切声を出さなかった。ただ黙って、父さんを受け入れているように、僕には見えた。

だから、つまり、ずっとだったんだ。僕が目撃したのが始まりの頃だとしたら、姉さんが十三歳から、十九歳で死ぬまでの六年間。ずっと、父さんと姉さんの関係は続いてた。

あれは、僕が中三になってすぐのことだった。姉さんが高二。

ちょっと数学の分からないところを訊こうと思って、姉さんの部屋を訪ねた。ノックをしたら、どうぞっていわれたから、ドアを開けた。

そしたらなんか、部屋が暗くて。でも、決して真っ暗ではなくて。よく見ると、姉さんの机に蠟燭《ろうそく》が立ってて、それに火が灯ってて。姉さんは姿見の前に立ってた。そのときも、なぜか裸だった。

「いいよ……入って」

なんか僕も、よく分からなくなって、数学の教科書を手にぶら下げたまま、ふらふらっと、入ってしまった。

で、すぅーっと、姉さんが寄ってきた。石鹼みたいな、優しい匂いがして、僕の首に、腕が絡みついてきた。裸の胸の感触が、僕の着てたスウェット越しにもよく分かった。やわらかだった。

「健斗……女の子と、こういうこと、したことある？」

右頰に、姉さんの頭が当たった。もう、背は僕の方が高かった。艶々した、真っ直ぐの、綺麗な髪だった。

「……私はね、ないの……父さん以外の、人とは」

教科書が、絨毯《じゅうたん》の床に落ちた。

スウェットの下の腰紐が、するするっとほどけた。

「……父さんとだけって、私、なんか……やなのよ。でも、健斗ともそうなったら、もう、平気じゃない……なんでだろうって、考えなくていいじゃない……みんな一緒なら」

下半身が、急に涼しくなった。上に着ていたものも、一枚一枚、脱がされていった。

さらさらした、いい匂いのする肌が、僕の表面を撫で、軽やかに流れていった。僕はその胸の膨らみや、やわらかさを、恐る恐る、掌で確かめていた。

高まっていくものはあった。痛いほどにそれは、力を蓄えていた。

姉さんに促されて、僕は、その場に寝そべった。

そして、仰向けになった僕に、姉さんは、またがろうとした。

そのときだ。ほんの一瞬だけ、姉さんの肌と、ぬくもりと、重みがなくなった。その瞬間に僕は、思い直したんだ。

「……やめてくれよッ」

なぜそうしたのかは、自分でもよく分からない。

僕が姉さんとそういう関係になっていたら、ひょっとしたら、今ほど不幸な結果にはならなかったんじゃないかって、そんな気もする。

だから——。

そう。僕は今、こんななんだ。


高校を卒業した姉さんはアルバイトに精を出し、半年くらいでけっこうな額を貯めたようだった。それで、父さんが一泊の出張にいっている隙に、手早く荷物をまとめた。

「健斗……本当に、一人で大丈夫？」

僕は笑ってみせた。

「何度いわせるんだよ。大丈夫だよ。もうガキじゃないんだから……飯くらいどうにだってなるし、洗濯だって、もうずっとやってるじゃない」

「でも……ボタンとか」

「大丈夫だって。つけられるよ」

「トイレ掃除とか」

「年末になったらやるよ」

その頃の姉さんには恋人がいた。それが、小林充。高校では姉さんの一つ上、僕の三つ上の先輩で、姉さんとはかれこれ一年くらいの付き合いになっていた。引っ越しの算段も、ほとんど小林がやった。実際、車も奴が運転していった。

「姉さんを……よろしくお願いします」

明るい未来――。そんなもんを当時の二人に見ていた僕は、小林に頭を下げることも平気だった。

「任しとけって」

小林はいわゆるヤンキーで、高校時代からタバコは吸うし改造バイクは乗り回すし、とても評判のいい人物とは言い難かったけど、でも、姉さんを守ってくれるんだったら、僕はそれがどんな人でもかまわないと思っていた。


姉さんのいなくなった家はもちろん寂しかったけど、問題はそんなことじゃなかった。

「千恵はどこにいった。お前、知ってるんだろうッ」

姉さんを失った父さんは、ほんと、洒落にならないくらい怒り狂った。姉さんの使っていた部屋を引っ掻き回し、どこにいったかを探ろうと躍起《やっき》になった。

「健斗、知ってるんだろうお前」

「知らないよ……学校から帰ってきたら、こうなってたんだってば。もういなかったよ」

「嘘だろう、本当は知ってるんだろう……知っていて、俺を困らせようとしてるだけなんだろう」

知っていて困らせようとしてるって、なんでそう思うんだよって訊いてやりたかったけど、訊かなかった。

それは――。

普通の家庭と比べたら、変なところがいっぱいある家族だったけど、でも、互いにそれをいわないようにしていれば、知らん振りをしておけば、それはないも同然じゃないかって、僕は心のどこかで思おうとしていたんだ。

だから、黙っていた。僕から姉さんに、父さんとのことを訊いたことは一度もなかったし、父さんにもそうだった。最初はどうしたの。どうやって姉さんを自分のものにしたの、なんて、訊きはしなかった。

姉さんからは、よく夕方、電話がかかってきた。ちゃんと食べてる？　洗濯はしてる？　掃除はお風呂までしてる？　やってるよって、答えるのが楽しみだった。実際やってたんだ。父さんに、少しでも姉さんのことを忘れてほしくて。

でも、十一月の初め頃から、なんか、姉さんの声が、やたらと沈む感じになってきた。

『ねえ……父さん、なんかいってなかった？』

「え、姉さんのこと？」

『うん。いってなかった？』

「いや、別に、いってなかったけど。っていうか最近、あんまり話もしてないんだけど」

たぶん父さんは、姉さんの行方をずっと捜してたんだと思う。とっかかりはなんだったんだろう。やっぱり、この電話だったのだろうか。かかってきた番号からどうにかして割り出して、姉さんのアパートの近くをうろついていたんだろうか。

そして、事件は起こった。

その前の二日くらい。こっちから何度も電話してるのに、姉さんは出ることも、折り返しかけてくることもしてこなかった。

だからあの夜、僕は向かったんだ。姉さんの部屋に。

そうしたら、死んでた。変な臭いを漂わせて、姉さんは無残な死体になっていた。

はっきりいって、僕は最初から父さんを疑っていた。

父さんは姉さんを愛していた。実の娘を、一人の女として愛していた。そして、自分のもとを去っていった娘を、憎むようになった。探偵を使ったのかもしれない。電話会社に何度も通ったのかもしれない。とにかく父さんは姉さんの居場所を突き止めた。そして姉さんが部屋にいるときに上がり込み、乱暴し、最終的には首を絞めて殺した。

凶器となったのは父さんのネクタイだった。それが警察にも疑われた原因だったんだと思う。僕には一度だけ、俺はやってないって、ぼそっと言い訳をしたけど。

父さんは事件後、何度も警察に呼ばれた。逮捕はされなかったんだと思う。呼び出しを喰っても、ちゃんと毎回釈放されて、家に帰ってきていたから。

姉さんの事件は、新聞や週刊誌、テレビでも取り上げられた。十九歳の少女が自宅アパートで、首を絞められて殺害された。ストーカー殺人、みたいな感じで報じられていた。

でも途中から、なんか、父さんの姿がやたらとテレビに出るようになった。顔はぼかしてあったけど、警察に出入りする被害者の父親として、毎日のようにテレビに映っていた。

ある番組で、インタビュアが直接父さんにマイクを向けた。毎日のように警察にこられていますが、中ではどんなお話をされているのですか。父さんは何も答えなかった。ただマイクを手で押し退《の》け、タクシーに乗り込んだ。ものすごく、疑わしい挙動だった。僕には、ボカシの向こうにある、父さんの歪んだ表情が容易に想像できた。

生ではなかったけど、父さんが死んだときの映像も僕はテレビで見た。

ぐらぐらっと画面が揺れて、警察署の入り口に記者とかカメラマンが駆けていく。おい、救急車、とかいう声も入っていた。撮影した局は一つではなかったけど、映像の内容はどこも似たようなものだった。拳銃を撃った瞬間はどの局も撮ってない。でも、何かあったなと思って、慌てて録画スイッチを入れ、署の玄関に駆けつけた。そういう映像だった。

父さんは、頭がおかしくなってたんだと思う。まるで犯人みたいに扱われて、毎日警察に呼ばれて。あとで知ったんだけど、テレビや新聞より、週刊誌の方がもっとひどいことを書いていた。そういうこともあって父さんは、生きるのが嫌になってしまったんじゃないだろうか。

それでなくとも、もう姉さんはこの世にいない。誰が殺したのかはさて置き、姉さんが死んでしまったことだけは、動かしようのない事実だったのだから。

確かに、僕らは変な家族だった。

正直にいうと、僕が父さんと姉さんの行為を覗き見したのは、最初の一回だけじゃなかった。その後、何回も、何回も。何年も何年も、ずっと。僕は二人の絡まり合う姿を見ては、そのたびに部屋に戻って、僕も姉さんとああなったらどんな感じなんだろうって、そういう想像をして、自分で慰めていたんだ。

でも、それの何が悪いの。

そりゃ、父さんと姉さんの関係は褒められたもんじゃなかったよ。でも、それで誰かに迷惑かけた？　誰かが悲しんだ？

姉さんも悩んではいた。でもそれは、世間に対して後ろめたく思っているだけのことであって、父さんとのことを、心底嫌がっていたわけじゃないと思うんだ。

父さんに抱かれているとき、姉さんはいつだって、優しい顔をしてた。僕にできたてのハンバーグを、どうぞって出すときの顔と同じだったよ。そういう優しい顔で、いつも、父さんの背中を抱き締めていた。労《いたわ》ってあげたかっただけなんだ。母さんを亡くして、悲しみのどん底にいた父さんを、なんとか癒《いや》してあげたいと思っただけだったんだ。

僕にしたのだって、そういう意味だったんだと思う。

母さんを亡くして悲しいのは僕だって一緒だった。でも、姉さんは父さんだけを、特別に慰めている気になってしまったんじゃないだろうか。僕だけ別っていうのは、嫌だったんじゃないだろうか。だから、僕のことも、抱こうとした——。

僕たちの、何が悪いっていうんだよ。何が悪かったの。首絞めて殺されなきゃならないほど、拳銃で頭を撃ち抜かなきゃならないほど、僕ら家族が何をしたっていうの。

なあ、何をしたっていうんだよ。

いってみろよ、小林——。

2

二十三日の朝一番。姫川班のメンバーには、中野署に入る前に集まってもらった。場所は、すっかりクリスマスムード一色になった、中野坂上駅の近く。ドトールの二階。

玲子は何度も周囲を確認したが、半径三メートル以内の席に客はいなかった。部外者に聞かれる心配は、とりあえずないと思っていい。

「……で、柳井健斗って名前が出てきても、決して捜査はしないように。捜査員同士で話すのも、刑事部外の人間に話すのもダメ。報告書への記載もNG……っていわれたわけ」

菊田と湯田は「ハァ?」と首を傾げた。

石倉と葉山は、ほぼノーリアクション。

菊田がカップを置く。

「何者ですか、その柳井健斗って」

「分かんない。訊いても教えてくれなかった。ただ、官僚とかその息子とか、そういう話ではないみたいなの」

湯田がピンと人差し指を立てる。

「じゃあ、俺らで内々に調べましょうよ。なんか、デカいヤマに繋がってんですよ、きっと」

思った通りの反応だが、ここは、玲子もかぶりを振らざるを得ない。

「ところがさ、それが、ちょっとマズいんだ……なんか、これを下手にほじくると、和田課長の首が危ないらしいの」

スーツ姿のサラリーマンが近づいてきたが、通り過ぎて、ずっと向こうの席に座った。まだしばらくはこのまま話せそうだ。

菊田が肩を寄せてくる。

「……なんでまた、和田課長が」

「いや、危ないのは別に、和田さんだけじゃないらしいんだ。捜査関係者全員の首が飛ぶような、たぶんこれは、そういう話なんだと思う。ただ、係長はそういう言い方しないから。

とにかく和田さんが心配だって……係長は、そういう人だから」

湯田がウーンと唸る。

「……なんで、柳井健斗って奴を弄ると、捜査関係者が首になるんすかね。ねえ？　どういうシガラミなんですかね、それって」

すると、珍しく葉山が身を乗り出してきた。

「……その柳井が、省庁や、政府の関係者でないのだとしたら……過去の、捜査上の汚点、ってことなんでしょう。和田課長か、捜査一課か。どちらかの」

前々から思っていたが、葉山には、なかなか鋭い筋読みをするところがある。発言の回数が少ないせいもあるだろうが、その確度は非常に高い気がする。ひょっとしたら、今の姫川班では頭一つ抜きん出ているかもしれない。むろん、それでも玲子の次、ということになるが。

湯田が「なにそれ」と喰いつく。

「汚点ってなんだよ。たとえば、どういうことよ」

「たとえば……まあ、分かりませんけど、柳井が過去に何かやっていて、でも和田課長がそれを見逃した、とか。その柳井が今になって、第二の犯行に及んだ……つまり、小林充を殺した」

「なんで課長は見逃したんだよ」

葉山は眉をひそめ、横目でちらりと湯田を睨んだ。

「……分かりませんよ。そんなこと」

そう。そこのところが難しいのだ。

次に、玲子は石倉に訊いた。

「ねえ、たもっつぁん、なんか知らない？　デスクにいて、なんかそれっぽい動きとかなかった？」

玲子は別に、何かしらの確信があって訊いたわけではなかった。ただ、石倉は今回の捜査では現場に出ず、帳場（捜査本部）の情報管理担当としてデスク業務に就いている。玲子たちが知らないことを見聞きしている可能性は充分にある。そう思ったから訊いただけなのだが、

「いや……」

石倉はいきなり言葉に詰まり、目を泳がせた。

なに、その態度――。

それを見逃す玲子ではない。

「たもっつぁん」

「えっ……あ……はい？」

今年、ちょうど五十歳になるベテランのデカ長。経験豊富で、姫川班においてはまさに保

護者的存在。しかし、そんな石倉も、決して隠し事のプロではない。犯罪者の嘘を見抜く目は持っていても、上官に対して嘘をつき通す神経の太さとなると、話は別のようだ。

「たもっつぁん。あなた何か知ってるんでしょ」

石倉は小刻みにかぶりを振った。

「いや……私は、何も」

「知ってるわね」

「いえ……私は……」

「今、声震えたわよ」

「……そんな……そんなこと、ありませんよ」

「額、汗びっしょりよ」

すると、慌てておでこに手をやる。だが、肌は乾いている。

「ウソよ」

「そんな、主任……お人が悪い」

「いいなさい。柳井健斗について知っていることを、ここで正直に話しなさい」

菊田が、湯田が、葉山までもが、石倉の顔を覗き込む。

そして、ちょうど正面にいるのが玲子だ。

「たもっつぁん。もう観念なさい。ここであなたが喋ったって喋らなくたって、あたしたちは、動くときは動いちゃうんだから。だったら、事情を知らないで闇雲に動くより、知っててマズいところを避けながら動いた方が安全でしょう？　知らないで地雷踏んで、課長も部長もみんなでドッカーン……ってなったらどうすんの？　そんなんなっちゃったら、たもっつぁん。あなたの責任よ」

そんな理屈があるものか、と自分でも思いつつ、玲子は石倉の両目を射貫くほどに強く見つめた。

さあ、どうする。古株名刑事。

結局、石倉は白状した。

謎の女からのタレ込み電話。小林殺しの犯人は、柳井健斗、二十六歳。

九年前に三鷹で起こった事件の被害女性、柳井千恵の弟が、柳井健斗。一方、事件の重要参考人だった父親、柳井篤司は、警察署内で警官から拳銃を奪って自殺。最終的に検察と警察が選んだのは、被疑者死亡により不起訴という幕引き。そして、今回殺された小林充と柳井千恵は都立武蔵野中央高校の先輩後輩という間柄であり、かつ恋人同士であった。さらには柳井健斗も同校の卒業生――。

なるほど。重要参考人である父親に、しかも警官の拳銃を奪っての自殺を許したのは、確かに警視庁の大きな汚点だ。そういった意味では、葉山の推理はおおむね当たっていたことになる。これが原因で小林殺しが起こったのだとすれば、今回も一斉に捜査関係者の首が飛ぶ。そういう事態もあながちなくはない。

ただ、だからといって捜査をしなくていい、という話にはならない。情報通り柳井健斗が小林充を殺していたとしても、その動機が姉殺しの報復とは限らないからだ。ひょっとしたらその後も健斗と小林には付き合いがあり、最近になって金銭トラブルなどに発展した可能性だってないわけではない。そういう線に目を向けぬまま、柳井健斗について不問にするというのはどう考えてもおかしい。

誰がこれを命じたのか。そんなことは分かりきっている。こういう発想は、得てしてキャリア官僚の頭から出てくるものだ。つまり、長岡刑事部長か、その下の越田参事官。それより下の刑事部員にキャリアはいない。

奴らは二年かそこらでまったく別の部署に移っていく。長岡部長なら、次はどこかの管区警察局長か県警本部長辺りが妥当なポストだろう。要するに今、事件を解決して過去の汚点を再びさらけ出すより、事件そのものを解決させず、評価が決定しないうちに自分は警視庁を去ってしまおう、という魂胆なのだ。だから、刑事部捜査員に「捜査をするな」などという馬鹿な下命ができるのだ。

しかし、そうと分かったところで状況に変化はない。柳井健斗による小林殺しは姉の復讐だった。そういう発表をしたくないのは、キャリアもノンキャリも同じである。

何か、いい手はないものだろうか。

「……ネエちゃん。どうも今日は、上の空って感じだな」

そう。下井と捜査に出ても、玲子は今一つ聞き込みに集中できずにいた。

生前、小林と付き合いがあったという、練馬区内の、印刷所からの帰り道。

国道沿いの歩道。平日の午前中だというのに、通りには渋滞もない。

「ああ……すみません」

「生理か」

「違います。っていうか、もうちょっと言葉を選んでください」

まったく。いつの時代のモラルで生きてるんだか。

「じゃ、何か困り事か」

「いえ……困り事、っていうか」

こればっかりは、下井に相談してどうなることではない。古い先輩に当たる人物ではあるが、彼はもう一課の人間ではないのだ。

それでも、下井は玲子の顔を覗き込んでくる。

「その顔つきじゃ、男や家族の心配事……ってんじゃ、なさそうだな」

うそ。見るだけで、そんなことまで分かるのか。

「えっ、あたし、どんな顔してるんですか」

「どんなって……見るからに、幸薄《さちうす》そうな顔だよ」

ちょ、ちょっと——。

「……下井さん、それ、けっこうひどくないですか。そんなことあたし、今まで一度もいわれたことないですよ」

「そうか？　じゃあみんな、思ってるけど遠慮してんだよ。捜査一課は、みんな紳士だからなぁ」

ふいに、足が重たくなった。今すぐ、この場にしゃがみ込みたい。

確かに、すでに三十を過ぎてはいるけれど、でも、まだまだキレイ系で充分通ると思っていた。男に言い寄られる回数は、正直にいったら、このところはそんなには多くはなってきているけれど、でもそれは、自分が警部補という中間管理職にあり、また元来の生真面目な性格も手伝って、なんとなく声をかけづらい雰囲気を作ってしまっていることが原因であって、決して、まるっきり、根っからモテていないわけではない、と、改めて言葉にするならば、そういう自己分析に行き着く。そしてそれは、そんなに現実から遠い解釈ではない、とも思っていた。

それが、よりによって、幸薄い系だなんて。

「なんだ。いっちょ前にショック受けてんのか」

ええ、とても。

「……いえ、別に」

「だったら仕事に集中しろや」

といっても、今は歩いているだけだが。

っていうか、さらに集中できないように追い込んだのは誰よ――。

ちらっと横を見たら、ちょうど下井もこっちを向いたところだった。やけにタイミングが合ってしまった。

「……なんだよ。その目は」

「なんでもないですよ。ちょっと見ただけじゃないですか……変な因縁つけないでください」

ヤクザか、あんたは。

「いいたいことがあんなら、いっていいんだぜ」

下井に、いいたいこと。

「……いえ、別に、ないですけど」

「本当か」

「ええ……特に、ないです」

すると、どういう意思表示なのだろう。下井は突如立ち止まり、深く溜め息をついた。

「……ここまで譲ってやって、まだ俺にいわせんのか」

え、なんのことですか。

「ネエちゃん。じゃあこっちから訊くけどよ……あんた、なんか大きなネタ、握ってんだろ」

うそ。なに、それも顔に出てるの？

「それなのに、なにもたもた敷鑑《しきかん》なんかやってんだよ。……デカなら、テメェがこれと思うネタを摑んだら、もっと貪欲に、そのネタに喰いついていけよ」

信号が赤になり、すぐ横の道に車がどんどん溜まっていく。ワンボックス車の助手席にいる若者と、ふいに目が合った。いま彼の目に玲子は、どのように映っているのだろう。道端で上司に怒られる、どうにも使えない女とか、そんな感じか。でも、今この場ではどうにも取り繕いようがない。

「……あんた、デカだろう。その若さで、半端《はんぱ》に飼い慣らされてんじゃねえよ。組織の駒になってんじゃねえよ。俺みてえなロートルに、歩幅合わせてんじゃねえよ。あんたはあんたの歩幅で、地べた蹴っ飛ばしていけよ。突っ走れって。……一課だろう。一課のデカなんだろうあんたは」

子供シート付きの自転車が、玲子たちを追い越していく。

信号が青になったのか、横の車列が動き始める。

「いけよ……鑑は、俺が適当に当たっとく。会議に戻れねえなら、今泉にも、他の上の連中にも、それっぽく言い訳しといてやる……だから、いけって」

なんだろう。

この場にいるのがすごく恥ずかしいのに、こめかみと、胸の辺りが、妙に熱い。

しかし、急に放し飼いにされても、すぐには何をどうするべきか思いつかなかった。

とりあえず玲子は、警視庁本部の六階、刑事部捜査一課の強行犯捜査第二係を訪ねた。

殺人班の大部屋の斜め向かいにあるここは、別名「現場資料班」と呼ばれる、一課の頭脳的な部署である。簡単にいうと、通信指令本部から入る事件発生の第一報から、都内各地で進められている本部捜査の進捗《しんちょく》状況まで、捜査一課に関わるすべての情報を一手に管理し、過去の事件捜査に関する膨大な資料も漏れなく保管されている——はずだったのだが。

「残念だったね。一歩遅かったよ」

資料班一番のベテラン、林警部補は悲しげな声でそういった。

「えっ……遅かった、って?」

「あれだろう、九年前の、三鷹の少女殺しの資料を見にきたんだろう」

玲子は頷いてみせた。

「今し方、それに関する一切は下げられてしまってね」

「……って、誰にですか」

それには、林はかぶりを振った。

「いえないよ、私の口からは。とにかく、ここをあさっても何も出ちゃこない。口惜しいがね、そういうことだ」

そんな馬鹿な。

「……じゃあ、三鷹署は。あっちならまだ」

「無駄だろう。君が今からいったって連中の方が早いに決まってる。ひょっとしたらそっちは、ここより先に撤去されてるかもしれん」

なんだそれは。

「……そこまでして、隠したいことなんですか。三鷹のそれって」

林も首を傾げた。

「分からん……役人の浅知恵、と笑ってやりたいところだが、それに我々が振り回されているのも、また事実でね。まあ、私らも役人ではあるけれど」

なんだろう。林が、目と頬を変なふうに動かす。背後を睨むというか、なんというか。とにかく、そっちに玲子の注意が向くよう仕向けている。

事務机が並んだ、二十畳ほどの部屋。資料班執務室。立ち上がり、机の端に腰掛けるようにしている林の右後ろには、玲子よりちょっと年上の男性係員がいて、パソコンで何か作業をしている。

「……石倉さんに、訊いてみたらどうだい。彼は、ここで資料を読んでいったよ」

まだ、林は右後ろを気にしている。

「ああ……その話は、石倉から直接聞きました。でも今一つ、摑めないんです。事件の全体像が。イメージが湧かないっていうか、大事なことを見落としてるっていうか。だからそれを、捜査資料で確かめられたらって、思ったんですが」

すると今度は、玲子の目をじっと見る。

「……君、九年前はいくつだった」

「えっ、と……二十二、です」

「ってことは、交通課かなんか?」

「いえ、まだ学生でした。花の女子大生……」

自分でいうと、なぜか悲しいこの表現。

「この事件、覚えてた? 記憶にあった?」

さて、どうだったか。

「ああ、正直いうと、あんまり……警察官の拳銃を奪って犯人が自殺した、というのは、なんとなく覚えてますけど、それが娘殺しのマル被だったというのは、ちょっと……ちゃんとは、記憶してなかったですね」

林は「ふーん」と、口を尖らせて頷いた。

「……何してたの、その頃」

その頃はたぶん、警視庁の採用試験の勉強が案外簡単に終わってしまったので、巡査部長昇任試験の問題集などを買い込み――。

「……勉強、してました。かなり真面目に。まあ、学生ですから」

「テレビも観ずに？」

ん？　なんの話だ。

「週刊誌も読まずに？」

あ、ああ――。なるほど。そういうことか。

「……メディアってのは、あれはあれで、なかなかね……色眼鏡を差し引くさじ加減さえ覚えたら、それなりに使える……おっと、喋り過ぎたかな」

林はまた右後ろを気にしながら、苦笑いを浮かべた。

そんな林を、玲子は警視庁で、今泉の次に尊敬している。

そのまま走って国会図書館に向かった。桜田門から有楽町線に乗っても永田町まではひと駅だが、階段を上ったり下りたり、電車を待ったりするのが面倒だったのだ。

館内利用カードは持っていただろうか。あの、青くて、真ん中に大きくバーコードが入っている――よかった。ちゃんと財布に入ってた。

とりあえず新館二階の雑誌コーナーへ。まずカードを使って、柳井千恵の事件が起こった頃の週刊誌を借りる手続きをする。有名なところだと「週刊文秋」「週刊新窓」「週刊朝陽」。それから、写真週刊誌の「Ｆａｒａｗａｙ」と「ＡＲＥＡ」も。それぞれを三ヶ月分ずつ申し込む。

そこからは、けっこう待たされた。二十分以上かかったのではないか。しかしまあ、現物を見たらそれも無理はないかと思い直した。さほど厚みのない週刊誌とはいえ、それぞれ十三、四冊ずつ。五種類だ。こっちだってそれだけ受け取ったら、いっぺんには運べない。係の男性の手を借りて、なんとか閲覧室に運び込んだ。

ちょっとごめんなさい、すみません、と断りながらテーブルに置き場所と作業スペースを確保したら、さあ。捜査の開始だ。

十一月の第二週発売の号からめくり始める。

最初に柳井千恵事件の記述を見つけたのは、週刊文秋だった。

十一月六日、東京都三鷹市牟礼《むれ》のアパートで十九歳のフリーター、柳井千恵さんの遺体が発見された。遺体には首を絞められた痕があった。ストーカーの犯行か――。

まだ、ごく小さな記事だった。特に興味深い記述もない。

その後の号はどの雑誌も千恵の事件を扱っていた。恋人が号泣、あんなに優しかった彼女を、誰が――って小林。あんたが殺したんじゃないの、と密《ひそ》かにツッコミを入れておく。

事件の扱いに大きな変化があったのは、二冊目の週刊文秋だった。

【千恵さんの遺体には乱暴された痕跡があり、警察は遺体から採取した犯人のものと思われる体液の分析を進めている。】

初めて目にする情報だった。

柳井千恵は、レイプされていた？

そう考えた途端、ぼわっと、吐き気のようなものが込み上げてきた。だが顔は、逆に痒いくらいの熱を帯びる。急に視野がせまくなっていく。マズい――。

玲子は固く目をつぶり、鼻から息を吸い込んで、酸素が充分脳細胞にいき渡るのをイメージした。それを四、五回繰り返す。すると徐々に、吐き気と火照《ほて》りは治まっていった。

ああ、びっくりした。いきなりだったので、つい被害者に同調しそうになってしまった。危うく引きずり込まれるところだった。いけないいけない。こういうことにも、もっと平気にならなければ――。

気を取り直して作業再開。他の雑誌をめくっていく。もはや十一月も半ばまでくると、千恵が殺害前に性的暴行を受け、警察が強姦殺人の線で犯人を追っているというのは既成事実であるようだった。

そしてそれは、三冊目の週刊新窓を開き、事件のページにたどり着いた瞬間だった。

玲子は、ようやく自分の求めていたピースが見つかったような、そんな感触を得た。

記事の扉部分。警察署に入ろうとしている、スーツの男性の写真。決して鮮明な写りではない。ピンボケしている上に男が動いているため、顔の判別はほとんどできない。しかも目のところには黒いラインが入っている。

だがここまで隠しておいて、中の記事にはそれが誰だかがしっかり書かれている。

【柳井千恵さんの父親、柳井篤司さんは毎日のように三鷹署に出向き、事情聴取を受けている。これまで、犯人が千恵さんに近しい人物である可能性は特に指摘されていなかったが、ここにきて捜査本部は、篤司さんが何らかの事情を知っているものと考えるようになったのだろうか。】

また、これとは違う囲みの中には、こんな記述もあった。

【捜査本部はすでに、千恵さんの体内から採取した体液が誰のものであるのかを特定した可能性が高い。それが犯人のものであり、しかも近しい人物のものとなれば、任意同行や逮捕は時間の問題だろう。】

この記事の中に出てくる具体的人名は、柳井篤司と柳井千恵の二つだけである。そして核になる情報とは、千恵の体内から採取された体液、つまり精液が、誰のものであるかという特定作業がすでに完了しているということ。

疑問がないではなかった。こういうプライバシーに大きく関わる問題を、なぜ捜査関係者がマスコミにリークしたのか、という点だ。だがそれを今いっても仕方がない。とにかく漏れてしまった。そうとしかいいようがない。

他誌に載っている同様の記事も読んでみた。どこの社もはっきりとは書かないが、だが全体を通すと、千恵の体内から出てきた体液は篤司のもので、それで篤司は疑われ、何度も警察で事情聴取を受けている、というふうに読めてしまうものばかりだった。

つまり柳井篤司は、一人暮らしをしている実の娘を強姦し、殺害した。当時、世間にはそういうイメージが広がっていた可能性が非常に高い。

雑誌の発売日を確認する。奥付のデータではよく分からないので、次号の予告を見る。次号は、十一月二十七日、水曜日発売。つまりこの号は、その一週間前。十一月二十日発売。

この号が出た翌々日、九年前の十一月二十二日。

柳井篤司は、三鷹署で拳銃自殺をしている。

3

思わず、牧田は川上の顔を覗き込んだ。

「……柳井が、飛んだってのは、どういうこった」

川上は首を横にひと振りしながら、携帯をポケットにしまった。

「一応、開けて部屋ん中も見たようですが、もぬけの殻だと」

「見たって、誰に見にいかせたんだ」

「ああ、それは……シゲルです」

シゲル。あの、金を出せばなんでもやるっていう、川上が歌舞伎町で見つけてきた、地獄の便利屋みたいな野郎か。

「なんでお前、あんな薄気味ワリい、得体《えたい》の知れねえのを使うんだ。うちの若いのにいかせりゃいいだろう」

「兄貴、そりゃダメです」

川上は、辺りをちらりと見回した。

「……あの件に、うちの人間を使っちゃマズいです。誰一人、絡ませちゃいけません。俺はできることなら、兄貴にも触らねえでいてほしいくらいなんですから」

まあ、いいたいことは分からないではないが。

口の中が渇き、やけにタバコが吸いたくなった。だがポケットを探るよりも早く、川上が差し出してきた。ぴょんと一本、きれいに飛び出させる。抜き取って銜えると、すぐさまライターの火をあてがわれる。

ひと口、深く吸い込む。ゆっくりと吐き出すと、苛立ちまでもが体の中から抜け出ていくようだった。

「……たまたま、留守にしてるだけってことはねえのか」

川上は、苦い表情で首を傾げた。

「そう、かもしれません。かもしれませんが、バイトにもいってない。ここ三日、少なくともシゲルが見ている前では、部屋にも戻ってこない。タンスの引き出しの数ヶ所に、やけに隙間がある……デカいバッグはどんなのを持ってたのか、そんなことも調べときゃよかったんでしょうが、さすがに……」

フィルターとの境を指先で叩く。灰が宙に舞い、火種が赤く残る。

柳井健斗。

奴とは、単なる情報屋と客以上の付き合いをしてきたつもりだった。ある意味、信頼もしていた。だからこそ、こっちは高い代償を前払いした。奴だって、あの前払いには満足したのではなかったのか。

飛んだというのが本当ならば、生かしてはおけない——とまではいわないが、タダでは済ませられない。

川上が、携帯灰皿を構えながら牧田を見上げる。

「兄貴……この件は、俺に一任してもらえませんか」

「一任？　お前が、これをどう落とすってんだ」

「とりあえず、なんとしてでも見つけ出します……なんせ例の情報を、まだこっちは受け取ってないんですから」

確かに、それはそうだが。

さて、どうしたものか。

牧田が川上と出会ったのは、今から十二年ほど前のことだ。

当時の牧田は石堂組の一若衆に過ぎず、盃を交わした舎弟や子分も片手で足りるほど。自分の組を持つには、まだまだ金も力も足りない頃だった。

一方、川上は二十代の終わりに立ち上げた自分の会社が、ちょうど軌道に乗ってきたところだった。事業内容は、タコライス専門チェーン「ハッチューズ」の運営。タコライスというのは、あれだ。挽き肉やチーズといった、元来タコスに使われる具を、米飯の上にサルサソースと一緒にかけて食べる、沖縄発祥のファストフードだ。

川上はまずワゴン車一台での移動販売から始め、次第に都内私鉄沿線の小さな貸し店舗を借り、営業所を増やしていった。

ハッチューズの売りは、ソースとミートのバリエーション。確かにあのタコライスのミートは美味かった。サルサソースのミートはさっぱりとした塩味、クリーミーなオリジナルココナッツソースのときは甘辛く、ドレッシングタイプのマヨネーズソースのときは――どうだったか忘れたが、とにかく、よく研究されていてどの味もそれなりに美味かった。

牧田が気に入ってよくいっていたのは、六本木のテレビ局前にくるワゴン車の店だ。川上はチェーン展開が成功し、車両店舗と固定店舗の合計が二十を超えたその頃でも、自分で車を運転し、広場に停まって椅子を並べ、一つひとつタコライスを作っては自分の手で売っていた。まあ、その頃の牧田は単なる客で、そんな裏事情までは知らなかったのだが。

その日も、川上の車は六本木の局前広場にきていた。いつもより若干列が長い気はしたが、牧田は特に疑問も持たずに並んでいた。むろん、極道だからといって、牧田は素人に「順番譲れやコラッ」などとはやらない。どんなに腹が減っていても、大人しく自分の番がくるのを待ち続けた。

ただ、あと三、四人となったところで、牧田はあることに気づいた。

店主、つまり川上の顔が、ボコボコなのである。左目には眼帯、額も右瞼も、頬も唇も紫に腫れ上がっている。並んでいる客全員が見たら、列は半分以下に縮むのではないかと思うくらい無残なあり様だ。

ぐつっと、腹の底に煮え立つものがあった。

忙しいのは見て分かっている。顔以外にも怪我はあるだろうから、タコライスを作ること自体がつらいはずだ。だから、わざわざ声をかけて邪魔するようなことはするまい。そう思いはしたのだが、結局、自分の番がきたら声をかけずにはおれなくなった。

「……どうした。ひでえ顔だぜ」

川上はワゴンの中から牧田を見下ろし、一瞬、動きを止めた。

「あ……い、いつも……どうも……」

覚えていてくれたのか。そう思うと、余計に親しみが湧いた。しかし、牧田の後ろにはまだ客が並んでいる。長話ができる状況ではなかった。

牧田は注文したココナッツソースの大とコロナビールを受け取って店の前を離れた。店の周りに並べられたベンチ椅子の空いているところに腰掛け、とりあえずタコライスを頰張った。

食べ終えてから二十分ほど、そこにいただろうか。

ランチどきを過ぎたからか、客足はぐんと減った。

もう少し待つと、客が空容器を放り込んだゴミ箱の袋を交換しに、川上が出てきた。よく見ると、歩くのに左足を引きずっている。ゴミ袋を引っ張り上げるのも、右手だけでやろうとする。怪我は左側に集中しているらしい。非常に、ヒステリックな暴力に遭ったことが想像できた。

もういいだろうと思い、牧田は彼に近づいていった。

「……手伝おうか」

ビクッ、としただけで体が痛むのか、振り返った川上は、紫の頰をつらそうに歪めていた。

「あ、いつも、どうも……」

「持ってってやるよ」

　だが川上は、差し伸べた牧田の手をそっと制した。

「……お客さまに、そのようなことは」

　手の甲にも痣《あざ》がある。

　牧田はわざと顔を近づけた。

「おい、何があった。どっかでショバ代ふっかけられて、タコ殴りにでもされたか。そういう話だったら、こっちはプロだ。相談乗ってやるぜ」

　しばらく、川上は中腰の姿勢のまま、固まっていた。

　目の前にあるのは、中身のなくなった、ポリ製のゴミ箱。

　川上は何かを睨んでいた。

　そこにはない、何かを。

　そこにはいない、誰かを。

　両の眼に宿っているのは、殺意にも似た、青い揺らめき。

　こいつは、自分では名前もつけられない内なる衝動と、いま必死で戦っている。

　こいつは、放っておいたら、相手を殺す。

　そう。あの頃の、自分のように――。

　牧田は、川上の手から新しい袋を取り上げ、広げてゴミ袋にかぶせた。

「……話してみろよ。余計な手出しが無用なら、聞くだけにしておく。だから……話してみろって」

流れ落ちた川上の涙は、それでも透き通っていた。

血の色でないことが、牧田には不思議なくらいだった。


川上にはパートナーがいた。ワゴン車一台の頃から一緒にやってきた、伊藤留美《いとうるみ》という名の女だ。会社全体の経理を取り仕切り、また三号車での営業もこなし、プライベートでは川上の恋人でもあったという女性だ。

そんな彼女に、横恋慕をした男がいた。最初のうち、川上はそれが誰だかをいいたがらなかったが、牧田もそんな中途半端なところで話を終わりにはされたくなかった。しばし粘ると、ようやく川上は白状した。

「……仁勇会の……ワタナベって奴です」

一瞬、聞かなければよかったと思った。

仁勇会は石堂組の直参団体。三代目会長の藤元英也はこの頃まだ石堂組の若頭補佐であり、牧田にとってはいい兄貴分だった。

その仁勇会のワタナベといえば、喧嘩っ早くて、デブのくせに女好きの、あの渡辺勇太《ゆうた》のことに違いない。

聞けば渡辺は、三号車をつけ回して伊藤留美に交際を迫り、ひどいときは営業妨害紛《まが》いの行為にまで平気で及んだという。相談を受けた川上は三号車に同乗、現われた渡辺に抗議したが、暴力で敵《かな》うはずもなく——。

「最近はむしろ、駅前とかの、別の店舗が狙われるようになって……バイトの子も怖がって、何人も辞めてしまって……」

別に、正義を気取るつもりはなかった。牧田とてしょせんはヤクザ者だ。力で女をものにしたことだって、店に脅しをかけたことだってある。

ただ、そのとき聞いた渡辺の話は、あまりに子供じみていると思った。

女に暴力を振るおうが振るうまいが、最終的にその男に魅力がなければ、女は必ず逃げていく。もっと強い男が現われたら、そっちにコロッといってしまう。

一方には、暴力が好きな女だっている、という意見もある。だが牧田は、それは違うと思っている。暴力男になびく女というのは、暴力のあとにくる、ほんのわずかな優しさが好きなだけなのだ。そのギャップが「愛情」だと信じたがる。まあ、一種の馬鹿だ。どっちにしろ、男も女も碌なもんじゃない。

脅しの件だってそうだ。極道が、金にならない脅しを延々続けてどうする。極道の暴力というのは、利益を守るためなら体を張る、という覚悟の表れであるべきだ。それが親の利益なのか、ケツを持ってやると約束した相手のそれなのかはケース・バイ・ケースだが、なんにせよ、男は後ろに何かを背負わなければならない。ただ我欲のためだけに暴走するのなら、それはすでに極道でもヤクザでもない。単なる暴徒だ。

結局、牧田は仁勇会事務所まで話をつけにいった。

「兄貴。実ぁ……」

告げ口のような真似は嫌なのだが、と前置きした上で、川上とその女、渡辺の話を、藤元の耳に入れた。藤元は、最初こそ牧田を睨むように見ていたが、最後には深く溜め息をついた。

「すまねえな、勲……わざわざ、そんな話をしにきてくれたのか」

「いえ……自分はただ、その店のタコライスが、好きなだけです」

すると、藤元は眉をひそめた。

「そりゃそうと……さっきからお前のいってる、そのタコライスってのは、なんだ。たこ焼きと、焼き飯のあいのこか」

藤元には、近々川上の店のタコライスを差し入れると約束し、その話は終《しま》いにした。

結果的には上手くいった。

藤元にこっぴどくドヤされたのか、以後、渡辺が川上の店に嫌がらせにくることも、伊藤留美の身に危険が及ぶこともなくなった。

また、牧田が差し入れた五十食のタコライスを、藤元を始めとする仁勇会の連中は美味い美味いと喜んで食い、その場で会った渡辺は、ご面倒をおかけしましたと牧田に頭まで下げてみせた。

だが、これはあくまでも結果論である。子分のことで外部の者が苦言を呈せば、「俺の教育がなってねえってのか」と逆ギレをする親分は掃いて捨てるほどいる。そうなったらこっちも声を荒らげることになる。簡単には収拾がつかなくなる。

たまたま、この件に関しては、藤元が物分かりのいい態度を見せてくれたから上手く治まっただけのことなのだ。決して牧田が上手くやったわけではない。

この話には、まだ別の後日談がある。

渡辺の件で怖い思いをしたからか、それともあっさり目の前で伸《の》された川上を頼りなく思ったのかは知らないが、伊藤留美はその後、川上のもとを去ってしまったらしい。結局牧田は、彼女には会わずじまいだった。

「だから……というわけではないんですが、ようやく、決心がつきました」

どういうわけか、牧田の住まいまでわざわざ報告をしにきた川上の表情は晴れ晴れとしていた。

「へえ……なんの、決心がついたんだよ」

「はい。私、牧田さんの舎弟にしていただこうと思いまして、本日、参りました」

むろん、牧田は笑った。腹を抱えて。

「ほ、本気です、本気なんです。私は、そういう、牧田さんのいる世界のことは、さっぱり分かりません。ですから、そちらの業界に入るとか、そういう考えとは、少し違うかもしれませんが……ただ私は、牧田さんのお役に立ちたい。鞄持ちでも、靴磨きでも、この部屋の掃除でも洗濯でも、なんでもいいです。牧田さんの役に立ちたいんです。その証拠に……」

川上は何やら、抱えてきた鞄から書類を取り出した。

「……登記簿です。差し上げます。ハッチューズはまるごと、牧田さんに差し上げます。社長になっていただいてもいいですし、売却して、現金にしていただいてもけっこうです。とにかく、これを土産に……といったら変ですが、お願いします。私を、牧田さんの舎弟にしてください」

まあ、そんな経緯で今も、川上は牧田の舎弟なのである。

ちなみにハッチューズは、今も三十二の店舗数をもって健全に運営されている。実務はもうスタッフに任せているが、社長は川上のまま。牧田は単なる相談役。つまりハッチューズは、極清会の企業舎弟になったのだ。

しかし、である。

長年、共に石堂組を支えてきたあの若頭の藤元が、最近になって、ちょっとおかしな動きを見せている。

それは四代目石堂組組長、石堂神矢が持病の糖尿病に加え、心臓の具合を悪くして入院した頃から少しずつ始まった。

藤元はここ数年、秋葉原や豊洲、北新宿、武蔵小杉などで行われている都市再開発事業に積極的に参画している。それ自体は商売熱心でけっこうなことなのだが、問題はそのパートナーだった。最近手掛けた大型の事業には、必ずといっていいほど奥山組直系のゼネコンが絡んでいる。簡単にいうと藤元は、事実上、二代目奥山組組長、奥山広重と組んで商売をしていることになるわけだ。

奥山広重は昨年、第五代大和会会長に就任している。大和会会長といえば、現在の日本裏社会の首領《ドン》であることと同義。その奥山広重と石堂組長は六分四分の兄弟。つまり、藤元にとって奥山は伯父貴。

藤元は、自分の親である石堂が病気療養している間に、伯父貴である奥山に接近し、以前にも増して大規模な事業を展開している。むろん、それが単なるビジネス上の繋がりであるならば問題はない。だがそれが、渡世上の親子関係を揺るがすような事態になったら、それは問題だ。

はっきりいって、石堂組長の病状は思わしくない。牧田自身こんなことはいいたくないが、誰もが思っている。もう長くはないだろうと。そんなときに、跡目の筆頭と目されている若頭の藤元が奥山に接近しているのである。

石堂組長亡きあと、藤元が組の看板を背負ってくれるのならいい。それならば牧田は今まで通り兄貴分として、いやそれ以上に組長として藤元を守り立てていく覚悟でいる。

だが、仮に――。

仮に親のいなくなった藤元が、新たに奥山組長と親子の縁組など持とうとなどしたら、とんでもないことになる。石堂組は奥山組の一直参団体になり下がり、組内の序列では相当下の方に数えられることになる。

もっとマズいのは、藤元が石堂組を捨て、奥山組に入ることである。藤元の率いる仁勇会は石堂組内でも一大派閥。それがごっそり抜けたら、石堂組はたちまち立ち行かなくなる。改まって解散するまでもなく、あっというまに空中分解してしまうだろう。

そんな状況に、ひと筋の光明を見出させたのが、柳井健斗だった。

柳井は、仁勇会が壊滅的なダメージを被るかもしれない、とある捜査情報を握っていると
いった。それを買わないかと、牧田に持ちかけてきた。

柳井の情報はそれまで、常に正確だった。その通り行動すれば、警察のガサ入れを回避することも、関係者を事前に高飛びさせることも自由自在だった。

だからそのときも、牧田の返事は「買う」だった。

それなのに今、その肝心の柳井が、姿をくらましたという。

4

調べものを終え、玲子は図書館をあとにした。

お陰で柳井千恵の事件と、それに関する世間の評価はおおむね理解できた。嘘か真かはさて置き、柳井篤司は実の娘を強姦、殺害したように報道されていた。そしておそらく、篤司はそれを苦にして自殺した。

だが、これで何か状況が好転したかというと、そんなことはまったくない。むしろより深刻になった。仮に千恵殺しの真犯人が小林充であった場合、柳井健斗が小林を殺害する動機はより強く成立してしまう。健斗は姉を殺された恨みだけでなく、父親を失ったことで、より一層小林を憎んだものと考えられる。

さて、次の一手はどうしたものか。それも困りものだった。

千恵は殺され、篤司が自殺、小林もまた殺された。だったらもう、たった一人の生き残りである柳井健斗に話を聞くしかないのだが、肝心の捜査権が、今の玲子にはない。健斗の現住所を調べる手立てにすら事欠く。

参った。こんなことは初めてだった。

いっそ石倉に電話して、内緒で捜査関係事項照会書を発行してもらおうか。あれを役所に持っていきさえすれば、本籍から現住所をたどれる――。いや、ダメだ。そんなことをしたら、下井と分かれて勝手な捜査をしていることがバレてしまう。石倉にも余計な失点を負わせることになりかねない。

なんだ。自分は、被疑者の現住所を調べることすら一人ではできないのか。

知らず知らずのうちに、組織捜査にどっぷりと浸かっていた。そんな自分の甘さを、玲子はにわかに思い知らされた気がした。

今まではわりと、頭脳や個人的なセンスで捜査をこなす刑事だと、自分では思ってきた。他の刑事にはない勘が、自分を事件の真相に導いてくれる。ひょっとしたらそれは、自分が警察官になろうと決心したきっかけである、佐田《さた》倫子《みちこ》の死と関係があるのかもしれない。そんなふうに思うこともあった。

だが、どうやらそんなものは、大した力ではなかったようだ。むしろ、警察力を行使するための令状や会議で上がってくる情報。そういったものの一つひとつが、自分の捜査の基礎体力になっていたようだ。

今の自分に、一体何ができるだろう――。

悩んだ挙句、結局玲子は、健斗や千恵、小林らの通った母校を訪ねることにした。

都立武蔵野中央高校。ＪＲ中央線の三鷹駅からバスで五分ほど。レンガ造りの門を入ると、すぐ右手の建物に受付はあった。

「……恐れ入ります。警視庁の者ですが、副校長先生かどなたか、お話を聞かせていただける方はいらっしゃいますでしょうか」

窓口で応対したのは中年の女性。警視庁のひと言にはやや驚いた様子だったが、小林が殺された件を知っていたのか、すぐに「お待ちください」と奥に引っ込んでいった。

まもなく、内線電話で連絡がとれたようだった。

「お待たせいたしました。それでは、副校長がお話を伺いますので、その通路突き当たりを右にいっていただいて、一番奥の、職員室をお訪ねください」

「はい……ありがとうございます」

ひょっとしたら、すでに本部捜査員もここにきたのかもしれない、と思ったが、それならそれでかまわない。

いわれた通り廊下を進む。放送室、校長室、その向こうが職員室のようだった。

「……失礼いたします」

玲子が戸口から覗くと、五十歳、いくかいかないかという年頃の女性が、席を立ってこっちにきてくれた。

丁重に頭を下げ、手帳の身分証を提示する。

「警視庁の、姫川と申します。突然にお邪魔いたしまして申し訳ございません」

見ると、壁の時計は四時半を指している。窓の向こうの校庭では、サッカー部員がシュートの練習をしている。

「ご丁寧に、どうも……副校長の、タカギと申します。今日は、どのようなご用件で」

「はい、実は……八年ほど前にこちらを卒業された生徒さんで、柳井健斗さんという方がいらっしゃると思うのですが、その方について、少しお教えいただければと思いまして」

はあ、八年前、とタカギ副校長は中途半端に頷いた。

「何しろ、たいていの教員は五、六年で異動してしまいますので、八年前となりますと、ほとんど……あ、でも」

ふいにタカギは振り返り、室内を見回した。教員らしき人物は四人。男女が二人ずつ残っている。

「キノシタ先生……ちょっと、よろしいですか」

タカギが声をかけたのは、中でも一番年配に見える男性だった。

そのキノシタが「はい」とこちらを向き、立ち上がる。手元にあったファイルを閉じ、こっちに歩いてくる。ワイシャツに黒のベスト。背は玲子と同じくらいだが、ややメタボの気がある。

「あの、こちら、警視庁の方で、八年前に卒業した……なに君、でしたかしら」

「柳井、健斗さんです」

玲子がいうと、キノシタはかすかに眉をひそめた。

「ああ……あの、事件に遭った卒業生の、弟ですか」

やはり。当事者の間では印象に残っているようだ。

「キノシタ先生、ここではなんですんで、校長室にでも。今、ちょうど空いてますから」

「……そう、ですね」

タカギに案内され、校長室に通された。木製の事務机と、わりと立派な応接セット。壁の上の方には歴代の校長か、いずれも貫禄たっぷりの顔が額に収まって並んでいる。

そのままなんとなく、三人で応接セットに収まった。

玲子は今一度頭を下げた。

「あの、早速で恐縮ですが、柳井健斗さんは、こちらの卒業生ということで、間違いございませんか」

キノシタが頷く。

「ええ。私は直接担任はしませんでしたが、はい……間違いなく、本校の卒業生です」

「それに関する記録か何かは、ございますでしょうか」

二人はしばし顔を見合わせたが、やがてタカギが「少々お待ちください」といって席を立った。資料か何かを探してきてくれるようだ。

入れ替わるように、さきほど職員室にいた女性がお茶を持ってきた。

「……恐れ入ります」

静かに三つ、湯飲みを置いて下がっていく。

その後ろ姿を見送るようにしながら、キノシタが切り出した。

「あの……柳井健斗と、先日の、小林充の一件は、何か関係があるんでしょうか」

やはり。そういう話になるか。だがここは、まだはぐらかしておくべきだろう。

「他にも、警視庁の者が参りましたでしょうか」

「ええ……一昨日、だったと思いますが。二人連れの方がお見えになりました。私の場合、たまたま病気療養が長引いた関係で、九年もここに勤務しておりますが、それでも、小林の方はもう十年以上前の、しかも中退ですから、私でもまったく知りませんので。お話しできることは何もありませんでした。マスコミもそのすぐあとにきましたが、何せ卒業をしていないのでね。写真も、簡単には見つからなくて……そうしたら、もうぱったり。こなくなりました」

マスコミか。そういった対応は玲子の担当外だが、この事件に関しては、さほど大きくは報道はされていなかったと思う。

いただきます、とひと口お茶を含む。色は濃いが、あまり味のないお茶だった。

湯飲みを置くと同時に、玲子は再び始めた。

「キノシタ先生は、柳井健斗さんについて、何かご記憶ですか」

大きく息を吸い込む。分厚い胸が、さらに丸く膨らむ。

「んん……あまり、活発な感じの生徒ではありませんでしたね。また、お姉さんに続いて、お父さんが……ね。お気の毒なことになりましたんで、私なんかは、むしろ特別な注目は、それから……というのもあるんでしょうが、暗い印象の方が……ええ。どうしても、強く残ってますね」

「当時、担任をされた先生は」

「ミツイ先生という方ですが、すでに転勤されました。調べれば、行き先も分かりますんで、話も聞けるかと思いますが」

そこに、タカギが黒いファイルと薄い箱を持って帰ってきた。

「……これは、卒業生の名簿でして、ある程度のことは、これでお分かりいただけるかと思います」

「ありがとうございます。拝見します……」

開いてもらったページに「や行」を探す。けっこう、後ろの方のはず。ああ、あった。柳井健斗。しめた。小金井市前原《まえはら》町の住所が載っている。しかも就職先まで。ヤジマ電気通信サービス。具体的な業務内容は、ここで尋ねても分からないだろう。一応、台東区の住所と電話番号を控えておく。

タカギが抱えていた薄い箱の方は、卒業アルバムだった。

「えーと……この子、ですか、キノシタ先生」

「ああ、ええ。そうですね」

タカギがアルバムをこっちに向ける。

「拝見します」

一人ひとりの顔写真。確かに、大して特徴のない顔をしている。長くも丸くもなく、目鼻立ちにも印象的な部分はない。強いて挙げるとすれば癖毛なのか、耳の辺りで毛先が跳ねている。あと、若干唇は厚い方かもしれない。

これが、高校時代の柳井健斗か。

とりあえず、コピーしてもらっておくか。


その足で、卒業生名簿にあった小金井市前原町の住所にいってみた。

武蔵小金井駅からは歩いて七分くらい。商店街から少し離れた、静かな住宅街。しかし、控えた番地にあったのは比較的新しいワンルームマンション。どう見ても、柳井一家がここで暮らしていたとは思えない。

建物の名前を確認する。コーポ桜井。

すぐ駅にとって返し、不動産屋を探そうと思ったのだが、面倒だったので、すっとぼけて南口にある交番で訊いてみた。

「すみません。ここから一番近い不動産屋さんて、どこですか」

立番に出ていた制服警官は特に表情を変えることもなく、真っ直ぐ踏切の向こうを指差した。

「……一つ目の、信号のある交差点の、左角」

左角です、でしょ、と思ったがいわずにおいた。ちょうど踏切が鳴り始めたのだ。

「どうもありがと」

即、駆け足。

いわれた通りにいったら、確かにあった。中田《なかた》不動産。いかにも古くからこの町にありそうな、日除けテントのかかった小さな店だ。

すでに時刻は六時に近かったが、まだ蛍光灯の明かりが煌々《こうこう》と灯っている。

玲子はガラス引き戸を少しだけ開けた。

「ごめんください」

すぐに、パーティションの向こうで人が立ち上がる気配がした。

「……はい。いらっしゃいませ」

意外にも、応対に出てきたのは若い男だった。濃紺のスーツをぴっしりと着こなしている。表情も柔和で好感が持てる。

「恐れ入ります。あの……前原町三丁目、二十二の△にある、コーポ桜井についてお伺いしたいのですが」

中に入り、頭を下げつつ、手帳の身分証を提示する。

男は一瞬怪訝な表情をしたが、すぐに笑みを取り戻した。

「はあ、コーポ……なんですって？」

「桜井です。コーポ桜井」

「ちょっと、お待ちください……ああ、お掛けになって」

すぐそこにある、カウンターテーブルの席を勧められた。

「ありがとうございます」

男はいったんパーティションの向こうにいき、だがすぐ戻ってきた。

玲子の向かいに座り、テーブルの端に置いてあるパソコンのモニターをこっちに向ける。

「コーポ桜井、でしたね」

不動産業者用のサイトなのだろうか。彼が手元のキーボードで「コーポ桜井　前原町」と打ち込むと、すぐにさきほどの建物の外観写真が出てきた。背景の空は青く澄み、外壁も眩《まばゆ》いほどに白い。玲子が見た夕刻のそれとは、だいぶイメージが違う。

「こちらの物件で」

「ええ」

「こちらが、何か」

「築、何年でしょう」

男は人差し指を、画面上につーっとすべらせていった。

ああ、そこに書いてあったのか。

「六年ですね」

健斗が卒業して二年後、か。高校卒業と同時に健斗が売却し、業者か何かが買い取って、あのワンルームマンションが完成したのが六年前、と考えれば計算は合う。

「その、前の持ち主って、確認できませんか」

男は「うーん」と口を尖らせた。

「ちょっとお時間をいただければ、もしかしたら、分かるかもしれないです」

「恐縮ですが、お願いできますか。時間はかかってもけっこうですので」

どうせ今夜は、捜査本部に帰るつもりはない。

「分かりました……ちょっと、やってみます」

席を立ち、また彼はパーティションの向こうにいった。玲子は「お願いします」と頭を下げ、そのまま席に座っていた。

男はどこかに電話をかけ始めた。電話口で「中田です」といったので、この店は彼が始めたのか、もしくは親から継いだものなのだろうと察した。

中田は「コーポ桜井」と何度か繰り返し、電話の相手に何か確認してもらっていた。相手から返ってきたのは、おそらく「フジキ」という答え。フジキ不動産か、個人名なのかは分からない。次に耳についたのは「カイヅ」。最後に繰り返していたのは「マツモト」。最終情報は、どうやらそのマツモトから聞き出したものらしかった。

所要時間、およそ三十五分。

「お待たせしました」

中田は一枚のメモを玲子に差し出した。

柳井健斗。世田谷区赤堤五丁目○◎-□、岩城ハイツ一〇二号室。ご丁寧に、電話番号まで書いてくれている。

「ありがとうございます。ほんと、助かります」

「この方は七年ほど前に、マツモト不動産という、この駅の向こう側にある、わりと大きな会社を介して、この土地を売却したようです。で、フジキコーポレーションという、明大前にある会社が買い取り、今のワンルームマンションを建て、貸している……ということのようですね」

「なるほど。よく、分かりました」

今までも何度か思ったことがあるが、不動産業者の情報ネットワークというのは、非常に頼りになる。特に、捜査権を持たない今の玲子にとっては強い味方だ。

「……ですんで、今もここに、この方がいらっしゃるかどうかは、分かりませんけど」

「はい、それは……実際にいって、確かめてみます。ありがとうございました」

中田が、他にも何か分かったら知らせた方がいいか、といってくれたので、玲子は名刺の裏に携帯番号を書いて渡した。現在二つ契約をしているうちの、仕事用の番号だ。

「……玲子さん、と、仰るんですね」

「ええ」

「素敵なお名前ですね」

ちょっと嬉しかったので、二割増しくらいの感じで微笑《ほほえ》んでおく。

「ありがとうございます」

ちなみに玲子が生まれたとき、父は「麗子」と名付けたかったらしいが、それには母が猛烈に反対し、せめて漢字を「玲子」にしようと説得し、こうなったのだと聞いている。今の「姫川玲子」も相当なものだが、「姫川麗子」は、さすがにちょっと。自分でもどうかと思う。ちなみに母の名前は瑞江《みずえ》、妹は珠希《たまき》。きっちり「王偏」でシリーズ化されている。

お返しのつもりか、彼も名刺を出してきた。

「中田……俊英《としひで》っていいます。惜しいでしょ」

「はは……ほんとですね」

一応ウケてはおいたが、玲子はそのひと言を、ちょっと残念に思った。

この人は、このネタで何人もの女性と話すきっかけを作ってきたんだろうなと、なんとなく、思ってしまったのだ。少なくともキャバクラ辺りでは鉄板ネタだったに違いない。いい感じの男だけれど、パスだと思った。


その夜のうちに、中田が教えてくれた住所にいってみた。

世田谷区赤堤《あかつつみ》五丁目。武蔵小金井からだと、距離的には大してないのだが、どうにも電車の便がよくなかった。たぶん最寄り駅は下高井戸《しもたかいど》。携帯サイトで調べた限り、いったんJRで新宿まで戻って、京王線に乗り換えるのがいいように思えたが、なんだか面倒だったのでタクシーに乗ってしまった。ただ、乗ってから玲子は後悔した。この単独捜査で使った経費は、まず帳場には請求できない。今後は、できるだけ節約を心掛けることにしよう。

現地付近に着いたのは、ちょうど八時頃だった。
三、四階建てのマンション、二階建てのアパートや、一戸建て住宅が密集した住宅地。商店も少なく、この時間だと人通りもほとんどない。交差する道はどれも一方通行で、自分で車を運転してきたら確実に迷うだろうと思われた。
「伺った住所だと、あれじゃないですかね」

運転手はカーナビの画面と見比べながら、小洒落た一戸建て住宅の一つ向こう、古びた外観の二階建てアパートを指差した。

「そうですか。ありがとうございます……ああ、領収証ください」

車から降りると、いきなり横殴りの風にあった。脇を締めてやり過ごし、慌てて道の端に寄った。やがてタクシーの赤いテールランプが見えなくなると、冷気に加えて、暗闇の重さまでが身に沁みた。

とりあえず、目的の岩城ハイツの前まで移動する。

モルタル二階建て、という表現でいいのだろうか。外壁は黄土色の吹き付け、屋根は黒っぽい日本瓦。一階と二階に二戸ずつ、計四戸、こっちに入り口ドアが向いている。二階の外廊下がちょうど廂のようになっており、各戸のドア上に仕掛けられた蛍光灯がぼんやりと辺りを照らしている。ブロック塀などの垣根はない。出入りは外から丸見えだ。

郵便受けは建物右手、二階に上がる階段の陰にあった。一〇二号の名前を見る。確かに「柳井」となっている。柳井健斗は七年ほど前に自宅を売り払い、ここに越してきてからは転居していないようだ。

もう一度正面に回る。玄関ドアの小窓、その左横、アルミ格子のはまった窓、どちらにも明かりはない。目を凝らしてみても、奥に明かりがあるようには見えない。

玲子は携帯を取り出し、さきほど中田にもらったメモと並べて、電話番号を打ち込んだ。頭に「一八四」を付け加え、番号表示を無効にしてから架電する。

すぐに、ルルルル、とドアの中から音がした。七回鳴らして切ると、ドアの中の呼び出し音も止んだ。なるほど、電話番号も合っている。そして、留守であることも確定的になった。

あまりに寒いので、玲子は駅方面に戻ってレンタカーショップを探した。駅向こうに見つけた店で、すぐ借りられる小さくて安い車と注文したら、軽自動車を勧められた。軽は嫌だといったら、ニッサンのマーチでどうだといわれた。

「……ティーダは高いんですか」

「はい。グレードがワンランク、アップしますので」

「マーチでお願いします」

節約、節約。

幸いカーナビは標準装備だったので、岩城ハイツに戻るのは簡単だった。あらかじめ目をつけていた、十五メートルほど手前の角にあるコインパーキングに乗り入れる。料金案内の看板には「最大二千円」の文字が大威張りで書かれている。決して安くはないが、まあ、ここは一つ、リミットがあるだけマシと考えよう。ちょうど、岩城ハイツの前が見通せる駐車位置も確保できたわけだし。

携帯を取り出して時計を見ると、十時ちょっと前。帳場の誰かに連絡を入れようと思ったが、あっちはまだ会議中だろうから、電話はやめてメールにしておく。相手は、まあ菊田でいいだろう。

【お疲れ。今夜と明朝は会議に出れないけど心配しないように。ノリとコーヘーにもそうい

っといてね。玲子】

その後は、しばらくエンジンをかけ、暖房が利いたら止め、また寒くなってきたらかけ、温まったら止め、を繰り返し——。

マズい。いつのまにか寝入ってしまった。しかもエンジンをかけたまま。気づいたときはもう朝の六時だった。フロントガラスは結露でビショビショになっている。

いきなり、やってしまった。

張り込みは久し振り、しかも一人でなんて初めて、などといろいろ自分に言い訳してはみたが、それよりも「刑事失格」の文字の方が色濃く脳裏に浮かんでくる。さらに「アイドリング禁止」「エコ」「経費削減」などの単語も、追い討ちをかけるように次々と。

玲子は溜め息をつきながらエンジンを切り、車から出た。

それでも、夜は明けきっていなかった。向こうに見える西の空はまだ真っ暗だ。ぐるりと見回すと、駐車場の角にコカコーラのロゴが入った自販機があった。

とりあえず、夜明けのコーヒーでも飲むとするか。

歩き出すと、パンプスの底がシャリシャリと地面を鳴らした。少し雨が降ったのか、それともただの霜か。辺りにある車も路面もしっとりと濡れ、ある部分は凍ってもいる。エンジンかけっぱなしで、かえってよかったのかも、と思った。

自販機前まできたら気が変わった。やっぱりコーヒーよりコーンスープにしよう。コーヒーは、確かにブラックなら眠気覚ましにもなるが、一方では利尿作用を高めるため、張り込みには不向きといえる。というわけで、コーンスープを購入──。

そんなこんなしていたら、案の定トイレにいきたくなってきた。

でも公園のは嫌だな、寒いし汚そうだし、などと思いながら車の前まで戻ったら、どこかでドアの開閉音がした。自動車のそれではない。もっと薄っぺらい音。ちょうど、岩城ハイツに使われているような、ああいう、安っぽい木製ドアの音だ。

まさかと思って目を向けると、なんと、岩城ハイツの前に人影が現われた。建物から出てきたようだった。しかも、体の向きから推察すると、一〇二号から出てきたように見えた。

幸運にも、こっちに歩いてくる。ただ残念ながら、柳井健斗ではなかった。男ですらない。

肩より伸ばした髪。かなり明るい茶髪。身長は玲子よりちょっと低い。ヒールを差し引いたら百六十センチ台半ばくらいか。帽子やサングラスはない。ダブルスタンドカラーの、濃紺のコートがよく似合っている。見えている膝下は白っぽいパンツ。細い膝。体重は五十キロ台前半と見た。肩提げの、黒っぽい革のハンドバッグが可愛い。

近くまできた。それとなく顔も確認。

細面《ほそおもて》の、かなりの美人といっていい顔立ちだった。目が吊り気味で、唇はやや厚め。男好きするタイプといったらいいか。全体的な印象としては、クール&セクシー。年の頃は、やや難しい。玲子と同じくらいにも見えるし、だいぶ下にも見える。つまり二十代前半から、三十代前半。

何者だろう。健斗のカノジョだろうか。だとすると、玲子が居眠りをしている間に、部屋に入ったのか。ひょっとして、健斗と一緒に帰ってきて、彼女は何か用があって、早く帰るということなのだろうか。

だとすると、健斗は今、部屋にいることになるが。

5

石堂組には、毎月九日と二十四日に「定例会議」というものがある。

昔はただ「集まり」や「会」といい、日にちも決まっていなかったらしいが、ちょうど牧田が入った頃から「会議」と称し、毎月十日、二十日、晦日《みそか》に招集をかけるようになった。だが、暴対法の施行とバブルの崩壊以後、簡単にいうと十日ごとに集まって話し合うほどのネタがなくなってしまった。また「ごとお日」が忙しいのは一般社会もこの業界も同じなので、少し日にちをずらそうという意見が出て、九日、二十四日開催というのに変更され、現在に至っている。

議題はそのときどきで様々だ。どこそこの組は上納金を滞納しているだとか、何々町に競売物件の出物があるのだが権利関係が難しい、誰か協力してくれる者はいないか、だとか。

あと、この業界特有のものでいえば、破門状、絶縁状の確認作業がある。

破門状というのは、たとえばこんなものだ。

【　破門状
謹啓　時下御尊家御一家様には益々御隆盛の段　大慶至極に存じ上げます
扨て、今般元○○会○○一家○○組若中
○○（○○歳）　○○県○○市出身
右の者、任侠道上許し難き段之有依って「平成○○年○月○日付」を以て「破門」と決定いたしました。

就きましては今後○○会○○一家○○組とは一切関係ありませんので御通知申し上げます。

尚、念の為御賢台様には縁組、交友、商談等の如何を問わず、一切固くお断り致します。

右の行為ある場合、当組に敵対行為あるとみなし断固たる処置を取らせていただきます。

平成○○年○月○日
○○会○○一家○○組
　組長　○○】

こういった書状が直接届くのは全国の主だった団体のみなので、あとは各団体が責任を持って、下々の組にまで通達せねばならない。ちなみに破門と絶縁の違いは、一般的な刑罰に照らせば、破門が無期懲役、絶縁が死刑といったところだ。つまり、破門ならまだ業界復帰の可能性があるが、絶縁にはそれがない。そんな絶縁状が出ているような者と、うっかり盃を交わしたらトラブルのもとなので、こういった通達の確認は極めて重要なのである。

またこの日は、仁勇会傘下六龍会の若中、小林充が殺された件についての報告もあった。が、この件は現在警察が捜査中であり、そもそも石堂組全体で何か対応しなければならないほどの事件ではないだろうという意見が大半を占めたので、さして大きな話題にはならなかった。

と、そんな業務連絡の粗方《あらかた》が済んだ会議の終盤。牧田と同じ若頭補佐の役にある三原鉄男《みはらてつお》が、訳ありげに発言の許可を申し出た。

議長を務める若頭の藤元は、三原に顎をしゃくってみせた。

「……なんだ」

三原は「ええ」と頷いたものの、なかなか切り出さない。

濁った沈黙が垂れ込める。藤元も怪訝な顔で、周りを見回す。

一つ咳払いをし、ようやく三原が口を開いた。

「ンッ……いや、こんなことをこの席でいうのは、どうかとも思ったんですがね……藤元の兄貴」

今日、この会議に参加しているのは二十三人。その全員が石堂組長の子分であるのと同時に、藤元の弟分でもある。ただ最近は、誰もが藤元のことを「カシラ」と呼んでいた。それをわざわざ「藤元の兄貴」と呼んだところに、三原の今の心境が透けて見える。

「でも……いいたいんだろう?」

藤元は、薄ら笑いを浮かべる余裕の構えだ。

「ええ……まあ、お分かりとは思いますが、上馬《かみうま》の、環七工事の件ですよ」

ちなみに、牧田にはまったく分からない話題だった。上馬といえば世田谷区の、東急田園都市線沿線にある町だが。

藤元は、特に表情も変えず黙っていた。

三原が続ける。

「……あれの指名入札。次はうちってことで決まってたんですよ。それをね、土壇場で引っくり返されて……予定価格が、一億一千五百万。それをうちが、一億一千三百五十万で落とす。そういう本だったんですがね、どういうわけか……花島《はなしま》工務店が、一億一千三百十万で落札した……億を出る話で、たった四十万違いですよ。見てますよね、これ、完璧に」

何を見たのか。いうまでもなく、指名業者の名簿と希望落札額の情報を、だ。誰が見たのか。それは、花島工務店の入札担当者だ。花島工務店といったら、奥山組系列の中堅ゼネコンである。

「兄貴、裏はとれてんですよ。今回の希望額をまとめたのは、大東《だいとう》建業のサエキだ。そのサエキが、先月の初めに品川の料亭で、兄貴と二人でフグ食ってるの、見たってもんがいるんですよ」

藤元は小さく首を傾げた。

「……俺が大東の人間と、フグ食っちゃ駄目か」

「とぼけますか、この期《ご》に及んで」

「何をだ。訊いてるだけだろう、俺は。……俺が、大東の人間と、フグ食っちゃいけねえのかって」

V字に眉を吊り上げる三原とは対照的に、藤元の口調はあくまでも穏やかだ。

「それとも、あれか。鉄男、オメェも、フグ食いたかったのか」

曲がりなりにも、組の若頭が飛ばした冗談だ。普段だったら、誰か一人くらいはクスリとしてみせる場面だ。がさすがに、今日は違った。誰もが固唾《かたず》を呑み、ことの成り行きを見守ろうとしている。

三原が、テーブルに両手をついて立ち上がる。

「……フザケんじゃねえぞ」

大きくロの字に組んだ会議テーブル。議長の藤元は当然上座、三原は窓際の真ん中辺り。牧田は二人のちょうど中間にいた。時計でいえば、十二時に藤元、九時に三原、十時半に牧田といった位置関係だ。

三原の座っていた椅子が、ゆっくりと傾いでいき、やがて、派手な音をたてて倒れる。

「……親父が、大変なときだってのによ」

マズい。今それをここでいったら、取り返しのつかないことになる。今や誰もが思っていることではあるが、それをこの場で、藤元本人にいうのは無策が過ぎる。

「その留守に、どこぞの伯父貴に尻尾《しっぽ》振ってやがる野郎がよ」

「……よせ、鉄男」

思わず牧田は、三原の前に立ち塞がった。それでも三原は止まらない。牧田を避《よ》けて上座に進もうとする。

「どういう了見でその椅子に座ってやがんだ、アア？」

「よせって」

正面から抱き止めると、三原は上目遣いで牧田を睨んだ。

「……兄弟、離してくれよ」

牧田と三原は五分の兄弟だ。

「駄目だ。離さねえ」

「いいから離せって……兄弟だって、あの犬野郎が陰でいろいろやってんの、知らねえわけじゃねえだろうが」

「とにかく今はよせ。ここでいうことじゃねえ」

できるだけ牧田は声をひそめたつもりだが、それでも周りが静か過ぎた。ある程度は、藤元の耳にも入ったと思われる。

「……勲」

背後で藤元が立ち上がる気配がした。だがあえて、牧田は振り返らなかった。

「お前も、鉄男と同意見だと、思っていいのか」

こっちに、近づいてくる。

「……ア？　この俺を、犬呼ばわりする若中と、仲良く肩組んでよ。お前もそういう腹積もりなんだと、判断していいのか」

カシラ、と近くにいた者が止めに入った。

そこで、牧田は振り返った。

「……すいません、カシラ」

頭を下げても、そもそもの視点が高いため、まだ前方の様子はよく分かる。藤元は左足に重心を置き、だらりと両手を下げている。本気でやり合うつもりはないと見た。

「鉄男には、あとでよくいって聞かせます。ですんで、ここは一つ、収めてください」

もう一段、深く下げる。

「なんだ……仲裁上手の勲くんの、面目躍如ってか」

離せよ、と藤元は止めた者の手を払い、上座の方に戻っていった。

定例会議は、それで終わりになった。

だからといって、牧田が本気で三原をなだめたのかというと、そうではない。

「鉄男、今は堪《こら》えろ……俺に考えがある」

石堂組本部近くの喫茶店。窓にはクリスマス用の、白いスプレーペイントが施されている。

三原は点けたばかりのタバコを灰皿に捻じり潰し、牧田を睨《ね》め上げた。

「どんな考えだよ」

「今は……いえない」

「ねえんだろ、どうせ。そんなもんは」

半分は当たっている。だが半分はハズレだ。

柳井健斗は、仁勇会絡みのネタを握っている。それを上手く使えば、いま石堂組が抱えているゴタゴタを、綺麗さっぱり掃除することも不可能ではない。

「あるよ……ちゃんと考えてるからよ。だから、鉄男……今は堪えてくれ。これ以上、カシラと悶着起こすようなことはしねえって、約束してくれ」

決して納得はしていないのだろうが、それでも三原は頷き、大人しく帰っていった。

店から出ると、白のエルグランドの前に川上が立っていた。サングラスをしていても西日が眩しいのか、ひどく眉間にしわを寄せている。

「お疲れさまです」

「……ああ」

川上が開けたスライドドアから乗り込む。フルスモークなので、車内は基本的に暗い。シートも黒の革張りのため、ドアを閉めた途端、洞窟の中から出口を眺めているような気分になる。まあ、そんな閉塞感が、むしろ牧田は好きなのだが。

エンジンがかかり、チッカチッカとウィンカーが鳴る。川上が、窓越しに右後ろを確認する。

「……義則」

「はい」

答えると同時に、川上はアクセルを吹かした。上手いこと、右車線に割り込んだ。

ウィンカーの音が消える。

「……事務所、なんか、急ぎの用はあったかな」

「いえ、今日はもう。ただ、夜には『シルク』に顔を出していただかないと。十周年記念の最終日ですし。何しろ、ほら……今夜は、イヴですし」

「ああ……そうか」

シルクは、牧田が初めて六本木に出した店だ。あれからもう十年。そう思うと感慨深いのは確かだが、あいにく今日は、そんなお祭りに参加する気分ではない。クリスマス気分でもない。

「じゃあ、その前に……赤堤にいってくれ」

川上は視線を前方に残したまま、聞き返すように左耳をこっちに向けた。

「赤堤だよ。柳井のヤサだ」

「いや、それは」

「いきたいんだよ。見ておきたいんだ。自分の目で」

またグンと、川上がアクセルを吹かす。

「……兄貴が見たって誰が見たって、一緒ですよ。柳井はいないし、いったたって、ただのボロアパートです」

「そういうこっちゃねえんだ」

牧田は、柳井健斗を信用していた。ひょろっこい、幽霊みたいなガキだったが、それでも、あの内なる怒りは本物だと感じていた。

「いいからいけよ。いなけりゃいないで、また考える」

やはり、この件を誰かに任せるわけにはいかない。

二つ手前の角で車を降り、柳井のアパートまで少し歩いてみる。特に深い意味はない。なんとなく、そうしたかったのだ。強いていえば、車を降りるところを柳井に見られたくなかった。舎弟に運転させ、肩を怒らせて訪ねてきたヤクザ者。そんなふうには、柳井に思われたくない。

四戸しかない小さなアパート。下の階の左が柳井の部屋であることは川上から聞いて知っている。

確かに、ボロいといわれればボロい。建てられたのは間違いなく昭和という物件。赤堤は決して地価の安い土地柄ではないが、さすがにここまで古ぼけていると、月七万は取らないだろう。五万円台がいいところではないだろうか。

一〇二号のドア前に立ち、真上にある電気メーターを確認する。一応回ってはいるが、大したスピードではない。この季節、在宅なら相当量の電気を消費するはずなので、留守、というのもあながち間違いではないのかもしれない。が、牧田やその関係者の来訪を怖れ、冷蔵庫以外はすべてスイッチを切って押入れで息をひそめている、なんてこともないとは限らない。実際、借金で首の回らなくなった人間はよくそういうことをする。

とりあえず、呼び鈴を押してみる。ビィーッと、洒落っ気もクソもないブザー音がドアの向こうに鳴り響く。

反応は、なかった。

「……柳井、いるか」

ゆっくりと、穏やかにいってみる。

「……俺だ、牧田だ……何度か、川上が連絡をくれるように、頼んであったと思うんだが……どうしたんだ。なんで、連絡くれないんだ……別に、怒ってはいないから……出てきて、くれねえかな」

バイトもいってないんだって？　といおうとしたが、止めた。こっちが勤め先まで調べていることを、柳井は知らないはずだから。

「いないのか、柳井……顔だけでも、見せてくれよ」

ブルーのスポーツカーが一台、背後を走り過ぎていった。コートを着てこなかったので、風がやけに背中に沁みた。

静か過ぎる夕暮れだった。

ふと、取り残されたような気分になる。

柳井。俺は、お前を信じていたんだぜ——。

そんなことを、思った瞬間だった。

「……あの」

近くで声がした。自分に向けられたものだとは思わなかったが、なんとなく振り返ると、やけに背の高い女が一人、そこに立っていた。知らない顔だ。それなのに、不躾《ぶしつけ》といっていいほど真っ直ぐに牧田を見ている。

「……はい？」

「あ、その……柳井健斗さんを、訪ねていらっしゃったのでしょうか」

何者だ、この女――。

濃いグレーのパンツスーツに、厚手のコート。同系色の、革のトートバッグを肩に掛けている。何かの営業マン、にしては頭が高い。水商売系にしては華がない。整った顔をしているが、取り立てて美人と褒めてやるほどのものではない。年の頃は三十代半ばか。いや、ひょっとしたらもうちょっと下か。風に煽《あお》られたからかもしれないが、セミロングの髪も綺麗に整っているとは言い難い。要するに、牧田の周りにいる女たちと比べると、地味で、色気がなくて、野暮《やぼ》ったい。

しかし、柳井の名前を知っていた。奴に用事があるのは間違いない。ひょっとして、民生委員とかか。いや、そんなものに世話になるほど、柳井が困窮していたとは思えない。

牧田はとりあえず「まあ」と答え、相手の出方を窺った。

「そうですか……お留守、ですよね。柳井さん」

女もこっちの身分を測っているようだった。

今日は濃紺のスーツ。余計なアクセサリーはしていないし、サングラスもかけていない。ネクタイもシャツもさして派手なものではない。ロレックスが、中では若干目立つかもしれないが、特別大きなダイヤをあしらっているわけではない。よほど時計に詳しくなければ、二百万以上する品物だとは思わないだろう。

ここは一つ、一般人の顔で対応しておくか。

「ええ。何度かお呼びしたんですが……そのようですね」

こっちが先に身分を明かすべきか。それとも「失礼ですが」と尋ねてみるか。だが牧田が迷っているうちに、女は内ポケットから何やら取り出した。

「……あの、私、警視庁の者でして」

見せられたのは、パスケース型の警察手帳だった。写真入りの身分証と、中心に桜の代紋をあしらった金バッジ。見ただけで本物かどうかの判別はできないが、少なくとも、この女が冗談好きの警察マニアであるようには思えない。つまり、推定本物の警察官。

迂闊《うかつ》だった。牧田の知っている私服警官といえば、マルボウ担当のデカくらい。極道顔負けの強面《こわもて》というイメージしかなかった。女刑事というのは、大きく想定外だった。

この女、所属はどこだ。何々署といわなかったところをみると、警視庁本庁かもしれない。だとしたら、本庁が柳井になんの用だ。まさか、小林の一件できたのか。いや、あり得ない。そんなに簡単に、あの一件が柳井に結びつくとは考えられない。

女は続けて訊いてきた。

「失礼ですが、柳井さんとは、どういう？」

とりあえず、こっちもこの女デカの立ち位置を探る必要がある。

「ああ、私……」

何種類か持っている名刺の中から、一番当たり障りのない、不動産屋の名刺を出しておく。

「光洋《こうよう》不動産の、槇田《まきた》と申します」

この不動産屋は実在し、登記上はまったく堅気の会社として運営されている。調べても極清会との関係は簡単には分からないようになっている。ちなみに名前も「槇田功一《こういち》」に変えてある。役職は営業部長。マルボウでもすぐにはピンとこないはずだ。

「あ、不動産屋さんでしたか……」

そういって女は、安堵《あんど》したかのように表情を和《やわ》らげた。

もしかして、疑われていたのだろうか。今日のこの恰好は、一見して極道とバレるようなそれではないはずだが。

いや、そんなことはいい。今はこっちの攻めどきだ。

「お差し支えなければ、お名刺を、頂戴できますか」

先に出したのはこっちだ。見返りを要求するのはおかしなことでもなんでもない。

女は「はい」と頷き、今度はバッグから名刺入れを出した。

「姫川と申します」

警視庁刑事部捜査第一課殺人犯捜査第十係、警部補、姫川玲子。

捜査一課、殺人犯捜査。するとやはり、小林殺しで柳井に接触しようとしている、と見るべきか。しかも、この年恰好で警部補。刑事としては、それなりにできる方だと考えておくべきかもしれない。

姫川という刑事は、小首を傾げるようにしてさらに訊いた。

「会社は、六本木でいらっしゃるんですね……柳井さんとは、どういう？」

そうか。光洋不動産と柳井の繋がりまでは考えていなかった。

さて、どうするべきか。

「……ああ、会社は、そう……六本木なんですが、何度か、彼のバイト先を、仕事上のアレで、下見しているうちに、彼とも、顔見知りになりまして……」

信じた、だろうか。

はあ、と姫川は、興味深げに相槌《あいづち》を打った。

「その、柳井さんのバイト先というのは、この近くなのでしょうか」

クソ、変なところに喰いつかれた。

余計なことを喋っちまった。

第三章

1

僕は、姉さんの遺体の第一発見者だから、事情聴取は何度となく受けた。

なぜあの夜、姉さんの部屋を訪ねたのか。そのときの周囲の様子はどうだったか。不審者は見かけなかったか。どうやって部屋に入ったのか。何を触ったか。何か動かさなかったか。その後に思い出したことはないか。犯人に心当たりはないか。

僕は、だから、話せる範囲で、分かることはすべて話した。

倒れていた姉さんの近くにあったネクタイ。あれに見覚えはあるか。分からない、と答えた。本当は、ひと目見て父さんのものだって分かってたけど、さすがにいえなかった。自分から、父さんと姉さんの関係について、率先して他人に喋る気にはなれなかった。

でも、何日かしてから、父さんには訊いた。

「ねえ……小豆色《あずき》の、斜めに線が入ってるネクタイ……あれ、どうした」

父さんはしばらく黙っていた。その日にしていた別のネクタイを握り締めて、拳を震わせ、ハッと短く溜め息を吐いてから、

「……俺は、やってない」

呟くように、低い声でいった。

むろん、信じたい気持ちはあった。実の娘と関係を持っても、それで姉さんがひどく苦しんだとしても、結果的に誰かに殺されることになっても、父さんが姉さんを愛していたことだけは、疑いたくなかった。

ただ、その愛情が、容易《たやす》く憎しみに変貌する類《たぐい》のものであることも、僕はすでに理解していた。

姉さんが出ていってからの父さんは、はっきりいって正気じゃなかった。毎晩毎晩、千恵から連絡はなかったか、お前は千恵の居場所を知ってるんじゃないのか、知らないならなぜ、お前は千恵の居場所を捜さない、千恵がどこかにいってしまって心配じゃないのか、お前は千恵が心配じゃないのか。僕の胸座《むなぐら》を摑んではそう繰り返し、ときには拳も振るった。

いま父さんが姉さんに会ったら、その暴力は必ず、直接姉さんに向かうだろう。それくらいは容易に想像できた。だから、父さんには教えなかったんだ。姉さんも、そう望んでいたし。教えてしまったら、姉さんが出ていった意味がなくなってしまうし。

まもなく捜査の手は父さんに伸び、事情聴取を受ける時間は日に日に増え、やがてテレビには、顔にボカシをかけられた父さんが毎日映るようになった。

そして父さんは、まったく関係ない警官の拳銃を奪って、警察署で自殺した。

もともと、まともな家庭じゃなかった。僕たち家族の崩壊は、母さんの死から徐々に始まり、姉さんの一人暮らしと殺人事件で一気に加速し、父さんの自殺で終結した。

普通の人から見たら、みんな変だったと思う。馬鹿だったと思う。父さんも、姉さんも。二人の関係を許していた僕も。

でも本当に、一番馬鹿だったのは、この僕だ。

姉さんの死は、どうやったら避けられたのか。それは分からない。でも父さんの自殺は、ひょっとしたら僕の発言一つで、防げたかもしれなかったんだ。

僕はあの夜、自分で鍵を開けて、姉さんの部屋に入った。それは間違いない。雨に濡れた手で握ったドアノブの冷たさも、鍵穴に鍵を挿し込んだときの感触も、そのときの音も、全部記憶に残っている。

ということは、姉さんを殺してあの部屋から出ていった誰かは、最後に鍵を閉めていったことになる。むろん、警察だってそれくらいは気づいていただろう。父さんもそれについて訊かれ、自分は合鍵なんて持っていないと、釈明したかもしれない。でも、本当は持っているんだろう？　といわれてしまえば、その疑いまで晴らすことはできなかったかもしれない。

何せ、父さんと姉さんは男女の関係にあったんだから。そして警察も、それについての証拠は何かしら摑んでいたはずだから。合鍵は持っていないと口でいうだけでは、警察は納得しなかったに違いない。

でも、僕が証言していれば、違ったかもしれない。

姉さんは父さんから逃げたがっていた。だから、父さんに合鍵を渡すはずなんてない。つまり、僕が姉さんの部屋に入る前に、鍵を閉めて出ていった人物は父さんじゃない。別の誰かだ。

ただ、それに僕が気づいたのは父さんが自殺したあとだった。あまりにも遅過ぎた。

僕の知っている範囲で、姉さんの部屋の合鍵を持っている人物といったら、小林充。奴しかいない。

目いっぱい想像力を働かせて事件の経緯を組み立ててみると、こういうことになる。

あの夜、父さんは姉さんの部屋にいった。どうやって調べたのかは分からないけど、とにかく、あの部屋にたどり着いた。そして、呼び鈴を押した。ひょっとしたら、開けろ開けろと、玄関前で騒ぐくらいはしたかもしれない。それを近所の人に聞かれ、それがあとで警察の耳に入って、ますます不利になっていったのかもしれない。

姉さんはたぶん、仕方なくドアを開け、父さんを招き入れた。最初はどうして家を出たのか、そういう話だったのだろう。でも、父さんはどんどん感情的になって、暴力的になって、最後には関係を迫った。姉さんが家にいた頃とは違う、強引なやり方で。

そのときの父さんの気持ちは、どんなだっただろう。これでまた姉さんとの関係が続けられる。そう安堵《あんど》したのだろうか。それとも、もう終わりだと、覚悟したのだろうか。僕には分かりっこないことだけど。でも、取り乱していたのは間違いないと思う。だからこそ、ネクタイを残してきてしまったんじゃないだろうか。

そして小林は、この経緯を覗き見するか何かして、知ってしまった。

それが、僕の推理だった。


あとから何をいっても始まらない。そんなことは僕が一番よく分かっている。でも、いわずにはいられなかった。確かめないわけにはいかなかった。

当時の小林は定職にも就かず、昼間は地元武蔵野でぶらぶらしているような奴だった。「ドラゴンヘッド」という暴走族のメンバーでもあった小林は、夜はどこかに走りにいってしまうだろうから、日中に自宅近くで捕まえる必要があった。

自宅を訪ねても、すぐには会えなかった。ごく普通の一軒屋。家族も一緒に住んでるだろうに、呼び鈴を鳴らしても誰も出てこないことが三、四回あった。母親らしき人がインターホンで答えて、充なら留守だよ、といって切られたこともあった。

ようやく会えたのは、小林がレジ袋をぶらさげて近所のコンビニかどこかから帰ってきたときだった。家の前に立っている僕を見て、小林はギョッとしたような顔をした。

「お久し振りです……小林さん」

小林は目を逸らし、おう、といってすれ違おうとした。

「あの、ちょっと……話、できないですか」

一瞬足が止まったが、それでも家の玄関の方に進もうとする。僕は思わず彼の手首を摑んだ。想像以上に骨の太い、硬い腕だった。

「……あ？　何すんだ、お前」

怖かった。でも、引き下がることはできなかった。何もせず、脅かされて帰ってくることだけはすまいと、何日も何日も自分に言い聞かせて、ようやく決心してきたのだから。

「あの……姉さんのことで、いろいろ、訊きたいことがあるんです」

「ザケんなよ……こっちゃ何日もぶっ続けで、警察にあれこれ訊かれて、散々嫌な思いさせられたんだ。千恵を殺したのは、オメェの親父だったんじゃねえか。その濡れ衣をかぶせられそうになったんだぜ……この上、オメェが俺に何を訊こうってんだよ」

目と目が合うだけで逃げ出したくなったけど、でもまだ、殴られたわけでも何でもない。ここで逃げたら意味がない。

「いろいろ、ですよ……なんでお葬式に、きてくれなかったのか、とか」

「馬鹿いうなって。こっちゃ疑われてたんだぞ。あそこにゃ、マスコミだって大勢きてたんだろ。そんなとこに、ノコノコ晒《さら》しもんになんてなりにいけるか」

「それでも、姉さんを好きだったんなら、きてくれたってよかったでしょう。小林さん、いったじゃないですか。僕が、姉さんをよろしくお願いしますっていったら、小林さん、任せとけって、そういってくれたじゃないですか」

ぐっと、小林の眉間《みけん》に力がこもる。細く整えられた眉が、逆への字を描くほどひそめられる。

「……ちっと、待っとけ」

小林は玄関の方にいき、ドアを開け、レジ袋を中に放り込んで、再びこっちに出てきた。ようやく、話に付き合う気になったようだった。

二人でいったのは、小さな児童公園だった。ちょっと奥まったところにある、木の根元のベンチに座った。周りには小学生や、幼稚園くらいの子供や、その母親たちがいたが、誰もが小林を見ると、一定の距離をとった。幼稚園くらいの子が近づきそうになると、母親の誰かがそれとなく止めに入った。

小林はその日、派手な金の刺繍《ししゅう》の入ったスカジャンを着ていた。地の色は、テカテカした黒だったと思う。そのポケットから、タバコの箱を出して一本銜える。

「……で、何が訊きてえんだよ」

そういってから、オイルライターのヤスリを弾く。

改めてそういわれると、何から訊いていいのか、急に分からなくなった。あんなにいろいろ、段取りは考えてあったのに。

ああ、そうだ。

「あの、小林さんは……姉さんの部屋の、合鍵……持ってましたよね」

顎の筋肉に力がこもるのが見えた。

「ああ……持ってるよ。それが、どうかしたか」

否定しないのを、このときは少し意外に思った。

「あの……姉さんが、殺された、夜……小林さんは、姉さんの部屋に、いきませんでしたか」

「馬鹿いってんじゃねえよ。いってねえよ」

煙に交じって唾が辺りに飛び散る。

「でも、僕があの部屋に、入るとき、ドアの鍵は……閉まってました」

「知るか。そんなの、お前の勘違いってことだってあっだろうがよ」

「いえ、勘違いなんかじゃありません。僕は覚えてます。はっきりと」

「だから、知ったこっちゃねえってんだよ。あんなドア、開いてようが閉まってようが、んなこたァどうだっていいんだよ」

「小林さんがいったとき、鍵は開いてましたか」

「アア？　だから、いってねえから知らねえよ。わけ分かんねえことといってっとぶん殴っぞ」

　でも、僕は額面通りには受け取らなかった。この苛立った態度こそ、小林が何か隠している証拠だと、そう感じていた。

「じゃあ、これだけでも、教えてください……小林さんは、姉さんを、本気で好きでしたか」

　ふいに、小林の顔から険が消えたように見えたが、それはほんの一瞬のことだった。瞬く間に、ドロドロとした怒りの色が、眉間に、鼻筋に、口の両端に、あふれ出てくる。

「……んなわきゃあ、ねえだろう」

　どうしてですか、と、僕はさらに訊いた。

　小林は、何メートルか先の地面を睨みながらいった。

「あんな……テメェの父親とデキちまうような、薄汚《うすぎたね》え女だぞ。そんな女に、マジで惚れる奴なんているわきゃねえだろ」

　そう、そこが肝心なところだ。

「小林さんは、そのことで相談されて、それで姉さんを助けてくれたんじゃなかったんですか」

　いや、僕もそんなことは、本気で思っていたわけじゃない。ただ、小林の反応が見たかっただけだ。

「ザケんなって。んなこと知ってたら、手なんか貸すかよ。気持ちワリぃんだよ」

「そうですか……姉さんの引っ越しを手伝ってくれたときは、知らなかったんですね。じゃあ小林さんは、いつ、姉さんと父さんの関係を知ったんですか」

その瞬間、小林の目線が泳いだのを、僕は見逃さなかった。

小林の脳裏に描かれたのは、父さんと絡まり合う姉さんの姿、だったのだと思う。でもそれをいつ、どうやって見たのか。玄関ドアを少しだけ開けて見たのか。あるいは隣家との隙間に身を忍ばせて、カーテンの隙間から片目で覗いたのか。

「いつ、知ったんですか。まさか……殺す直前、なんてことは、ないですよね」

いや、実はそうなんだろう？　あんたは、父さんと姉さんが関係するのを目の当たりにして、嫉妬に狂って、父さんが出ていったあとで部屋に入って、乱暴されて傷ついた姉さんを——さらに痛めつけたか、罵《ののし》ったかは知らないけど、その上で、父さんの残していったネクタイで、姉さんの首を絞めて殺したんだろう？　そうなんだろう？

小林は、ブルブルと震えるように、かぶりを振った。

「お、俺が、知ったのは……しゅ……週刊誌だ」

へえ。僕が読んだ限りでは、どの週刊誌にも、そこまではっきりとは書いてなかったけどね。父親である柳井篤司が、何らかの事情を知っているものと思われる。被害者の体内から採取された体液が、近しい人物のものだとすれば——そういう「たられば」の形でしか、書いてなかったはずだけどね。

「それを知って小林さんは、どう思いましたか。自分のカノジョだと思っていた女が、実は父親と近親相姦の関係にあったと知って、あなたは……どう思いましたか」

僕だって、こんなことは口に出していいたくはなかった。ただこのときは、僕も少し、精神的にどうかなっていたのだと思う。

姉さんと父さんのことを話題にすると、小林はひどく感情的になる。その反応がなんだか愉快で。やっぱり姉さんを殺したのは父さんじゃない、この小林充なんだって、確信できるような気がして。姉さんを貶めるようなことをいえば、小林はもっと傷つく。傷つけて傷つけて、それで小林を丸裸にしてやろう。そんな、悪魔的な気持ちに、僕はなっていたんだ。

「小林さん。あんた……父親と、ふた股かけられてたんだ」

胸座を摑まれた。

「それでカッとなって」

殴られた。

「……姉さんを、殺した」

さらに殴られた。頭突きも喰らった。

「……あんたが、姉さんを、殺し……たんだ」

泣いていた。小林は泣きながら、僕を何発も、何十発も、殴り続けたんだ。

一度も否定せずに。

俺が殺したんじゃない、とは結局、いっぺんもいわずに。


もう、殺すしかないと思った。警察が小林を逮捕しないのなら、父さんのせいにしたまま小林を放置するなら、僕が殺すしかないと思った。別に、ボコボコにされたから、そう決心したんじゃない。ボコボコにされて確信が持てたから、実行しようと決めたんだ。

あくまでもこれは、姉さんと父さんの復讐。僕が小林を殺す理由は、それしかあり得なかった。いや、ひょっとしたら、生き残った僕がなすべき唯一のこと、だったのかもしれない。この復讐こそが、僕の生きるたった一つの意味。これが終わったらいつ死んでもいい。漠然と、そんなふうに思っていた。

最初は、刃物を持って向かっていった。でも、駄目だった。その前に蹴っ飛ばされて、僕の方がノックアウトされた。なんとか刃が届いたときもあったけど、服が切れたくらいで、結局また僕がボコられて終わりになった。

小林はずっと、僕の存在を警戒しているようだった。不意を突いて襲ったつもりでも、かすり傷一つ負わせることはできなかった。

相手にならなかったのは最初からだったけど、勝負の分は時間が経つにつれて、さらに僕の方が悪くなっていった。

小林はドラゴンヘッドを引退し、間もなく六龍会という暴力団の構成員になった。ファッションもそれを境に変わった。派手なカジュアル系から、ダークスーツをよく着るようになった。周りには同じような恰好をした人間が増え、とてもじゃないけど、僕なんかには近づくことすら難しくなっていった。

それでも一人のときを狙って、僕は小林を殺そうと試みた。奴が通り過ぎた瞬間に、植え込みの陰から飛び出して、脇腹にナイフを突き刺してやろうと思っていた。が、僕が飛び出す前に、奴は僕の前で立ち止まって、手を伸べてきた。

黒い、拳銃を握った手を、僕に。

「……もう、諦めたらどうだ」

僕はしゃがんだまま、ナイフを握り締めて、固まってしまった。

「俺はもう、昔の俺じゃねえんだ。ヤクザなんだよ。場合によっちゃ、人を殺すくらいなんとも思わねえ人間なんだよ。オメェみてえなガキに、寝首掻かれるほど間抜けじゃねえんだ」

銃口は、ぴたりと僕の額を狙ったまま、一ミリも動かない。

「オメエもよ……もういい加減、忘れろよ。俺みてぇなヤクザもんのタマとったところで、ただブタ箱でクセえ飯食わされんのが関の山だぜ。俺だって、どうせヤマ踏むなら、オメェみてえな素人じゃなくてよ、どっかの名のある組長かなんかをバラして、男をあげてえんだよ。そういう世界に生きてんだよ、俺は……いつまでも、しみったれた面さげて俺の周りをうろつくんじゃねえよ。早く忘れろ……雌犬姉ちゃんと、鬼畜親父のために、人生棒に振っ たってしょうがねえだろ」

棒に振るほどの人生なんて、もうとっくに、僕にはなくなってる。

「いけよ……ナイフは、そこに置いてけ……そうすりゃ、これまでのことは、全部水に流してやるからよ」

いわれた通り、僕はその場にナイフを置き、後退《あとずさ》りして、そこはあるマンションの駐車場だったから、立ち上がったら走って、別の出口から道に出て、そのまま家に逃げ帰った。

事ここに至って、僕も肚を決めた。

小林を殺すんなら、ナイフなんかじゃ駄目だ。もっと強大な力を、僕も持たなきゃ無理だ。そうはいっても、拳銃を買うとか、そういうんじゃない。それじゃどんなに上手くいっても、いいとこ小林と対等にしかなれない。もっと、小林より明らかに強い力を、僕は手に入れなければならない。

どうする。この僕に、何ができる。

岩城ハイツの一〇二号室から出てきた女――。

玲子は、一瞬追いかけてみようかとも思ったが、健斗が部屋にいるかどうかを確かめる方が先だと判断した。

2

結果は、やはり留守だった。ということは、あれは合鍵を渡されるほど親しい間柄の女だったわけか。何者かは分からないが、重要な情報として頭に入れておこう。容姿の特徴もノートに記しておく。身長百六十センチ台半ば、スレンダー、吊り目、唇厚め、二十代前半から三十代前半。一応絵も描いてはみたが、途中で可笑《おか》しくなってやめた。下手過ぎる。こんなにブスじゃなかった。

その後、またしばらくは車内で過ごし、十時過ぎに一度買い出しにいき、下高井戸駅近くの西友で使い捨てカイロと、クッションにもなるひざ掛け、あと食料を少々購入してきた。戻ったら柳井の部屋を再度チェック。呼び鈴を押し、携帯で電話を鳴らす。まだ留守のようだった。

車に戻って、さあと気合いを入れ直し、買ったものの包装をバリバリと破く。助手席に座り、ひざ掛けで脚全体をくるっと包み、使い捨てカイロを左手で揉みながら、右手で菓子パンを口に運んだ。飲み物はトマトジュース。この程度の野菜摂取で便秘が防げるとも思わないが、まあ、コーヒーよりはいくらか体にいいはずだ。

お腹が満たされて、風邪をひかない程度の暖がとれると、当然、また眠たくなってくる。スーパーミントのタブレット菓子を頬張り、体のあちこちをつねって覚醒を試みても、ときにはそれも許さぬほど強烈な睡魔が瞬間的に襲ってくる。たまに、別の部屋に出入りがあったりするとこっちの気分も変わるのだが、そんなのは、日に何度もあることではない。

気がつくと、フロントガラスが真っ白に曇り、何も見えなくなっていた。

また、寝てしまったようだった。

拳でおでこを叩き、自己嫌悪を追い払い、急いで柳井の部屋をチェックしにいく。一人震えながら呼び鈴を押し、ノックし、さらに架電する。やはり留守。しかしそれを確かめたところで、寝ている間に健斗が帰ってきて、再び出かけてしまった可能性は否定できない。一人、ガックリとしながら車に戻った。

以後、夕方まではなんとか眠らずに過ごせた。しかし睡魔は、またいずれ必ず襲ってくる。どうしようか。誰かに応援を頼もうか。係の人間ではない誰か——井岡？　いやいや、あれを呼ぶくらいなら一人の方がまだマシだ。あれが横にいたんじゃ、逆におちおち仮眠なんてできやしない。いや、できなくていいのか。どっちなんだ、あたし。

などと、馬鹿なことを考えながら通りを見ていたら、やたらと背の高い男が岩城ハイツの方に歩いていくのが目に入った。明らかに百九十センチは超えている。スーツの背中は大きく、足腰は適度に逞《たくま》しい。なかなか均整のとれた後ろ姿である。

だが、まさかその男が、岩城ハイツの前で立ち止まるとは思っていなかった。

玲子は、フロントガラスの曇りをハンカチで拭きながら男の動向を見守った。

男はまさに一〇二号のドア前に立っている。呼び鈴に手を伸べるような動作も確認した。少し前屈みになって、声もかけているようである。知り合いか。男は、柳井健斗の関係者か。

玲子は静かに助手席から出て、岩城ハイツに向かった。

声の届く距離まで近づいてみると、男は少しうな垂れるようにして溜め息をついていた。

「……あの」

玲子がそう声をかけると、男は一瞬間を置いてから振り返った。

なかなか、精悍な顔立ちをした男だった。野性味、屈強、硬派。そんな前時代的な表現がピッタリくる、実に男臭い雰囲気の持ち主だ。年の頃は四十代前半から後半くらい。だとしたらスーツの趣味は悪くない。真新しく、色は濃い紺で、チャコールグレーのストライプがいいアクセントになっている。シャツとネクタイはビジネスマンにしては少々派手目か。なんにせよ、くたびれたオヤジ臭さとは無縁の男だ。遊び好きの社長さんか、芸能関係、興行関係。ああ、暴力団関係にも見える。

そう考えると、はい、と返ってきた声は低く、太く、聞きようによっては威圧的ともとれる。

何者だ、この男。

「あ、その……柳井健斗さんを、訪ねていらっしゃったのでしょうか」

さらに訊くと、男は訝《いぶか》るような目で玲子を見、まあ、とだけ答えた。

「そうですか……お留守、ですよね。柳井さん」

「ええ。何度かお呼びしたんですが……そのようですね」

男の声色が、少し柔らかくなる。

とりあえず、先制攻撃を仕掛けておくか。

警察手帳を見せ、男の顔色を窺う。驚きはあったようだが、表情はすぐもとに戻った。むしろ、冷静に何か考えている様子だ。警察が柳井健斗をマークする理由。そんなものを、自分の知る柳井健斗像に探しているのかもしれない。

続けて玲子が柳井健斗との関係を問うと、男は慌てた様子で内ポケットに手を入れた。

「私……光洋不動産の、マキタと申します」

営業部長、槇田功一。所在地は六本木。社長という見立てははずれたが、六本木の不動産屋というキーワードには、なんとなく納得がいった。華やかさと金の臭い、といったらいいか。そんなものが彼、槇田の背景には漂っている。

「あ、不動産屋さんでしたか……」

こっちも少し態度を和らげておく。いたずらに相手を警戒させるのは得策ではない。

槇田はさっきから、黒革の名刺入れを左手に持ったまま、やや前傾した姿勢を保っている。

なんだろうと思ったら、

「……お差し支えなければ、お名刺を、頂戴できますか」

なるほど、そういうことか。刑事に名刺を要求するとは、なかなか侮《あなど》れない男だ。むろん、乞われて出せない理由はない。

「姫川と申します」

差し出しながら、さらに顔色を注視する。だが、これといった変化は見受けられない。よっぽどのポーカーフェイスか、あるいは玲子の名刺から読みとれるものがなかったのか。いや、そんなことはあるまい。所属には「殺人犯捜査」と入っている。健斗の知り合いなら、彼がどんな殺人事件に関係しているのか、心配するのがスジだろう。

そもそも、六本木の不動産屋と健斗は、どういう関係なのだろう。ここは世田谷区赤堤。港区六本木とはだいぶ距離があるし、街の雰囲気も全然違う。

それについて訊くと、なぜだろう。槇田は初めて、慌てたような素振りを見せた。

「……ああ、会社は、そう……六本木なんですが、何度か、彼のバイト先を、仕事上のアレで、下見しているうちに、彼とも、顔見知りになりまして……」

なに、バイト先？

「その、柳井さんのバイト先というのは、この近くなのでしょうか」

「ええ……下高井戸駅の、商店街の中ですが」

玲子は即座に「案内してください」頭を下げた。槇田は一瞬、迷惑そうに表情を曇らせたが、はっきりいって、こっちはそんなことにかまっている余裕はない。


しかし、玲子がこうまで大きく見上げないと会話が成立しない相手というのも珍しい。あの菊田でさえ百八十センチ台半ば。玲子がヒールを履けば、その身長差は十センチ程度でしかない。だが槇田は、そこからさらに十センチほど高い。なんだか急に自分が小さくなったようで、正直いうと、ちょっと嬉しい。奇しくも街はクリスマスムード一色。どういう間柄であるにせよ、こんな日に男の人とツーショットで歩けるなんて、ラッキー。まあ、商店街を行き交う近所のおばさんたちから見たら、またやけにデカいのが並んで歩いてるわね、ということになるのだろうが。

それと、目。槇田の目は大きく、どちらかというとギョロッとした感じなのだが、どこか寂しげというか、物悲しい雰囲気がある。それが、玲子はさっきから気になって仕方がない。何かこう、意識を吸い寄せられるような感覚に見舞われる。別に、そんなに好みの顔でもないのだけれど——。

駄目だ、こんなこと考えてるようじゃ。もっと、捜査の足しになる会話をしなくちゃ。

「柳井さんのバイト先には、どういった用事でいかれていたんですか？」

槇田は「んん」と、しばし言い淀んだ。

「……まあ、その物件を売りに出すとか出さないとか、そういった類のことですよ。その話自体は、もう流れてしまいましたがね」

「柳井さんのバイトというのは、ちなみに」

「マンガ喫茶の店員です」

「そこに通っているうちに、親しくなられたと」

「ええ……まあ、普段はどんな様子かと、店の経営についての探りを入れているうちに……つい、好きなマンガの話になりましてね。それから、まあ……いろいろ」

健斗は今年二十六歳。槇田とは相当な年齢差があるはずだが、一体何のマンガについて話したのだろう。でも、それについては尋ねなかった。そもそも玲子にはマンガを読む習慣がない。さらに少年マンガとなったら、おそらくチンプンカンプンだろうから。

「それから、いろいろと、どんな話をされたんですか？」

「んん……今のアパートを出たい、とか……でもあのバイトじゃ、なかなか引っ越し費用まで稼げない、とか」

「なるほど……で今日は、どんなご用で彼を訪ねられたのですか？」

また少し困った顔をされた。でも、こっちは刑事だ。これくらいの質問は大目に見てもらいたい。

「まあ……引っ越しの費用、というのであれば、多少は……融通することも、できますよと……そんな話を、したものですから」

「つまり、お金を用立てる、と」

「ええ……平たくいうと、そういうことになります」

なんと親切な不動産屋さんだろう。

「実際に、お金は貸されたんですか」

「いや、今日はまさに、その話を、しにきたわけで……彼に手頃な物件も紹介しようかと……そんな感じで」

というわりには手ぶらだが、どうなのだろう。最近は、ポケットに入るような携帯端末でも商談は可能なのだろうか。

「……ああ、ここですね」

槙田は、健斗のアパートからすると駅の反対側、商店街の中ほどまできて立ち止まった。

マンガ喫茶というと、なんとなくビルの上の方にあるものと思い込んでいたが、この店舗は一階に位置していた。全面ガラス張りで、シートのようなもので目隠しをしている店構えから、以前はゲームセンターだったのではないかと察した。クリスマス用の飾りも、そう思って見ると逆にゲームセンターっぽい。

「じゃあ、入ってみましょうか」

すると、槇田は「いえ」とかぶりを振ってから、覗き込むようにして玲子に目線を合わせてきた。ちょっと、ドキッとした。

「私は、ここで失礼します……ちなみに、柳井くんは何か、事件にでも巻き込まれているんでしょうか」

ようやく、その心配をする気になったか。

心の中まで覗かれないように、逆に真っ直ぐ見返しておく。

「いえ、別にそういうことではありません。ただ、ちょっとお尋ねしたいことがあってきたのですが、お留守だったので……正直、困っていたんです。でも、バイト先が分かって助かりました。ありがとうございました。案内までしていただいちゃって……すみませんでした」

そういって切り上げ、店に入ろうとしたが、なお槇田は玲子の横に回り込んできた。

「すみません、あの……もし、柳井くんに会えたら、ご一報いただけますか」

「ええ、かまいませんけど……でも、今ここで、バイトに入ってるかもしれないわけですよね」

それはない、と槇田はいった。今日きていないことは、もう確認済みなのだという。

「ああ、そうだったんですか……分かりました。ご連絡先は、会社の方でよろしいですか」

「いや、携帯がいいな。警察の方からだと、会社の人間、びっくりすると思うんで……ちょっと待ってください」

さきほどの名刺入れから、もう一枚出して書こうとするので、それならと玲子が携帯を構えた。

「今いっていただければ、私、打ち込んじゃいますよ」

「そう、ですか……はい、じゃあ」

〇九〇で始まる番号を聞き、その通りボタンを押す。

復唱すると、槇田は「はい」と頷いた。

「……何か分かりましたら、こちらからもご連絡しますが、姫川さんには、さきほどのお名刺の番号で」

「ああ……だったら私も、携帯の方がいいかな」

やたらと本部にかけられても困る。何せ今は単独捜査中だ。

「じゃあ私が、いま伺った番号にかければいいですね」

「ええ、お願いします」

槇田功一を探して、携帯番号にカーソルを合わせる。発信は、仕事用の番号からに設定してある。

でも、困った。またちょっと、ドキドキしてきた。

別になんてことない、これは単なる、捜査上の番号交換だ、と自らに言い聞かせる。

「……いき、ます」

「はい……ああ、きました。確かに」

槇田が携帯を閉じる。大きな手の中に、黒い携帯電話がすっぽりと隠れる。

「じゃあ、私はこれで」

そういって槇田は会釈をしたが、今度はなぜか、玲子の方が「あの」と呼び止めてしまった。呼び止めてから、慌てて用件を考える。ええと、ええと——あ、そうだ。

「その……柳井健斗さんは、どういう感じの、方なのでしょうか」

一瞬、槇田はきょとんとした表情を見せた。それが、なんというか、とても自然で。生身というか、槇田功一という人間の素の部分が見えた気がした。

「柳井くんは……とても、いい子です。姫川さんが今、捜査しておられる事件がなんにせよ……無関係だといいと、思っています」

「ええ……私も、彼が無関係だったらいいと、思っています」

そう、なんだ。

それは、ある意味本音だ。

店に入ると、受付カウンターはすぐ右手にあった。

二十歳くらいの女の子が中に入っている。

「失礼いたします……私、警視庁の姫川と申しますが、こちらに、柳井健斗さんという方がアルバイトをしていらっしゃると伺ったんですが、それは、間違いございませんでしょうか」

手帳を見せながら訊くと、女の子は目を大きく見開き、ぎこちない調子で頷いた。

「柳井くんは、確かにここで……バイトしてますけど」

ちょっと、喋り方に関西弁っぽいイントネーションがある。でも、井岡のそれとはまったく違う。彼女の方が自然というか、嫌味がない。

「今日は、いらしてない？」

「はい……ここ何日か、きてません」

いきなりマズい流れだ。

「それは、仕事の予定が入っていて、でも欠勤しているということですか。それとも、そもそも予定が入っていないということですか」

「シフトには、入ってたんですけど……無断欠勤、してるんです」

そういった彼女の表情が、どこか悲しげに見えたのはなぜだろう。

「ここ何日か、というのは、正確には、何日ですか」

カウンターの中にカレンダーでもあるのか、彼女は少し前屈みになって、何かを確認してから答えた。

「無断欠勤は……火曜からです。火曜と、木、金とシフトには入ってるのに、きてなくて……電話しても、全然出なくて」

「じゃあ、最後に柳井さんに会ったのは、いつですか」

ギョッとしたように、彼女は目を丸くした。ひょっとしたら、いきなり最悪の事態を想像させてしまったのかもしれない。だが、それは早とちりというものだ。玲子は何も、柳井がすでに死んでいるとか、そういう意味でいったのではない。

「最後に会ったのは……日曜の、午前中ですけど」

「日曜というと、十八日ですか」

「……あ、はい。そうです」

十八日といえば、小林充殺害の翌日、遺体発見の前日だ。

「その日の柳井さんは、何時から何時まで、ここにいらしたか分かりますか」

また彼女は、カウンターの中にある何かを見てから答えた。

「十七日の、夜十一時から……十八日の朝の、十時半までの、シフトでした」

司法解剖の結果、死亡時刻は十七日の二十一時前後と判明している。柳井は、小林殺害後にバイトに出てアリバイ工作、それから行方をくらました、という線は成り立つか――。

玲子は彼女に名前を訊いた。内田貴代、二十三歳だそうだ。童顔ではあるが、印象としてはそんなに間違っていなかったか。

「柳井さんへの連絡は、固定電話ですか、携帯電話ですか」

「携帯、です……あ、でも、家電《いえでん》にも、しました」

「それは、内田さんがされたんですか」

「私も、しましたし、店長も、しました……でも、ずっと出てくれなくて……何かあったんやないかって、店長といってはいたんですけど」

「柳井さんのアパートには、どなたかいかれましたか」

「はい……私が、何度か」

むむ——。

「それは、いつ頃ですか」

「月曜の夜と、あとは……一日置きくらいに」

「月曜の夜ですと、欠勤とは、重なりませんね」

彼女の顔に、はっきりとした悲しみの色が表れる。

「……電話しても、出てくれへんし、なんか、心配になって……それで、月曜の夜に、バイト終わってから」

「何時頃ですか」

「十一時頃、だったかな……」

「そのとき柳井さんは」

「留守でした」

「部屋に明かりは」

「ありませんでした」

おそらく、小林の遺体発見時にはすでに行方をくらましていたのだろう。

「あ、あの……柳井くん、ひょっとして……」

この娘は、あくまでも柳井が被害者という方向で考えているようだが。

「いえ、柳井さんに伺いたいことがあるだけで、彼が事件で直接どうこう、というのではないと……現状では考えていますす」

曖昧《あいまい》な言い方しかできないが、それでも内田貴代は、少し安堵したように表情を和らげた。

おおよその見当はついているが、一応確認しておくか。

「あの……不躾なことをお訊きしますが、柳井さんとは、どういうご関係なのでしょうか。お聞きした限りでは、個人的にお電話をして、でも出てくれなかったので、アパートを訪ねた……というように、受け取れましたが」

内田貴代は、少し困ったように頷いた。

「付き合って、ました……って、思ってたのは、私だけなのかも、しれませんけど……」

切ない言い回しだ。しかも、今夜はイヴ。こんな夜に、女の子にこんなことをいわせるなんて――と思う一方で、柳井健斗をよく知る人物に当たったことを喜ぶ自分も、確実に存在した。つくづく、自分は女である前に、刑事という生き物になってしまったのだと痛感する。

「すみません……もうちょっと、柳井健斗さんについて、お話を伺ってもよろしいですか」

自分のような三十過ぎの女に、イヴを捧げるのは嫌かもしれないけど。

3

十二月二十四日、夜の捜査会議。

今泉は上座で、捜査員の報告を順番に、メモをとりながら聞いていた。

特捜本部設置から五日。どちらかというと捜査一課より、組対四課の方が元気に動き回っている。報告に立っても、四課員はどこか饒舌だ。

いま石堂組絡みの報告をしているのは、四課暴力犯六係の丸山《まるやま》巡査部長。四課ではかなりのベテランに入るデカ長だ。

「……その、大政会《たいせいかい》の二代目会長、三原鉄男は、上馬の環七工事に関する諸々《もろもろ》で、仁勇会の三代目、藤元英也と揉めていたという噂があります。……三原は、自身が顧問を務める京葉《けいよう》建設に、この環七工事を落札させる方向で動いていた。ところがフタを開けてみると、落札したのは花島工務店……花島は奥山組の息のかかったゼネコンですが、三原はこの入札の裏で糸を引いていたのが、藤元英也であると睨んだ。石堂組の若頭である藤元が、同じ石堂組の若頭補佐である三原の仕事を潰した。しかもその揚げをかっさらっていったのは、奥山組系の花島工務店……これは大きな火種になる可能性があります」

隣にいる和田一課長が、小さく唸《うな》りながら眉をひそめる。おそらく今泉が感じたのと、同じ疑問が和田の中にも生じたのだろう。

こういうときは、今泉が訊く役を担《にな》うのがいつものやり方だ。

「丸山さん、その……石堂組内部にいざこざの種があるのは、ここ数日の報告からもよく分かるんだが、これはあくまでも、六龍会の小林殺しの帳場なんでね、あまり脇道に逸《そ》れないように頼みますよ」

そう、今泉が言い終わった瞬間だ。

四課の捜査員全員が、それぞれニヤリとしたように、今泉には見えた。横目で見ると、和田の向こうにいる宮崎組対四課長も、そのまた向こうにいる組対四課の松山六係長も、なんとなく口元をほころばせている。

もっとも得意げな顔をしているのは、むろん、報告をしている丸山デカ長だ。

「いや、本題はここからなんで、聞いてください……ええと、石堂組は、毎月九日と二十四日の昼間に、幹部全員を集めて、定例会議ってのをやっているんですが……ちょうど、今日の昼間ですね、その会議がありまして。その席で三原が、とうとう藤元に喰ってかかったと、そういう情報が入ってきまして」

ネタ元を明かせ、とどこかから野次が飛ぶ。

「それは、ちょっと勘弁してもらいたい……こっちは一課さんと違って、事件がいっこ終わったら、すべてがリセットできるわけじゃないんで。その後も、同じ業界の連中と付き合っていかなきゃならんので……」

デカ長はひと呼吸置いたが、さらなる野次は飛んでこなかった。

「まあ、内通者がいると、そう思っていただいてけっこうなんですが……この件に関して、三原は入札後……入札自体は先月のアタマ、ええと、十一月九日の水曜日に終わってまして、その直後から三原は、犯人捜しを初めて、ようやく最近になって、その尻尾《しっぽ》を摑んだと、いうことらしいんです。つまり環七工事に際して、非公式に、各社に入札金額を指示した、大東建業の佐伯真一《さえきしんいち》という男が……この大東建業も、いわば大和会系の、具体的にいうと、浜口《はまぐち》組と縁のあるゼネコンなんですが、その大東の佐伯が入札の直前に、品川の料亭で藤元と会っていたという情報を、三原は摑んでるんです。このときに落札金額情報が、佐伯から藤元に漏れ、藤元が花島工務店側に教えて、花島が見事落札したと、そういう絵図であろうと、三原は読んだわけです」

依然話が見えないが、ここは黙って聞いておくべきだろう。

「藤元英也は石堂組に見切りをつけ、現大和会会長である奥山広重に接近しようとしている。

このことはもう、石堂組内ではほぼ既成事実になっている。思惑もいろいろありまして、できれば藤元に改心してもらって、これまで通り石堂組を守り立てていってほしいと考える穏健派と、いっそこの機会に藤元を叩いて、自分が石堂組のナンバー・ツーに伸し上がろうと、そう考える下剋上派もいる。穏健派は、現在入院中の石堂神矢組長の秘蔵っ子といわれた、極清会の牧田勲、下剋上派は、先もいいました大政会の三原辺りが筆頭なんですが、じゃあその三原が、どうやって藤元と、大東の佐伯の密会をキャッチしたかというと……これが、六龍会の、小林充経由だったらしいんです」

なるほど。そうきたか。

「六龍会は決して大きな組織ではありませんが、代表をやっている竹嶋和馬は、あれでなかなか藤元の覚えがめでたい。竹嶋は何しろ腕が立ちますんで、藤元はボディガード代わりによく連れ歩いていた……小林はそれにくっ付いているうちに、藤元と佐伯の密会を目にしてしまった……小林はご存じの通り、その月の家賃にも事欠く三下です。端金《はしたがね》で簡単に転びます。まあ、三原サイドがどうやって小林を釣り上げたかは、具体的にはまだ分かりませんが、小林から三原に情報が回ったことはほぼ間違いない。しかしそれが……この、小林充という男の駄目なところなんですが、さらに逆に、竹嶋和馬の知るところにもなってしまった。これはいわば、六龍会構成員による、仁勇会に対する敵対行為ですから、事の次第が藤元の耳に入るのを怖れた竹嶋は、早々に小林を始末したと……いうのが、どうやら事件の内幕のようです」

確かに興味深い話ではあるが、そのまま鵜呑《うの》みにできるものでもない。

「丸山さん……話のスジはよく分かりましたが、ただ、どこまでが情報で、どこからが憶測で、その情報も、どこまで信頼できるものなのか……それがないと、本部としては捜査情報として採用しづらいんですがね」

今泉がいうと、丸山は様子を窺うように松山係長を見た。松山がどういう反応をしたかは、今泉には見えなかった。

丸山は、白いものが交じった髪を困ったようにひと撫でした。

「ネタ元を明かせ、といわれれば、まあ……現時点でいえるのは、六龍会内部の人間、としか、いいようがないんですがね」

それは変だろう。

「ちょっと待ってください。今の話だと、藤元の顔色を気にした六龍会会長、竹嶋和馬が、自分の子分である小林充を始末した、ということになりますね。実行犯が誰かはさて置くにしても……そのネタを、同じ六龍会内部の人間からとったということですか」

丸山が深く頷く。

「そういうことです。六龍会は今、実は非常に不安定な状態にあります。簡単にいうと、竹嶋の組の運営が下手なんですね。下から吸い上げて上に持っていくのはマメなんですが、下の者にいいシノギを与えてやることはできてない。不満分子は決して少なくない……そういう状況だと、ご理解いただきたい」

といわれても、それだけで納得できるものではない。

「藤元がその、佐伯という男から情報を得て、花島工務店に流したというのは、確かなんですか」

「状況から見て、まず間違いないでしょう。じゃなきゃ、億単位の入札で、数十万の差額で落札するなんてのは、普通じゃあり得ませんよ」

「藤元と佐伯の密会を、小林が三原に漏らしたというのは」

「それはですから、六龍会の人間から得た情報です」

「竹嶋が小林殺害を企《くわだ》てた、あるいは指示したというのは」

「それはこれから、裏をとる必要があります……ですんで、まあ、一課さんにもご協力いただいてですね、やっていこうと」

なんだ。結局全部、状況証拠に過ぎないんじゃないか。

会議も終盤に差しかかり、小林の敷鑑を担当している下井が「特に成果なし」と報告を流したところで、先の丸山デカ長がひと声発した。

「ところで、下井さんの相方の、女主任さんのお姿が昨日から見えませんが、どうされたんですかね」

座りかけていた下井が再び立ち上がる。隣の川の、ほぼ真横の位置にいる丸山に顔を向ける。

「……姫川なら、昼間会えなかった関係者に、話を聞きにいってるよ」

「昨日の夜も、今朝も、今夜もですか」

「ああ。相手の素性によっちゃ、俺より彼女の方が向いてる場合があるからな。任せるべきところは、任せてる。なんか文句でもあんのか」

鼻で笑いながら、丸山がかぶりを振る。

「……下井さん、下手な芝居はやめましょうよ。本部を出て久しい下井さんはご存じないかもしれないですが……あの姫川って女主任はね、会議も手順もすっ飛ばして、単独捜査に走るので有名なんですよ。ちっと若い女だからって……甘い顔して好き勝手やらせるのは、どうかと思いますがね」

ガッ、と左奥の方で椅子が鳴った。見ると菊田が中腰まで立ち上がっていたが、後ろの席の湯田が即座に押さえ込む。

「……別に、そんなこっちゃねえよ。ただの分担作業だ。気にするな」

丸山の指摘通り、今現在の姫川の行動は単独捜査以外の何物でもないが、かといってそれが他課の人間に指摘されるほど頻繁にあることかというと、それは違うと、今泉もいいたくなる。

相方と示し合わせてか、わざとはぐれてか。パターンはいろいろあるだろうが、二度や三度の単独捜査は、刑事なら誰しも経験があることだ。ただ姫川の場合、良きにつけ悪しきにつけネタにされることが多いため、一度そういう噂が出回ると、まるで毎度毎度、セオリー度外視の単独行動をとっているように思われがちなだけだ。

「下井さん……まさかその年になって、若いネエちゃんに、いいように誑《たら》し込まれてんじゃないでしょうね」

さすがにこの発言は目に余ったか、松山係長が「丸山ッ」と声を荒らげた。

だが、いわれた下井は特に動じたふうもなく、眠そうな目をして鼻の下を指でこすっている。

「いや、そんなこたぁねえよ……普通に、鑑を当たらせてるだけだ」

「じゃあ、アレですか、女使って関係者を誑し込めと、そういう指示ですか」

丸山本人は、六龍会絡みでいいネタをあげて気が大きくなっているのだろう。松山に睨まれてもまったく引く様子がない。

まあ今泉も、姫川絡みの野次には慣れている。彼女が十係主任に着任した当初は、もっと口汚いことを何人もの捜査員が、本人を前にして平気でいっていた。またそれに、姫川も真っ向から対抗するものだから余計に騒ぎが大きくなった。

だったらあたしと勝負しますか、という切り返しが一番多かったが、負けた方が頭を丸めるってことで、と付け加えたときは今泉も驚いた。姫川はその帳場で見事ホシを挙げ、本部解散の一席で断髪式、というところまでいったが、そこは姫川も女だ。もういいですから、と相手の肩をぽんと叩き、ほら飲みいくよ、と菊田たちを引き連れて講堂から出ていった。後日聞いた話だと、その夜、姫川は居酒屋の席に座るなり「怖かった」といって泣き始め、吐くまで飲んでもまだ泣いていたのだとか。

以後、姫川に対するいわれない中傷は徐々に減っていったように思うが、それでも決してゼロになったわけでないことは、今日の会議からもよく分かる。

下井が答える。

「別にそんな指示はしてねえが、どうかな……何しろいま俺はここにいるんでね。姫川の聞き込みの手口までは知りようがねえ……ただ丸山、お前だって、会議じゃいえねえようなタマ使って、六龍会のネタとってきたんだろう？　そういうのをな、目糞鼻糞を笑うってんだよ……じゃなきゃ、男の嫉妬か？　醜いねぇ……嫌だ嫌だ」

下井が上手く落としてくれたところで、今泉はマイクを握った。

「何か、質問は」

特に、ないようだった。

会議が終わった途端、今泉の携帯が鳴った。

メモリーにはない番号からなのだろう。ディスプレイには、〇三で始まる都内の番号が表示されている。しかも上四桁が、警視庁本部の代表番号と同じ。

誰だ。

「はい、もしもし」

『……長岡です』

刑事部長だった。嫌な予感がした。

「お疲れさまです」

『今泉さん。あなたまさか、例の、柳井健斗について調べるよう、捜査員に命じたりはしていませんよね』

いきなり、そうくるか。

釘を刺す、などという生易しい口調ではなかった。犯人捜し。いや、むしろ被疑者に自白を強要するときのそれに近い。

「……いえ。そのようなことは」

そう答えるだけで、ワイシャツの脇の下がじんわりと濡れた。

『では、今夜の会議で、おたくの主任が不在を指摘されたという件は、どういうことですか』

嘘だろう。この帳場内に、部長に通じている者がいるのか。

「いえ……それは単に、聞き込み捜査の、割り振りの問題でして」

『独断専行で柳井健斗を調べている……などということも、ありませんか』

マズい。どこまでこっちの動きを読まれているのか、見当もつかない。

「……それは、ありません」

『姫川玲子という、女主任なのですが』

名前まで――。

「……いえ、大丈夫です。姫川は、通常の聞き込み捜査に、専従しております」

『確かですか』

もはや、疑われているという段階ではなさそうだが、ここは白を切り通すしかあるまい。

「はい。確かです」

『下手な小細工は、あなたのためになりませんよ』

「はい……重々、承知しております」

『あと、和田一課長……彼も、無事では済まない』

「はい、それも……承知しております」

『私が、無事では済まさないと……そう、いっているんです』

官僚とは、保身に走るとこうまで恥知らずになれるものなのか。

『あるいは、その女主任の独断専行ということにして、彼女の首を切れば済むだろうなんて
……そういう甘い考えならば、それも捨てた方がいい』

誰がそんなことを考えたっていうんだ。この、外道《げどう》が。

「ご安心ください。柳井健斗については」

『その名を捜査本部内では口にするなといったでしょう』

くそ。

「……申し訳ありません」

『くれぐれも、気をつけることです。あまり私を、舐めてもらっては困りますよ』

「そんな……そういったことは、まったく」

確かに。舐めていたかもしれない。

『ほどほどに。分かりますね』

「……はい」

『じゃあまた、たまに、ご連絡差し上げます』

今泉が返事をする前に、電話は切れた。

手にも、びっしょりと汗を掻いていた。

もう講堂にはいたくなかった。

だが、一人にもなりたくなかった。

ふと思い立って電話をすると、下井は、中野坂上駅近くのバーで飲んでいるということだった。一人かと訊くと、そうだという。好都合だった。

レンタルビデオ店の向かいのビルの二階、という簡単な説明だったが、すぐに見つかった。ミス・グラデンコ。間違いない、この店だ。

せまい階段を上っていくと、リースというのだろうか、草を束ねて輪にしたクリスマス用の飾りを掛けたドアがある。開けると、ピザか何かを焼くいい匂いがした。

下井はテーブル席ではなく、カウンターの真ん中辺りに座っていた。

「……すみません、こんなところまで押しかけまして」

自分の方が階級が上になったとはいえ、下井は巡査部長時代に世話になった大先輩だ。おいそれと上官面はできない。

「なんだよ、かしこまるなって……まあ、座れよ」

「ええ、失礼します」

ウェイターにコートを預け、席につく。

「下井さん、それは?」

今泉がロックグラスを指差すと、下井はカウンターの中にいるウェイターに目を向けた。

「……なあ、なんだっけ、これ」

「オールドパーの十二年です」

だそうだ、と下井は笑った。今泉も同じものを頼んだ。

今泉にもグラスがきたら、小さく「お疲れさま」の乾杯。すぐに料理もいくつか運ばれてきた。

小さなパンにオリーブとムール貝、小海老とチーズ、生ハムとフルーツ——それぞれを爪楊枝で合わせてあるひと口大のつまみと、あと、焼いたイカを何かのソースで和えたもの。どちらも美味そうだ。

「まあ、食えよ……若いのがくると思って、多めに頼んどいたんだ」

「若いのって、私ですか」

「違うよ、お前の係のだよ」

また二人で笑った。だが今泉は、何も旧交を温めにわざわざここまで下井を追いかけてきたのではない。いつまでも和やかに笑ってなどいられない。

「下井さん……さっきは、すみませんでした」

「ん？　何が」

「姫川の件で、面倒をかけました」

下井は「ああ」といいながら、小海老の載ったパンに手を伸ばした。

「あんなのぁ、よくあるこったろう……別に、面倒ってほどのこっちゃねえよ」

その横顔を見て、今泉は少し安堵した。別に下井を疑ってなどはいなかったが、やはり古くから知った、変わらぬ表情を間近に見ると、心が安らぐ。疑う気持ちより、信じる気持ちを大きく持ちたいと改めて思う。

「……そういっていただけると、助かります」

下井はパクリと、つまみをひと口で頬張った。よく見ると、顔にはだいぶ皺が増えている。髪も白の方が勝っている。だが、考えてみれば当たり前だ。七係で一緒になってから、もうかれこれ二十年ほどの年月が経っているのだ。

頷くようにして、下井がそのひと口を飲み込む。

「……そもそも今回、お前が、あのネエちゃんと組んでくれって俺にいいにきたとき、俺は、ちっとでも返事に迷ったか」

いいえ、とだけ返しておく。

「あの娘が何かに迷うようだったら、とりあえず好きにやらせてやってくれって、お前は俺に頭を下げにきた……今日みたいなこともコミでいってるんだろうってくらい、こっちだって分かってら。いまさら、恩に着るふうなことぬかすな。借りも貸しも、俺たちにゃねえだろう」

それでもこれは、今泉の借りだと思う。返せる当てのない、大きな借りだ。

「なあ、イマハル……お前なんで、姫川をけしかけるように、俺にいったんだ。あの娘はなんかネタを持ってるようだが、それってのは、一体なんなんだ」

「それは……」

和田の身に関わることだ。できることならば、下井にも相談はしたい。だが、それをしていいものかどうかは、今泉にも判断がつかない。今回のヤマは、どうにも全体像が見渡せない。また下手に打ち明けて、下井まで巻き込むようなことになったら、という思いもある。

だからこそ、だった。事件の全体像が見えないからこそ、今泉は姫川に賭けてみようと思った。それとなく姫川に単独捜査を許すことによって、何かしらの打開策を見出したかった。むろん、それで何かあったとしても、和田にだけは迷惑をかけないつもりだった。姫川の身も、守ってやれるつもりだった。だが今、そんな自信は脆《もろ》くも崩れゆこうとしている。

「……いや、いいづれえことなら、いいんだ。まあ俺も、お陰でいいもん見せてもらったよ……あの姫川ってのは、面白えな。いいネタ持ってんなら、さっさと一人でいけって、いってやったら、急にこう……ぐぅーっと、自分の中に入ってくみてえな目ぇしてさ」

どういう意味だろう。

「自分の中に、入っていく？」

「んん……俺も、どういっていいのか分かんねえけど、そう見えたんだよな……目はパッチリ開いてんのによ、目の前を見てなくて、かといって遠い目でもなくて、強いて何を見てるのかっていやぁ、自分の中っていうか、単に集中力とも違う、何かだよ……そんなふうに、ぐぅーっと、自分の中にめり込んでくみたいな、裏返っていくみたいな、そんな目だよ」

今泉も、姫川が何かとんでもないことを言い出す直前の雰囲気なら心当たりがあるが、それが下井のいう、自分の中に入っていく、裏返っていくというのと同じかどうかは分からない。

「あれだよ、和田さんも、ときどきああいう目をしてたよ。あれだろうな……閃《ひらめ》きとかそういうんじゃなくて、何かスイッチが入るタイプなんだろうな。よく分かんねえけど」

下井はふいに言葉を区切り、入り口の方を振り返った。今泉も倣《なら》って向くと、

「……勝俣」

捜査一課殺人班五係主任。ガンテツこと、勝俣健作警部補が、すぐそこに立っていた。

「なんだ……ずいぶんと懐かしい顔ぶれじゃねえか。え？　今はなき、強行班七係の同窓会か。へっ……よせよせ、いい年こいてみっともねえ。葬式帰りの一杯みてえで気味がワリいぞ」

下井、今泉とそろっているところに、勝俣。こんな偶然などあるはずがない。

「何しにきた」

「けっ。上席に座る奴はいうことが違うね……ね、下井さん。感じ悪いよね、こいつ」

「お前もな」

下井にいわれ、勝俣は愉快そうに笑った。確かに場の雰囲気まで懐かしくはなったが、こ

っちも同窓会をやっているつもりはない。

「何しにきたんだと訊いてるんだ。どうせ俺のあとを付けてきたんだろう」

勝俣は、勝手に今泉の鞄をどけて隣に座った。

「どうせ、ってなんだ。人聞きの悪い言い方すんじゃねえよ……まあ、そうなんだけどよ」

俺ビールね、と勝俣がウェイターを指差す。

「そらそうと……イマハル。オメェ、またあの田舎娘を放し飼いにしてんだろ」

「は？」

思わず、勝俣を睨んでしまった。気配で、隣の下井も勝俣を見ているのが分かる。

以前帳場を共にしたとき、確か勝俣は姫川のことを田舎者呼ばわりしていた。田舎娘を放し飼いとは、つまり——。

「お前、なんでそれを」

「バカヤロウ。俺は元〝チヨダ〟だ。舐めんなコノヤロウ」

「チヨダ」は、公安部のスパイ工作班を指す警察内の隠語だ。

「だからって……なんでお前が、この件を」

「いろいろあんだよ。とにかく邪魔臭えから、あの小娘はうろちょろしねえようにフン縛《じば》っとけ。亀甲《きっこう》縛りで雁字《がんじ》搦《がら》めにしとけ」

相変わらず品がねえ野郎だな、と下井が呟く。

うるせえイボ痔、と勝俣が返す。

もう、今泉もピンときていた。

「……勝俣、お前、ひょっとして……部長に」

長岡はあの日、柳井健斗について一切の捜査をしないわけではない、自分に考えがあるから任せろと、そんな意味のことをいった。その考えとはつまり、この勝俣に、内密に捜査をさせるということだったのではないか。

勝俣は「ニイちゃん、ビールまだか」と怒鳴ってから、今泉の方を向いた。

「……んなこたぁ、どうだっていいんだよ。とにかく今は、和田のオヤジの首が飛ばねえように、大人しくしてろ。俺がなんとかするからよ……オメェは、あの田舎娘が下手に現場を掻き回さねえように、しっかり首根っこ摑んどきゃ……それでいいんだ」

和田のオヤジがどうした、と下井に訊かれた。ここまで漏れてしまっては、もはや伏せておく価値もないか。事情を話して、下井もこっち側に引き入れた方が得策か。しかし、巻き添えを増やすようなことはしたくない。

ビールを受け取った勝俣が、じゃ乾杯するか、と空々《そらぞら》しくグラスを差し出してくる。

応じずにいると、勝俣は「けっ」と吐き、一人で飲み始めた。

4

玲子は再び車に戻り、健斗の部屋を見張りながら考えていた。

内田貴代によると、健斗と連絡がとれなくなり、最初に留守を確認したのは月曜日の夜。今日は土曜だから、丸五日経っていることになる。

健斗に実家はない。頼れる親戚も、ないと思っていいだろう。旅行にいく金は、槇田に借金を申し込むくらいだから、それもないと考えていい。

だとすると、五日間の不在というのは、ちょっと普通では考えられない。全国を飛び回る仕事でもしていれば話は別だろうが、健斗の仕事はマンガ喫茶の店番だ。あの部屋を五日も留守にする理由は、他に何かあるだろうか。

玲子はマンガ喫茶からの帰りに買ってきた弁当を食べ、少し仮眠をとることにした。もう、いい加減諦めた。人間、不眠不休でそういつまでも働けるものではない。書類仕事が山のようにあるとか、捜査が大詰めであちこちいかなければならないとかならまだ動けるが、ほぼ無音の車内で、話し相手もなくただ通りを眺めているだけでは、そうそう集中力は保てない。

起きたらまた、確認にいく。それで、充分だろう——。

目を覚ましたのは朝の四時頃だった。むろん、まだ外は真っ暗だ。

健斗の留守を確認にいき、戻ったらまた少し眠る。九時頃までそんなことを繰り返し、十時前にはまた下高井戸の商店街に出かけた。結局昨日はバイト中だったため遠慮し、貴代には今日、詳しく話を聞く約束になっているのだ。

待ち合わせのファミレスにいき、まずトイレで顔を洗った。一応化粧もしておく。昨日、一昨日と風呂には入っていないが、汗をかくような陽気でもない。その点はさして気にならない。が、髪の毛はさすがに、ぺたっとしてきている気がする。あとで銭湯でもいってみようか——。

化粧を終えて席に戻る途中、入り口のところで貴代と出くわした。ちょうどよかった。

「おはようございます……ごめんなさいね、こんな早くにきてもらっちゃって」

「いえ、大丈夫です」

無理に浮かべたような笑みが痛々しかった。おそらく、根は明るい娘なのだと思う。だが今は、健斗の不在がそれを暗雲の如く覆っている。そんなふうに見える。

席に着き、朝食はと訊くと、まだだという。モーニングセットでもと勧めると、貴代はこっくりと頷いた。

オーダーを済ませ、しばらくはコーヒーを飲みながら話をした。

「柳井さんとは、いつ頃から？」

貴代は隣のテーブルの方を見て考えていた。

「ふた月くらい、前から……です」

「ってことは、十月半ばくらい」

「そう……ですね。はい」

「バイトで一緒になるうちに、なんとなく仲良くなった、って感じ？」

「はい……まあ、そんな感じで」

「それ以前からのお知り合い、というわけではない？」

「ええ、違います。バイトで、初めて会いました」

そうか。付き合いといっても、そういう段階か。

写真を持っているかと訊くと、一緒に買い物にいって、試着した姿のならあるといって携帯を見せてくれた。一見したところ細身の、どこにでもいそうな今ふうの青年だ。高校卒業時の写真よりは髪を伸ばし、もっさりした印象がある。その写真をもらえないかというと、貴代は「いいですよ」と軽くいい、赤外線送信で玲子の携帯に転送してくれた。

「ありがとう……ちなみに柳井さんは、家族のこととか、内田さんに話しました？」

「いえ……あんまり、聞いてません。みんな亡くなった、みたいには、いってましたけど」

まあ、あえて自分からしたい話でもないか。

「そうですか……じゃあ、内田さんから見て、柳井健斗さんは、どういう方でしたか」

「どう……って」

　ああ。でしたか、という過去形がよくなかったか。確かに、聞きようによっては、死んでしまったようにも受け取れる。

「……あの、私、まだお会いしたことないもんで。ちょっと、実際にお会いする前に知っておきたいんです。雰囲気とか、性格とか、なんでもけっこうですから」

「はあ……」

だが、付き合っているというわりに、貴代の口から出てくる健斗評は決して好ましいものではなかった。

暗い。喋らない。話しかけても反応が薄い。何を考えてるのか分からない。部屋も不潔でだらしない。死人みたい、幽霊みたい、ゾンビみたい。そこまでいっても怒りもしない。

途中から、だったらあなたは彼のどこが好きだったの、と訊きたくなった。そんなマイナスの感情ばかりで交際が成立するなら、あたしにだってチャンスはいくらでも――。

しかし、そこには彼女なりの事情も密に絡んでいるようだった。

「私も、一人で東京に出てきて、寂しかったもんやから……ああ、東京にも、こういう寂しい人おるんや、って思ったら、なんか、目が離せなくなっちゃって……」

つまり自分と違い、貴代は母性本能で男を評価するタイプなのだろう、と、玲子は勝手に解釈しておいた。

二人で同じモーニングプレートを食べながら、もう少し話を続けた。

貴代が部屋を訪ねると、健斗はたいがいパソコンにかじりついていて、でもインターネットをやっているわけではなく、ただひたすら何かのデータを読んでいたらしい。なに？　と訊いても教えてくれない。見ようとすると閉じられてしまう。貴代も、別にエッチ画像を見てるわけじゃないからいいか、とすぐ諦めたという。

「あの……」

トマトを残してフォークを置いた貴代は、いっそう声を暗くして俯いた。

「なに？」

見ると、表情は今にも泣き出しそうなくらい歪んでいる。

「あの……こんなこと、刑事さんに、相談するの……どうかと、思うんですけど……でも、姫川さん、綺麗やし、モテそうやから……ちょっと、教えてください」

まあ、何かしら。

「いや、そんなこと、ないけど……でも、私なんかで分かることなら……うん。どんなこと？」

「はい……あの……男の人って……赤ちゃん、できたら、女のこと、面倒臭くなるんでしょうか」

は？

「え、なに、それって……つまり」

貴代は、俯いたまま頷いた。

「……できたんです。私」

「それ、は……その、彼には、知らせたの？」

「はい……まあ、それとなく」

「はっきりと、いったわけじゃないの？」

「んん……お腹触りながら、もう、二人やなくて、三人になるね、とか……どっちの部屋も、せまいね……みたいに、ゆうては、みたんですけど……でも、照れ臭いのも、怖いのもあって、はっきりと、子供ができた、とは……いえなくて」

もしかして、それで健斗は新しい部屋を探そうと、槇田に相談していたのだろうか。

「どうなんでしょうか。やっぱり、まだ、子供に縛られたりするの、男の人は、嫌なんでしょうか……それで柳井くん、逃げてしまったんでしょうか」

そんなこと、三十過ぎの独身女に分かるはずないでしょう。

貴代のお腹に子供がいたのは驚きだったが、お陰で彼女が健斗の身を案ずる気持ちには納得がいった。

玲子は、何か分かったら必ず連絡すると約束し、貴代と、ついでに健斗の携帯番号も聞いてから、店の前で別れた。

しかし、これで逆に分からなくもなった。

健斗には貴代という恋人がおり、そのお腹には子供までいる。そんな状況で、姉の復讐とはいえ、小林充を殺したりなどするだろうか。柳井千恵が殺されたのは九年前。なぜ今になって、復讐を実行したのだろうか。

まあ、現状では本当に健斗が小林を殺害したかどうかは、分からないわけだが。

それと、気になるのは健斗の、あのアパートの部屋だ。

彼はあそこで、ずっとパソコンにかじりついて何かを調べていたという。貴代には知られたくない何かを。むろん、不動産サイトで部屋探し、などという未来志向の話ではないのだろう。もっと後ろ暗い何か。彼の人間性の根幹に関わる、何か——いや、実際に確かめてみたら、ほんとに下らない趣味か何かなのかもしれないけれど。

管理人にいって、ちょっと開けて見せてもらおうか。それでなくとも、今日でもう六日も連絡がとれなくなっている。ひょっとしたら留守ではなくて、室内で亡くなっている、というケースだって考えられなくはない。よし、ダメモトでやってみよう。

そう決心し、岩城ハイツへと戻る道を急ぎ始めたときだった。

向こうから、黄色いタクシーが走ってくる。対向二車線だが、実際にすれ違うには少々スピードをゆるめ、譲り合わなければならないような幅の道だ。すれ違わずに一台で走っていくにせよ、住宅街で信号のない交差点も多いため、そもそもスピードはあまり出せない。そのタクシーもそうだった。せいぜい三十キロとかそれくらい。運転手の顔も、後ろに乗っている客の顔も、見ようと思えば充分見えるスピードだ。

なぜ、それを見ようと思ったのか。それは玲子にも分からない。ただ、なんの気なしに目を向けた。すると、後部座席に知った顔があった。一瞬、誰だか思い出せなかったが、吊り上がった目が印象的で、それを脳内で言語化するや否や、思い出した。

吊り目の女。健斗の、アパートから出てきた女――。

むろん、追いかけようとは思った。しかし、いくらゆっくりとはいえ相手は自動車、玲子が履いているのはローヒールだがパンプス。走って追いつけるものではない。そんなことを思っているうちに、タクシーは角を曲がっていってしまった。

あの女、まさか、また健斗の部屋に入ったんじゃ――。

胸騒ぎがし、岩城ハイツへと急いだ。だが、着いてみてから気づいた。このアパートには管理人がいない。どこに連絡したらいいのだろう。

二階に上がる階段下の郵便受けを見にいくと、その側面に管理者連絡先と書いたシールが貼ってあった。スズキ、とあるが、管理会社や不動産屋の担当者だとしたら、今日は日曜。やっていない可能性がある。出ないかもしれない。だが実際にかけてみたら、スズキという人は近所に住んでいる大家らしく、警察だと名乗って簡単に事情を話すと、すぐに鍵を持っていくといってくれた。

十五分ほど部屋の前で待った。電話に出たのは年配の女性だったが、きてくれたのは六十代と思《おぼ》しき男性だった。

「すみません、スズキさんですか」

「ああ、ええ……おたくが、お巡りさん？」

確かに、私服刑事であることは伝えていなかった。説明不足を詫びながら手帳を提示する。スズキ氏は納得した顔で、じゃあ早速と一〇二号のドアに向かった。令状はなくても案外イケるもんだな、などと思いつつ、彼が鍵を開けるのを玲子は見守った。

そして、カチャン、とロックが解けたところで声をかける。

「あの、スズキさん……万が一、ということがございますので……いや、現状では六日ほど連絡がとれないというだけですが、仮に何かあった場合、スズキさんの指紋等はない方がいいので、ここからは私にいかせてください。ご面倒ですが、スズキさんはここから、見ていていただけますか」

「ああ、はい……承知しました」

玲子はその場で白手袋を着け、慎重にドアノブに触れた。ひょっとしたら例の女の指紋が残っているかもしれないので、できるだけ握りの部分には触らず、不器用なようだが根元の方と、手前の縁の部分を、両手でつまむように持って回した。

かなり力が要ったが、なんとかドアは開いた。いきなり腐臭が漏れてくる、という可能性も頭の隅にはあったが、漂い出てきた空気は少々埃臭い程度で、腐乱死体がある現場とは明らかに異なっていた。

安堵しつつドアを全開にする。あとで違法捜査云々をいわれても最低限の言い訳はできるように、公開性を確保しておく。

靴カバーはさすがに携帯していないので、パンプスを脱いで上がった。入ってすぐ左手がキッチン。くすんだステンレスの流し台。焦げがこびりついたコンロには、冗談のように古めかしい金色のヤカンが載っている。奥の和室は六畳程度。窓にはきっちりカーテンが引かれているため、午前中だというのにひどく暗い。中央に布団が敷いてあり、その足元にはローデスク。ただし、卓上には何も載っていない。

健斗は、パソコンを持って逃げたのか——。

厳密にいうと、ローデスクの上には取りはずされたマウス、マウスパッド、数本のケーブル、天板の下には外付けのハードディスクか、インターネット用モデムのようなタワー型機器が残っていたが、肝心の、パソコン本体があったであろう卓上のスペースはぽっかりと空いている。懐中電灯を出して照らしてみると、やはりそこには埃があまり溜まっていなかった。大きさでいったら、ちょうどA4ノートくらいだろうか。

健斗はなぜ、パソコンを持って逃げたのだろうか。

逃げるのに必要な情報収集ツール、というだけならば、今や携帯電話の方がよほど便利だろう。じゃあ、他に意味を見出すとしたら、やはり証拠隠滅だろうか。小林殺しに繋がる何かがそのパソコンには入っていたが、消去する時間がなかったので持ち出した、とか。

いや、それは違うか。小林殺しに使われたのは、刃物で滅茶苦茶に斬りつけるという古典的な、実に雑な手口だ。パソコンの情報だけ隠蔽《いんぺい》してみたところで、現場をあれだけ血塗れにして逃げてしまったら意味がない。

それと、あの女だ。ひょっとしたら、彼女は健斗に頼まれて、この部屋に何かとりにきたのかもしれない。パソコンかもしれないし、現金かもしれないし、もっと重要な何かかもしれない。

それとなく室内を見回してみる。脱ぎ捨てられたジャンパー、Tシャツ、ジーパン。大きな袋に溜められたゴミは、弁当の空き容器、ペットボトルなど、男の一人暮らしとしてはごくありふれた内容に見えた。

もっといろいろ調べたいのは山々だったが、令状もなくできることといったらこれが限界だろう。

玲子は納得したように振る舞いながら玄関に戻った。出る前に一応、台所脇のドアも開けてみた。トイレと風呂。ユニットバスではない。壁はタイルで、浴槽の向こうには風呂釜がある、これまた実に古いスタイルだ。むろん、中は無人だった。

「……ありがとうございました。特に、何かあったわけではなさそうですね」

「ええ。そのようですな」

スズキ氏は拍子抜けしたような顔で部屋の鍵を閉めた。

住宅街を吹き抜ける風が、やけに冷たかった。


スズキ氏に、近くに銭湯はないかと訊いてみた。すると、真っ直ぐいって二つめの角を曲がった左手に「月の湯」というのがある、と教えてくれた。

近くのコンビニで替えの下着を買い、夕方になるのを待ってからいってみた。

場所はすぐに分かった。入り口は外装も内装も新しく、清潔な感じには好感が持てた。

番台でタオルとシャンプーセットを購入。用意ができたら浴場へ。

全身を湯気に包まれる感じが、なんとも懐かしい。軽く体を流し、南浦和の実家とは違う匂いのするお湯で髪を濡らす。シャンプーもコンディショナーも好みのものではなかったが、そこは我慢。そもそも、日曜の明るいうちから風呂に入っていること自体が贅沢なのだ。

丁寧に髪を洗いながら、思考はいつのまにか、また事件のことに引き戻されていく——。

貴代の話しぶりからすると、健斗はけっして粗暴な、腕力に自信があるタイプの男ではない。バイトもマンガ喫茶の店員。自室ではパソコンの前から離れないズボラな青年。それが刃物を用意していたにせよ、暴力団員である小林充に向かっていくのには、相当の勇気と覚悟が要《い》ったはずだ。

それと、復讐に至るまでの時間。健斗と小林は、どういう関係でこの九年という歳月を過ごしたのだろうか。まったく接触もない九年だったのか。それとも、健斗は小林の動向をずっと見張っていたのだろうか。だとしたら、九年という年月には意味がないように思える。もっと早く殺《や》るチャンスもあったはずだからだ。そうではなくて、九年経って、偶然どこかで再会したのか。それを機に健斗の怒りが再燃し、犯行に至ったのか——。

体まで洗い終わり、湯船に浸かってもまだ考えに耽《ふけ》っていたら、のぼせてきてしまった。長風呂は決して嫌いではないが、ちょっとここのお湯は熱いし、何しろ室温が高い。もう限界だ。

脱衣場に出て服を着たら、しっかり髪を乾かす。単独捜査中に風邪なんかひいたら「恰好悪い」では到底済まない。

あとは、風呂上がりの一杯だ。腰に手を当ててリンゴジュースを飲み干したら、

「……ありがとうございました」

番台の老婆に見送られて銭湯を出る。車に戻る途中で、健斗の部屋に架電。岩城ハイツ前に着いたら、呼び鈴。携帯にもかけてみたが、いずれも無反応。

車に戻り、気持ちも新たに張り込みを続行。だが、すでに玲子の中には疑問も生じていた。ここで見張っていても、健斗には会えないのではないか。あの吊り目の女も、もう今日は

こないのではないか。意味があるのか、こんな張り込みに。そもそも、健斗が犯人って、どこまで信憑性のあるタレ込みなんだ――。

シートを倒したり、靴を脱いで胡坐をかいてみたり。いろいろ体勢を変えながら、じっと岩城ハイツを見張り続けた。今夜何も動きがなかったら下井に連絡をとって、いったん捜査本部に帰ろうか。そんなことも考えていた。その代わりといっては何だが、葉山に一本メールを打っておいた。

【お疲れ。今日も帳場には帰らないけど、心配しないように。何かあったらいつでも連絡してください。玲子】

別に菊田に送ってもよかったのだけれど、なんだかそれはしづらかった。理由は――あまり深く考えたくない。

いい加減お腹が空いてきたので、またコンビニに買い物にいった。贅沢をするつもりはない。カロリーメイトか何か。死なない程度の栄養補給ができればいい。

だが、コンビニに着く直前に携帯が震え始めた。ポケットから出してみると、ディスプレイには「今泉春男」と表示されている。

熱気と冷気が、ごっちゃになって体内を駆け巡った。

下井は、今泉にも言い訳はしておくといってくれた。だから、それについては考えないようにしていた。ただ、命令に背いて柳井健斗について調べている、という後ろめたさはやはりある。と同時に、理由もいわず柳井健斗を調べるなと下命した今泉に、軽い失望も覚えていた。

「はい、もしもし」

今泉は、最初に何をいうだろう。低いダミ声で、単独行動を咎《とが》めるだろうか。それとも、思いきり怒鳴るだろうか。

『……姫川』

意外なほど、今泉の調子は静かだった。

「はい」

『今すぐ、戻ってこい。仁勇会の……藤元が殺された』

冷たい風が音をたて、すぐそばを吹き抜けていった。

5

葉山はその日、六龍会の幹部構成員、塚田芳文《つかだよしふみ》の、十二月十七日の行動について調べていた。

塚田と竹嶋和馬は暴走族時代からの付き合いで、今でこそ塚田は竹嶋の舎弟ということになっているが、実際は五分の兄弟と変わらない間柄なのだといわれている。

なんでも、塚田は昔から手のつけられない暴れん坊で、それをギリギリのところでコントロールしていたのが竹嶋だったらしい。竹嶋が手綱《たづな》を握っていれば大人しいが、離した途端、塚田は標的に噛みつきにいく。由来は定かでないが、当時の渾名《あだな》は「ケンケン」。そんな関係は今現在も変わっておらず、竹嶋が小林を消すのに誰を使ったかといえば、それは塚田をおいて他にはいないのではないか――組対四課の一部は、そういう見解を示していた。

だが葉山の組が調べた限り、十七日の塚田は、少なくとも小林殺しに直接は動いてなさそうだった。

午前中から住居近くのパチスロに出かけ、玉の出が悪いと散々店員に悪態をついてから店を出、行きつけの蕎麦屋で三時頃まで飲食。夕方の行動は確認できなかったが、夜七時には歌舞伎町のペットホテルに顔を出し、そのまま夜中までいたことが分かっている。塚田は大の犬好きで、何かとこの店に入り浸っては、頼まれもしない雑用をしたりしているらしい。この夜も複数の客が店で塚田の姿を目撃している。特に小林の死亡時刻と見られる二十一時前後は客も多く、塚田は数組の客に対し、ペットフードや雑貨の商品説明という、接客業務に近いことまでしている。

十七日の塚田に、小林を殺すことはできない。

葉山は二十五日夜の捜査会議で、そのように報告した。

会議終了後は高円寺の六龍会事務所に向かった。竹嶋和馬の行動確認を行っている菊田の組と交代するためだ。

ちょうど六龍会事務所の入っているマンションの前でガス工事が行われており、菊田の組はその工事車両に交じって、堂々と道端に捜査用ＰＣ（覆面パトカー）を停めて六龍会事務所を見張っていた。

助手席の窓を叩く。どうも、と口の動きで示すと、菊田は後ろに乗れと親指で指示した。

「……お疲れさまです。どんな感じですか」

先に葉山が乗り込み、あとから相方の中野署員も入ってドアを閉める。ちなみに運転席にいる菊田の相方も中野署員だ。

「どうもこうもねえよ。なんの動きもねえよッ」

周りがうるさいので、自然と声は大きくなる。

菊田もそれが嫌だったのだろう。苛立った表情で表を指差し、葉山に外に出るよう促した。

頷いてドアを開け、車の後ろを回って菊田に並ぶ。

工事現場から神社の方に歩き始めると、菊田はポケットから携帯を出し、表示を確認してすぐにしまった。

ようやく、普通に会話ができそうなところまできた。

「……ノリ。お前んとこ、主任からなんか、連絡きてるか」

そう。実はさっき、珍しく姫川からメールをもらったのだ。大した内容ではなかったが、同じタイミングで菊田のところにもきているかどうかは——葉山はともかく、少なくとも菊田にとっては、大きな問題であろうと察せられた。

「菊田さんのところには、きてますか」

太い眉の間に溝が刻まれる。

「いや、一昨日もらったきり、ないんだ。心配するなって書いてあったけど……そんなの無理だろう」

なんだ。一応きてるんじゃないか。それとも、毎日もらわないと気が済まないのか。

まあ、状況が状況なので、心配するのも分からなくはないが。

あえてこちらから訊いてみる。

「主任……例の、タレ込みの件を当たってるんですかね」

首を傾げながら、菊田は道端の販売機の方に向かっていった。

「ノリ、何がいい」

「ああ、すみません……じゃあ、同じもので」

菊田は微糖の缶コーヒーを二回押し、葉山がしゃがんでそれを取り出した。プルタブを引くと、菊田が乾杯のように缶を差し出してくる。お疲れさまです、と軽く当てておいた。

ぐっとひと口飲み、合わせたようにひと息つく。

菊田は、一度首を振ってから話し始めた。

「……俺さ、ときどき、分かんなくなるんだ。いや、ほんとは、ときどき分かる、って程度なのかな……主任がさ、何考えてんのか、分かんなくなるんだよ」

それは男と女の話か。あるいは、主任と係員という関係においていっているのか。

「そりゃ、分からなくもなりますよ。もうかれこれ、三日も顔を合わせてないんですから」

その間に自分たちは、組対に牛耳られた帳場で駒のように扱われ、今も意味があるのかどうか分からない張り込みに駆り出されている。

「いや、そういうこっちゃなくてよ……主任って、なんつーか、こう、どこ見てるか分かんないような目つき、するだろ。あれが怖いんだよな……っていうか、心配なんだよ」

どこを見ているか分からない目つき、ではなくて、明らかにあなたを見ていない目つき、ではないですか、とも思ったが、むろんそんなことは口に出さない。

逆にいうと、葉山は菊田の考えより、姫川の考えの方が読めるときがある。今が、まさにそうだ。

姫川は例のタレ込みの線を当たっている。それはおそらく間違いないだろう。そしてそれは一定の成果をあげている。だが今回のこれは、タレ込みが正解であってはならない、という微妙な案件だ。だから姫川は、普段はわりとなんでも隠さず話し合う班員にすら、今回は連絡をとらない。メールで「心配するな」というだけで、それ以上話をしようとしない。それは責任問題に発展したときの予防線なのかもしれないし、あるいは単に、情報管理のための沈黙なのかもしれない。

　こういう場合、自分たちはどうすべきか。

　葉山は、このまま組対の駒となって、本部捜査員として職務に徹すべきだと思っている。それが姫川の行動を直接容認する免罪符になるとは思わないが、少なくとも、組対四課員の溜飲《りゅういん》を下げる効果はあると思っている。自分たちがへいこらしていれば、組対の連中は得意になって、六龍会や仁勇会の線を当たり続けるだろう。

　だが、この線からは何も出てこない。根拠はないが、なんとなく葉山はそう感じている。だからこそ、なのだ。組対が的外れな捜査をしている間に、姫川が何か持ち帰ってくれればいい。それまでは自分たちが帳場を守る。姫川が帰ってきたら、即座に動ける態勢を整えておく。既存の情報を充分に整理、管理しておく。それが今の、姫川班メンバーに与えられた仕事だと思っている。

「……無茶してなきゃ、いいけどな」

　菊田は、溜め息交じりに、そんなことを呟いた。

　あなたが思っているほど、姫川主任は弱い人ではありませんよ――。

　だがそれも思っただけで、口に出しはしなかった。お前に主任の何が分かる、といわれたら、返す言葉がないからだ。

班員で、姫川と最も付き合いが長いのは菊田と石倉だ。次が湯田で、葉山が一番短い。個人的な話もあまりしないため、確かに姫川のことをよく知っているとは言い難いし、姫川も葉山のことはよく知らないはずだ。

ただ、なんとなく最近は、それでいいのではないかと思い始めている。個人的なことはさほど知らなくても、葉山は主任警部補としての姫川を尊敬しているし、彼女もまた、一捜査員として自分のことを評価してくれているように思う。具体的に何というのではないが、話をするときの目に、ある種の、敬意のようなものを感じる。ちゃんと、自分という存在を認めてくれている、尊重してくれている。今の葉山には、それだけで充分だった。

「あっ……」

菊田がそう呟き、ポケットに手を入れた。姫川からメールでもきたのだろうか。

いや、そうではなさそうだった。

菊田は緊張した面持《おもも》ちでボタンを押し、携帯を耳に当てた。

「……はい、お疲れさまです……はい、まだこっちに、一緒にいますが……ハァ？」

声を裏返し、また眉間《みけん》に皺を寄せる。

「はい……はい、分かりました」

電話を切り、難しい顔のまま、葉山を見る。

「何か、あったんですか」

ああ、と菊田は頷いた。

「仁勇会の、藤元英也が、殺されたってよ」

そんな、まさか――。

6

そのとき、牧田は六本木「シルク」の姉妹店に当たる、渋谷の「ヴェルヴ」で飲んでいた。とうに十二時も回り、クリスマスも昨日になった頃、

「ちょっと、すんません……はい、もしもし」

川上が携帯を耳に当て、口を囲いながら席を離れていった。どうせどこか別の店の女が、売り上げが寂しいからきてくれとかいってきてるんだろう。そんなふうに高を括《くく》っていたが、数分して戻ってきたときの川上は、泣き笑いというかなんというか、実に形容し難い表情をしていた。

「どうした」

川上は答えず、代わりに周りにいた四人の女を見回していった。

「……ちょっと、はずしてくれ」

なんだかよく分からなかったが、牧田が一番年嵩《としかさ》の女に頷いてみせると、四人は「それじ

やあ」と口々にいいながら席を離れていった。

「……どうした。なんかあったのか」

川上はすぐ隣に座り、喉を鳴らして唾を飲み込んだ。

「兄貴……落ち着いて、聞いてください」

「俺は落ち着いてるよ。お前こそ落ち着け」

はい、と川上は頷いた。視線は、テーブルにあるアイスペールの辺りに向けられている。

「あの……藤元さん、が……亡くなられました」

「あ？」

辺りの喧騒《けんそう》が、ふいに、遠くなったように感じられた。

藤元が亡くなった。その言葉の意味を、どう解釈していいのかが、分からない。

「ふじ、もと……兄貴の……誰が？」

女房子供、親兄弟。死ぬかもしれない「藤元」は決して一人ではない。

「いえ。藤元、会長、ご本人が、亡くなられました」

藤元英也が、死んだ――。

死因として、最も自然なケースを考える。

「……事故か」

川上は即座にかぶりを振った。

「……殺された、らしいです」

二番目に自然なケース――。

「誰にッ」

思わず声が大きくなった。

少し離れた席の客までが一斉にこっちを見る。

川上は「分かりません」と、またかぶりを振った。

「ただ、浜松町のマンションで、撃たれたらしいと」

浜松町のマンションといったら、藤元が気に入りの女と会うのに、ホテル代わりに使っていた部屋のことだろう。ときには自作のAVを撮ったり、女を何人も集めてドラッグパーティを催したりもしていた。

川上は続けた。

「一時間ちょっと前のことだそうです。時間になって、若いもんが車で迎えにいったら、もう警察がきてて……銃声を聞きつけた住人が、通報したようです」

なんてこった――。

「兄貴、とりあえず、事務所に帰りましょう」

返事もままならず、牧田は無言で腰を上げるので精一杯だった。

百人町の事務所に帰ると、幹部四人と数名の子分が待機していた。

「会長」

まず駆け寄ってきたのは若頭の島本《しまもと》秀彦だ。

「ちょっと、マズいことになりました」

「……ああ」

どういう経緯かは分からないが、石堂組が大きな柱を失ったことだけは間違いない。これ以上マズいことはない。

だが、島本がいうのは、ちょっと意味が違うようだった。

「野際《のぎわ》さんが今えらい剣幕で、会長はどこにいるって電話してきて。こっちに向かってるっていったら、すぐいくから待ってるようにいえって……」

野際は仁勇会の若頭。牧田にとっては甥に当たる筋の人間だ。それが、待ってるように「いえ」とはどういうことだ。

「なんでえらい剣幕なんだ」

川上が訊くと、島本は小さく首を傾げた。

「とにかく……えらい剣幕でした」

実際に野際がきたのは、もう午前二時になろうかという頃だった。

乱暴に事務所のドアを開け、子分二人を伴って入ってくる。確かに顔は赤鬼、よく見たら角も生えていそうな形相《ぎょうそう》だ。

「……牧田の叔父貴、こりゃあ一体、どういうことです」

低く押し殺した声。まだ、最低限の理性は失っていないと見ていいか。

「そりゃこっちが聞きてえよ。何があった」

血走った目が一層大きく見開かれる。

「……三原の叔父貴に聞きましたよ」

鉄男から？

「何をだ。その前に、こっちは兄貴がやられたって聞いて、すっ飛んで帰ってきたところだ。まず事情説明くらいあったっていいだろう」

野際は瞬《まばた》きもせず、ヘッ、と鼻で笑ってみせる。

「事情説明？　何を……すべてお見通しでしょう。ご自身で描かれた絵図だ。裏の裏まで、よくご存じのはずだ」

駄目だ。思ったよりできあがっちまってる。

「ちょっと待てよ。鉄男に何をいわれたか知らねえが、俺は無関係だぜ。そもそも、俺が兄貴に何をするってんだ」

「ほう、とぼけますか……昨日の会議で、三原の叔父貴が親父に喰ってかかったのは周知の事実。ネタはアレでしょう。上馬の、環七工事の一件……そのあと、三原の叔父貴と喫茶店で話したそうじゃないですか。直接聞いたんですよ、三原の叔父貴に。牧田の叔父貴は、うちの親父を抑えるいい考えをお持ちだったとか」

「だったらなんだ。それで俺が兄貴をバラしに動いたってのか」

「違うんですか。違うんなら、今ここでその証《あかし》を見せてください」

「無茶いうな。お前、自分が何いってるか分かってんのか」

野際が、ぐっと奥歯を嚙み締める。

「分かってますよ……納得できる説明なしに、生きて帰れないことくらいはね」

クソ。埒《らち》が明かない。

「オメェ、早とちりもいい加減にしろ。俺が藤元の兄貴をバラしてなんの得になる。え？むしろ俺は、周りが見えなくなってる鉄男を抑えにかかったんだぜ。それもこれも、石堂組を分裂させないためだ」

「だからこそ、親父が邪魔になった」

「なんでそうなるッ」

思わず、牧田は近くにあった机に拳を落とした。

「藤元の兄貴は、石堂組にはなくちゃならねえ人だ。そりゃ、俺だって兄貴が、奥山会長と懇意にし過ぎるのはどうかと思ってたさ。けどな、それとこれとは別問題だ。俺は藤元の兄貴に、もっと石堂組の中に目を向けてほしかった。それだけだ」

「じゃあ、お訊きしますがね……三原の叔父貴に喋った、うちの親父を抑えつける妙案ってのは、一体なんだったたんですかね」

「いちいち変な言い方をするな」

「私も又聞きなんでね、一字一句違わずってわけにゃいきません。だからこそ、ここではっきりとお教えいただきたい。……牧田さん、あなた、何を以て、うちの親父を抑えようとしていたんですか」

それは、今ここでは説明できない。

「あれは……方便だ。鉄男を抑えるための」

「方便？　石堂組分裂の危機を、舌先三寸で見事に回避したと……へえ。こいつぁあ驚きだ。さすがは仲裁上手の牧田さんだ。こりゃ、四代目もさぞお喜びになるでしょう」

そう、それが一番心配だ。

入院中の石堂組四代目、石堂神矢組長がこの一件を耳にして体調を崩しでもしたら。石堂組は、本当に終わりになってしまう。


翌朝八時。川上を連れて石堂の入院している港区内の病院にいくと、すでに石堂組幹部の大半が病室前に顔をそろえていた。

相談役の山崎恒《やまざきひさし》。舎弟頭、安藤信孝《あんどうのぶたか》。若頭補佐、三原鉄男、永峰亮一《ながみねりょういち》、川田敬次《かわだけいじ》、磯辺《いそべ》

辰郎《たつろう》。それぞれ一人ないし二人の子分を連れてきているものだから、面会時間前だというのに病室前の廊下は異様な混雑状態になっていた。しかも、全員がいい年をした極道。よほど肝の据わったベテランナースでも出てこない限り、この状況は整理できないに違いない。

牧田がなんとなく周囲に頭を下げると、奥の方から三原が出てきた。

「兄弟、ゆうべはすまなかったな。野際が」

「ああ、いきなり頭ごなしに、ガツンとやられたぜ。下のもんのいる前でな……藤元の兄貴の件じゃなかったら、首の一本や二本、へし折ってやるところだ」

「野際のか」

「お前もだ」

普段なら笑いながら首を絞めてやるところだが、ここは病院。しかも昨日兄貴分を亡くしているとあらば、そうもいかない。

相談役の山崎がこっちを向く。

「……勲、こらぁ一体、どういうことなんだ」

山崎は石堂の弟分。

「お世話になってます……叔父貴、それが、俺たちにもさっぱり分からねえんです」

「お前と鉄男が、英也と揉めてたって、もっぱらの噂だが」

思わず、三原と目を合わせた。三原がまず「滅相《めっそう》もねえ」と手を振って否定する。

「そりゃ、とんだ誤解ですよ。叔父貴……」

「ええ。揉めたっていっても、シノギの話です。そんなことで疑われちゃ、俺はともかく、鉄男は可哀想……」

ふいに場の空気が変わったのを感じた。病室の方を見やると、少しだけ開いた戸口から石堂の妻、光子《みつこ》が顔を覗かせていた。むろん、周りにいた者はみな両手を膝につき、頭を下げている。

牧田も三原も、慌てて同じ姿勢をとった。

「……勲。ちょっと、入ってやってちょうだい」

もともとハスキーな方だが、今日の光子はいつにも増して声が嗄れていた。まだ六十代のはずだが、声だけ聞いたら七十代の男だ。

「はい」

いま石堂に会うのは怖くもあり、だが顔が見られるというだけで嬉しくもあった。

「失礼します」

戸口から見ると右手。石堂はほんの少しベッドを起こして、こっちに顔を向けていた。点滴の類は、今日はない。

光子に促されるまま、ベッドの脇まで進む。光子が、後ろの方で戸を閉める。

「……親父、おはようございます」

石堂の顔色は、決して良くはなかった。やや黄色がかった肌はいくぶん浮腫《むく》んでおり、そのせいか生のパン生地を連想させた。触ったら、跡がついてしまいそうな頼りなさだ。頬やこめかみのシミも、以前より少し濃くなったように見える。

「勲……」

濁った黒目と目線を合わせる。よく聞こえるよう、少し前屈みになる。

「はい、なんでしょう」

「……英也の、それは……どうなんだ」

唾が糸を引く唇から、ようやくそれだけ聞きとった。

「はい……すんません。今んところ俺にも、何がなんだか……こっちが手を入れる前に、マンションの住人が通報しちまったらしくて……今現在、仁勇会の事務所にはすべて、警察が張りついてますし、ゆうべの二時頃に会ったきり、野際ともう連絡がとれません」

ほとんど、胸も上下させない細い息。パジャマの襟元には、くっきりと浮き出た細い骨が見えている。

「……撃たれた、ってのは……」

「ええ、本当のようです。それを住人が聞きつけて、ということらしいです」

「……心当たりは……」

「すんません。今のところ、まったく」

いったん、深く息を吐き出す。その饐《す》えたような臭いが、悲しく、また愛《いと》おしい。

「……分かってるな……勲」

「は」

「……英也が、駄目なら……跡目は、お前だ……」

その話なら、以前にも聞かされている。

「しかし、親父……俺じゃ、石堂の看板は……それなら、鉄男か、亮一に」

かぶりを振る代わりだろうか。石堂はいったん、生乾きの唇を結んだ。

「……鉄男、は……駄目だ。大所帯を、まとめる……器じゃ、ねえ……亮一も、駄目だ……あいつぁ……気が小せえ……」

「しかし、親父」

「お前だ、勲……お前しか……いねえ」

いつのまにか、光子が隣にきていた。

「……勲、聞いてやってちょうだい。この人は、盃以上のものを、あんたには注いできたはずだよ」

これには、頭を下げざるを得ない。四代目自身が、初代組長石堂天馬の養子だったせいもあるのだろう。牧田は実の子以上に、この夫婦には可愛がってもらった。

「それは、重々……しかし、跡目の話は別です」

「別じゃないよ、勲。英也が、奥山さんとって話を耳にしたときに、もうこの人の肚は決まってたんだ」

違う、逆だ。石堂と自分の関係がこうだから、藤元は奥山に傾倒していったんだ。

「……頼むぞ、勲……早く、俺を、楽にしてくれ……」

駄目だ。これだけは、そう簡単に頷けるものではない。


そもそも牧田は、生まれも育ちも極道とは無縁の人間だった。

父親は町の土建屋の社長。そこそこ手広くやってはいたが、それでも大金持ちというほどではなかった。

牧田自身も高校に通う傍《かたわ》ら、夏休みなどには必ず「バイト」と称して仕事を手伝わされた。当時から体も大きく、腕力もあったため、最初こそ「大きな坊ちゃん」などとからかわれたが、すぐにそれも「若」に改められ、次第に重宝がられるようになっていった。父は大学、せめて建築の専門学校に進んでほしかったようだが、ご多分に漏れず勉強が苦手だったため、そのまま「株式会社マキタ」に就職し、現場に出た。

仕事は官庁物件と民間物件が半々くらいだった。官庁物件といっても学校の改修工事などが多く、大規模な道路工事に絡むことなどは滅多《めった》になかった。民間でも、小さめのマンションがやれたら御《おん》の字という按排《あんばい》だった。

だが、牧田が就職して初めての夏のことだ。

板橋区四葉《よつば》に作られる新興住宅地の造成を一手に請け負うことになり、社員一同、これで大儲けができると沸き返った。時代でいえばまだバブル前夜といった頃で、これほど大きな物件は会社が始まって以来のことらしかった。

職人や現場監督を大幅に増やし、新規に重機のリース契約もし、地元の金融機関には融資を頼んで回った。

ところが、この話は土壇場になって引っくり返された。土壇場というか、建築主でもある親会社とは契約まで済んでいるのに、いきなり「マキタさんは抜けてくれ」といわれて、着工直前になってはずされたのだ。

理由はすぐに分かった。マキタのあとに入ったのは大西《おおにし》土木。白川会《しらかわかい》系暴力団、徳永《とくなが》一家がバックについているという噂の、業界でも悪評の高い業者だ。大西土木が暴力を後ろ盾にした圧力で、四葉の現場に割り込んできたのは誰の目にも明らかだった。

怒り狂った父は親会社に怒鳴り込み、契約不履行で訴えてやると騒ぎ立てた。最初は先方も、違約金を支払う形での示談を持ちかけてきたが、金額に不満があった父はこの話にも乗らず、結局は法廷で争うことになった。

その、裁判日程が決まる直前だった。

父は近所の公園で、何者かに金属バットのようなもので殴打《おうだ》され、帰らぬ人となった。犯人は捕まらなかった。それだけではない。それ以外にマキタが請け負った仕事も次々と大西土木に奪われ、横槍を寄せつけなかった心ある建築主の現場では、徳永一家の人間による執《しつ》拗《よう》な嫌がらせを受けた。

そんな生活が半年も続き、母は首を吊って自殺。妹はある日突然行方不明になった。

マキタはすべての現場を失い、解散同然の状態になった。

牧田自身は、くる日もくる日も妹を捜して東京中を歩き回った。だが、見つからなかった。

キャバレーも風俗店も手当たり次第に当たったが、手がかりすら掴めなかった。

その代わり、別のことはよく分かった。

大西土木の社長、井川良和《いがわよしかず》。

徳永一家総長、徳永晃《あきら》。

聞けば徳永の妻が井川の姉という関係で、二人はまさに義兄弟。井川は暴力団員ではなかったが、仕事の受注に徳永一家が影響を及ぼしているのは明らかだったし、その見返りとして井川が徳永に金を渡しているであろうことも容易に察しがついた。徳永にとって大西土木は企業舎弟、今でいうフロント企業だった。

家族も会社も失くした牧田には、もはや井川と徳永に対する怒り以外、何も残っていなかった。

だから、殺した。二人まとめて。肩を組んで銀座のクラブから出てきたところを、刺身包丁で。

まず徳永の心臓をひと突き。返す刀で、慌てふためく井川の喉笛を真横に掻《か》っ捌《さば》いた。摑みかかってきたボディガードたちは、殺しはしなかったが、ことごとく蹴散らした。まるで相手にならなかった。自分でも不思議なくらい、このときの牧田は無敵だった。

牧田は血塗れのまま、街角の交番に自首した。

未成年だったため、結果的には六年服役しただけで、出所することができた。

その、少年刑務所の門を出たところで待っていたのが、のちの石堂組四代目組長、石堂神矢だった。

「……君が、牧田、勲くんか」

後ろにはシルバーのベンツが停まっており、左右に一人ずつ子分がいた。そのとき右側にいたのが、三原鉄男だ。だが牧田に名刺を渡しにきたのはもう一人の方だった。石堂神矢という名前も、石堂組の存在も、その名刺を見て初めて知った。この当時の肩書きは、まだ若頭補佐だった。

「そんな、怖い目で睨むなよ。ご覧の通りの極道だが、君の殺した徳永とは立場が正反対でね……私は、ああいう曲がった野郎が大嫌いだ。いつかぶち殺してやろうと思ってたんだが、あいにく君に先を越されてしまった」

そういって、大きく口を開けて笑った。かつて現場を共にした、大人の職人たちの笑い方と似ている気がした。

「仮出所ってことは、身元引受人は決まってるのか」

一応、牧田は頷いてみせた。マキタの番頭格だった社員が、進んで世話役を買ってくれていた。

「そうか……私は、君みたいな、真っ直ぐな男が大好きでね。ぜひ会ってみたいと思っていた。君が出てくるのを、今日か明日かと、心待ちにしていたんだ」

悪い冗談にしか聞こえなかった。ヤクザを殺した自分のような男に、同じヤクザが会いたがるなんて。出所の日に、わざわざ刑務所の前で待っているなんて。

「世間の風は、前科者には何かと冷たいぞ。徳永一家の残党だって、何かちょっかいを出してくるかもしれない。私はね、そんなことで君の、その真っ直ぐな心根を曲げてほしくはないんだ……いや、何も、うちの組に入れとはいわない。たまに飯を食ったり、酒を飲んだり……そういう付き合いをしようじゃないか。それで、君が何不自由なく暮らせていると分かったら、私はそれでいい。なんの不満もない……ただ、何か困り事が出てくるようだったら、そのときは意地を張らずに、相談してほしい」

急に、名刺をくれた子分が黒いコウモリ傘を開き、石堂の頭上に差し向けた。ほぼ同時に鉄男がベンツの後ろに走り、トランクの中から同じような傘を出して、牧田に持ってきた。

「……どうぞ」

確かに、ぽつんぽつんと顔に当たるものがあった。出てきたときは晴れていたのに、そのときにはもう、薄黒い雲が頭上に広がりつつあった。

「すみません……」

唯一の荷物、スポーツバッグを地面に置いて傘を開く。

まもなく、大粒の雨が地面を叩き、黒く濡らし始めた。周りの景色は煙《けぶ》ったように霞んでいった。

二人の子分はびしょ濡れになった。なんだか申し訳ない気がした。

石堂が傘の柄を掴み、顎でしゃくると、今度は傘を広げた子分が牧田のところに走ってきた。

懐から小さな茶封筒を出し、牧田に押しつける。

「……すんません、ちょっと、濡れてしまいました」

手渡したら回れ右。またもとの位置に走って戻る。

石堂が、にっこりと笑った。

「少ないが、出所祝いだ……今日のところは、私はここで失礼する。一人にして悪いが、それで何か美味いもんでも食ってくれ」

そういうと、石堂は片手を挙げながらベンツに向き直った。傘の子分が後部座席のドアを開け、鉄男が運転席に回った。ドアを閉めると、傘の子分は牧田にお辞儀をしてから助手席に乗り込んだ。

この出会いの二年ほどのち、牧田は石堂から親子の盃をもらうことになった。元徳永一家の者だと名乗る男に喧嘩を仕掛けられたこともあった。だが牧田は、それが原因で石堂のもとに逃げ込んだわけでは決してなかった。つらくても、寂しくても、絶対に一人で生き抜いてみせる。そういう覚悟はあった。それが、恨んだ相手とはいえ、二人の人間を殺した自分に唯一許される生き方だと思っていた。

だが、どうしようもなく、惚れてしまったのだ。

石堂神矢という男に。

石堂は、確かに極道ではあったが、出会ったときの言葉通り、曲がったことをしない、いい意味で昔気質《むかしかたぎ》の任侠道に生きる漢《おとこ》だった。

美味いものもずいぶん食わせてもらった。たまには子分を連れず、ふらりと一人で牧田のアパートを訪れては、朝まで二人でコップ酒を酌み交わすこともあった。そんなときは必ず帰り際に、父と母の位牌に手を合わせていってくれた。

どれも短期ではあったが、堅気の仕事もいくつか紹介してもらった。職場を覗きにきては、いつも気さくに「元気でやってるか」と声をかけてくれた。

そんな中で、一番のきっかけとなったのは、やはり妹の問題だったろう。

石堂はどうやら、牧田の服役中から、妹の行方を捜してくれていたようだった。ある日、

「……勲、すまねえ」

やはり牧田の部屋で飲んでいたときに、ふいに話し始めた。

「奈津子《なつこ》ちゃんな……間に合わなかった。半年前に、亡くなってた……」

もう生きてはいないだろうと半ば諦めてはいたが、半年前まで生きていたと分かると、やはり会いたかったと思わずにはいられなかった。

石堂は詳しく語りたがらなかったが、牧田がしつこく訊くと、薬物中毒だったらしいと教えてくれた。そこに至るまでの経緯も、おおまかには聞いた。

「くだらねえな……昔は、組の上の方にいったら、なんでもできるようになるって、思ってたんだけどな……実際は、このザマだ。人捜し一つも、碌にでききゃしねえ。くだらねえよ……ヤクザもんなんてのは」

だが、逆にこのことで踏ん切りがついた。

妹は死んだ。保護観察期間も終えた。もう、自分を過去に縛りつけるものは何もなくなった。だったら、まったく新しい人生を生きてもいいんじゃないか。前々からいわれている親子の盃を受け、石堂のもとで生きてもいいんじゃないか。いや、そうしたい。石堂の役に立ちたい。そう、切に願うようにすらなっていった。

今も、その気持ちに変わりはない。石堂に組を継げといってもらえたのは嬉しいし、正直、

継ぎたいという気持ちもないわけではない。

ただ、組をまとめるには、親の意向だけでは駄目だ。相談役である石堂の兄弟分や、その他に四人いる若頭補佐の意向も汲まなければならない。特に牧田は遅れて入ってきた身だ。他の補佐役を差し置いて、親父がいっているからと、それだけで一歩前に出れば必ず禍根《かこん》を残す。

まあ、跡目の問題は、今日明日でどうにかしなければならないものではない。

むしろ、藤元が殺された。このことにどうケリをつけるかの方が、今の石堂組にとっては先決問題だ。

第四章

1

僕自身が小林より強い力を持つことは不可能だ。

じゃあ、奴を殺すために何をしたらいい。

小林より強大な力を持つ人間を、自分の側に引き入れるしかない。

でも、どうやって。一番手っ取り早いのはむろん金だが、現実的でないのもまた確かだった。小林を殺すのに一体どれほどの金が要るのかは想像もつかなかったが、少なくとも五十万や百万でないことは察しがついた。しかし、この頃の僕にはその五十万や百万もキツかった。いきなり大金を積んで、殺しの請負人を雇うのは無理だ。

まず、金を作る術を身につけなければならない。

肉体労働のアルバイトは、根本的に向いてない。大金を稼げるほどの博打の才能も、芸術的才能もない。ただ、情報収集に関してだったら、少々自信があった。機械類はもともと好きで子供の頃から弄っていたし、高校卒業後に就職した会社ではさらに最先端の技術を学んだ。

そんな中でも特に、警察情報。これならいけるんじゃないかと思った。

僕は以後六年の歳月を、この情報収集手段を確立するのに費やした。それを金に換えるのには、さらに一年を要した。

残念ながら僕が入手する情報の大半は、まったく価値のない、実にくだらないものばかりだ。誰かが金を出して欲しがる類のものではない。価値があるのは、はっきりいって万に一つ。山の中から砂粒一つを見つけ出すような作業を延々と繰り返す必要があった。

僕はそれを、ただひたすら、愚直にやり続けた。しかしそれも、慣れればある程度は効率が上がってくる。価値のある情報とそうでないものを嗅ぎ分ける嗅覚が、次第に身についてくる。

次に、そうやって抜き出した情報を高く買ってくれそうな人を探し始めた。まあ、最初はあまり上手くいかなかった。まず相手にされないし、情報の相場というのも僕には分かっていなかった。さらに情報というのは、明かしてしまったら価値がなくなってしまうが、ある程度は明かさないと値段の交渉もできないという厄介な商品だった。売り方にもひと工夫必要だった。

結局、一番金になりやすいのはガサネタだった。いわゆる家宅捜索に関する事前情報だ。中でも違法店舗の摘発や、薬物や拳銃の隠し場所へのガサ情報は高く売れると分かった。また刑事課より、組織犯罪対策課や生活安全課の人間の方が、どういうわけか口が軽いという特性もこっちには好都合だった。

買い手は、当然ヤクザだ。まず最初は味見させるつもりで、ただで情報を流してやる。おたくがケツを持ってる風俗店の何々、明日の夜二時頃にガサが入りますよ。用心した方がいいですよ。私は「若松《わかまつ》」という情報屋です。これが正しかったら、次からこういう情報を買ってもらえませんか。いえ、そんなに高くはないですよ。これくらいの規模のガサなら、三十万でどうですか。

この売り方で金を作るには、少なくとも二回連続で情報が活用されなければならない。これもなかなか大変だった。一回目は上手く逃げられたり、隠し果《おお》せても、二回目で向こうがしくじってしまったら、あとから「情報料ください」などといえるはずがない。フザケんなガキ、と電話を切られるのが関の山だった。

そんな中で、三回連続で上手くいった人がいた。

極清会の、牧田という人だ。

彼には最初、歌舞伎町の違法カジノの摘発情報を提供した。僕の連絡から三時間後が作戦の開始時刻だったから、上手くいくかは不安だったけど、わりとフットワークの軽い人らしく、そのときは上手いこと切り抜けたようだった。ちなみに、牧田の携帯番号は組事務所の人が教えてくれた。案外簡単に教えてくれるんだなと、逆にこっちが驚いた。

上手くいったことを確認し、同規模のガサ情報なら、次回は三十万でよろしく、といっておいた。

次は風俗店だった。違法滞在外国人を狙っているみたいですよ、と教えてやると、開店前に全員にくるなと連絡し、その夜は休業にしてしまったようだ。捜査員らしきジャンパー姿の男たちが首を傾げながら引き上げていく様は、僕にとってもなかなか愉快な眺めだった。

料金を受け取る方法も、ちゃんと考えてあった。携帯の裏サイトで探せば、口座を作るのに名義を貸します、なんて人間はいくらでもいる。それを利用して、僕は「若松茂之《しげゆき》」名義の口座を持った。そこに振り込んでくれるよういった。

牧田は風俗店摘発が不発に終わった翌日、ちゃんと三十万を口座に振り込んでくれた。少しは信用できる人間だと思った。

数週間後、再び警察が例の風俗店にガサ入れをしようとしていることが分かった。僕は牧田に連絡し、そのときも摘発は空振りに終わった。僕は成功を確認してから牧田に連絡を入れた。

「今回も、上手くいったようですね」

『ああ、お陰さんでな。助かったよ。金額は、前回と同じでいいのか』

「ええ。三十万でお願いします」

『分かった。明日、できるだけ早く振り込む』

「お願いします……」

じゃあ、といって切ろうとしたんだけど、なぜか牧田は「待ってくれ」と話を続けようとした。

『なあ、若松さん。あんた、こういう情報、どうやって仕入れるんだ』

むろん、それは教えられないと答えた。

『まあ、そりゃそうだな……いや、俺が知りたいのは、あんたは、俺が欲しがるような情報を狙って入手してるんじゃなくて、入手した情報がたまたま俺に売れそうだったから、俺に知らせてきただけなのかな、と……そこんところを、ちょっと確かめたかっただけなんだ』

この牧田という男、ちょっと他のヤクザとは頭のできが違うらしい。

「そんなことを確かめて、どうするんですか」

『ああ。もし俺の推測が当たっているならば、協力し合えるんじゃないか、と思ってね』

「どういうことですか」

『んん……まあ、たとえばだ。若松さんの情報は、とりあえず俺が全部買う。俺はそれを適宜《てきぎ》、知りたがってる人間に売りつける。金の受け渡しも俺が請け負う。要は、俺が若松さんのマネージャー役というか、ディストリビューターをやろうか、って話さ』

実に、ヤクザらしい発想だと思った。

『若松さん……あんたは、こっちの業界の人間じゃないんだろう？　だから俺とは顔を合わせず、金も口座振り込みにするんだろう。つまり、あんたが堅気の身であるならば、こっちの業界内のことに関しては、むしろ俺の方がよく知ってるってことになる。……ひょっとしたらあんた、使い道がなくて捨ててる情報も、けっこうあるんじゃないのか。俺だったら、そういうのにも一つひとつ、値段がつけられると思うんだがな……どうだろう。俺と組まないか』

クサい。クサ過ぎる話だ。

「それで、上前を撥ねるつもりですか」

『まあ、それも考えなくはないが……たとえば三十万の情報を、四十五万で売る。十五万は俺がいただく……そうしたら、高えっていって、買わなくなる人間も出てくるかもしれねえよな。それじゃあ逆に、俺もあんたも損になる。だから俺は、上前は撥ねない。あんたの言い値で売って、全部あんたに渡す。あんたは余計な営業仕事から解放され、情報収集に専念できるってわけだ』

「そんなことをして、牧田さんにはなんのメリットがあるんですか」

『いい質問だ。俺はね……そいつに恩を売るんだ。三十万の情報で、何百万もの損失を防げれば、そいつは俺に恩を感じる。次に俺がそいつに何か話を持っていったとき、俺は有利に交渉ができる……俺の旨みはそこにある。でもこの旨み、あんたにゃ必要のないものだろう？　こっちの業界人じゃないんだから。顔を見せず、正体も明かさずにやっていこうとしてるくらいだ。こっちの世界で力をつけたいわけじゃないんだろう。だったら、それは俺に譲ってくれよ。あんたにとっちゃゴミみたいな恩だ。でも俺には、その恩は宝物だ。その宝物をくれるあんたに、俺は売り子として奉仕する……どうだい。決して悪い話じゃないだろう』

確かに、悪い話ではない。

そんなふうにして、僕と牧田の協力関係は始まった。

牧田はときに、その情報は三十万じゃ安過ぎる、五十万、いや七十万でも売れる、などと意見も出すようになり、実際その額で売って振り込んでくれた。彼のお陰で情報の運用に無駄がなくなり、金もどんどん溜まっていった。

一年ほどで、若松名義の口座の残高は六百万に達した。

そして僕は、そろそろいいんじゃないか、と思うようになっていた。

小林殺しを請け負ってくれる人間を、探し始めても。

僕はそれを、牧田に相談してみようと思った。

「牧田さん。今回はちょっと、いつもと違う、仕事以外のお願いがあるんですが、いいですか」

『へえ、珍しいね……いいよ。先生の頼みなら、喜んで聞きますよ』

そう、この頃の僕は、牧田に「先生」と呼ばれるようになっていた。

「あの、実は……ある男を、消してもらいたいんです」

さすがにこれには、牧田も絶句していた。

『……ちょっと、待ってくれ』

人のいないところに移動するような間があった。

『……それはつまり、平たくいうと、殺す、ってことだと、思っていいのかい』

「ええ。そうです」

しばしの沈黙。

『……どんな男だ』

声の調子が変わっていた。いつもの明るさは消え、低く、重く、硬い響きになった。

「暴力団組員です」

『どこの』

「……六龍会です」

すでに僕も、ヤクザ組織の繋がりについて多少は分かるようになっていた。牧田の率いる極清会は、石堂組の直参団体。同じ位置付けにある仁勇会という団体の、さらに下にあるのが六龍会。つまり、ごく大雑把にいえば、牧田と小林は石堂組傘下の仲間ということになる。

だが、牧田が小林を知らないことも、六龍会をよく思っていないことも、それ以前の会話からある程度は分かっていた。六龍会絡みの情報を提供したときに、それとなく訊いてみたのだ。牧田さんと六龍会はどういう関係になるんですか、と。牧田は、ほとんど関係ないと答えた。しかも、六龍会の親分をやっている竹嶋というのがどうしようもない男で、あいつとはあまり商売はしたくない、というようなこともいっていた。僕はその言葉を聞けたことの方が重要だったので、だったらこのネタは無理して売らなくてもいいです、と話を取り下げた。

『六龍会の、誰だ』

さらに牧田は、声の調子を重くした。

「小林充、という男です……ご存じですか」

『いや、知らない。下っ端か』

「ええ、たぶん」

牧田は、だいぶ長い間考えていた。

『先生よ……この話は、今までのと違って、はいそうですかってわけにゃいかねえぜ』

「分かってます。六龍会は、石堂組傘下の組ですしね」

『まあ、それもあるが……それ以前によ、極道だからって今日日、そう簡単に人間バラしたりしねえんだよ。そういうのはな、最後の最後の手段なんだ』

「それも、分かってます……だから、牧田さんにお話ししたんです。僕にとっては、これが、最後の最後の手段なんです」

電話の向こうで、ガンッ、という音がして、ちょっと雑音の感じがこもって、牧田が「お疲れさまです」というのが聞こえた。辺りに人がいなくなったのか、再び牧田は話し始めた。

『……とにかく、こればっかりは、今すぐ受けるとも受けないともいえねえ。少なくとも、先生がなんでこんなことを言い出したのか、事情くらいは聞かないとな。そのためには、あんたもそれ相応の覚悟を見せてくれなきゃ』

それも、分かっていた。

「はい……正体を明かせ、ということですよね」

『ああ。これまでの取引で、俺は先生と、それなりに信頼関係を構築できたと思ってる。そろそろ、顔くらい見せてくれてもいいんじゃねえのか……まあ、とはいってもこっちは極道だ。怖いと思うのも無理はないと思うよ。先生が今までしてきた用心も、ごく真っ当なもんだったと思う。ただ、これはな……もう、そういう次元の話じゃねえから』

どうやって会うかは後日相談ということになり、そのときは電話を切った。

それから僕は、正体を明かすための準備を始めた。具体的にいうと、基地を自宅から別の場所に移すのだ。実際に会って正体を晒してしまったら、今の僕の住まいくらいは簡単に割れてしまうだろう。でも、そうなったとしても基地が別の場所にあれば、僕の身も多少は保証される。情報取引を継続したければ、僕に変な手出しはしないでください。そういうプレッシャーもかけられる。

基地の移転が終わった十日後、また僕から牧田に電話を入れ、どうせなら裸で会おうということになった。銭湯かサウナ。そういうところでなら、少なくとも刃物や銃で脅される心配はせずに話ができるだろう、と牧田が配慮したのだ。場所も僕が直前に指定する。周りに仲間がいないことや、店に入るまで牧田が電話などしないことを確認してから、僕は入っていけばいい。そういう段取りでどうだといわれた。

僕は、その案に乗った。

当日、僕は捻って捻って、足立区西新井《にしあらい》にある銭湯を指定した。場所も事前に確認し、電話で牧田を誘導するルートまで決めておいた。

牧田は指定した場所に一人で、タクシーに乗ってきた。何百メートルか歩かせて、本当に一人らしいことも確かめた。

それから、銭湯に入ってもらった。僕もあとから向かった。夏場の午後三時。客なんていないだろうと思っていたが、それでも牧田以外に二人もいて、一人は洗い場で体を洗い、一人は湯船に浸かっていた。

牧田も湯船にいた。二つあるうちの、右側に一人で入っていた。

僕が近づいていくのを、牧田はずっと不思議そうな目で見ていた。

「……初めまして」

「あんたが……先生かい」

頷くと、さらにじろじろ見られた。

「……普通の、ニイちゃんなんだな」

「はい。なんの取り得もない、普通の男です」

まあ入れよ、と促され、僕も軽く体を流してから湯船に浸かった。ちょっとお湯が熱かった。たぶん隣の方が普通湯なのだろう。

「……俺が一人なのは、納得できたかい」

肩に刺青が見えるが、そこだけではなんの絵柄か分からない。背中全体、腕は二の腕まで彫られている。

「ええ、お陰さまで。安心してこれました」

それは嘘だ。このときはまだ、少し疑っていた。

「まず、本名を訊いていいかい。若松茂之ってのは、口座を作るための、仮の名前なんだろう」

「ええ……やっぱり、お見通しでしたか」

「ああ。こんだけ用心深いあんたが、本名で口座を作るはずがねえからな」

「本名は……柳井、健斗といいます」

ふーん、と牧田は口を尖らせて頷いた。案外、可愛い顔をするのだなと思った。

「じゃあ、柳井さん、と呼ばせてもらうが……その、小林に関する話ってのは、わりと複雑なのかい」

そういう訊かれ方をされると、答えるのは難しい。

「単純といえば、単純ですし、きちんと説明しようとしたら、やっぱりそれなりに、長い話になります」

「そうか……」

牧田は眉根を寄せて、少し俯いた。

「いや、あんまり長《なげ》えとさ……のぼせちまうかもしれねえだろ。先生が安心できたなら、別のところに替えねえか……あ、つい、先生って呼んじまったけど」

思ったより、親しみやすい人だと思った。

結局、近所の公園で話すことになった。俺は丸腰だよ、と牧田は何度も自分の体を叩いてみせた。僕は「服を着るのも見てましたから、分かってます」と答えておいた。

風通しのいい場所にあるベンチに座り、缶ビールを飲みながら話をした。姉の死、父親の死、合鍵の謎。ただの不良から、本物の暴力団員になっていった小林充。彼に復讐するために始めた、情報ビジネス——。

牧田は一切口をはさまず、最後まで聞いてくれた。

「……というわけで、牧田さんに、ご相談したわけです。分かって、もらえましたでしょうか」

「ああ、よく分かったよ……しかし、やっぱり風呂屋で聞かなくてよかったぜ。あそこで聞いてたら、たぶん、親父さんが自殺した辺りで、ぶっ倒れてただろうな」

確かに。これまでの経緯を逐一話したので、けっこうな長さになってしまった。

「あの、たとえば、なんですけど……殺し屋、みたいな人を雇うには、どれくらいお金が必要なんでしょうか」

牧田は大きく首を傾げた。

「相手にもよらあな。三百万で請け負う場合だって、二千万、三千万積む場合だってある。たまに、政治家とか官僚が首吊ったりするだろ。ああいうのは、やっぱりそれなりに高《たけ》えよな」

「えっ……ああいうの、自殺じゃなくて、殺しなんですか」

「いや、全部じゃねえよ。ほんの一部だけどな……そういうのも、交じってるってことさ」

それは、いいとして。

「じゃあ、小林みたいな奴の場合、相場はどれくらいでしょうか」

「んん……あと、手口もあらあな。死んだことも分からないくらい、徹底的に消しちまうのか。それとも、息の根を止めたら、あとは野晒しでいいのか……ただ、徹底的に消すと、逆にあんたにも、死んだかどうか分からなくなっちまうからな。ある程度、死体が出るような形の方が、いいんじゃねえかとは思うんだが」

そのときは、まだどんな殺し方がいいかまでは考えていなかった。

「じゃあ……まあ、徹底的には消さない線だと、どれくらいですか」

「そうなぁ……直の縁ではないにしろ、石堂組傘下の人間をバラすわけだから、身内の手を使うわけにゃいかねえな。外部の、それなりに経験のある人間を雇うことになる……となると、一千万は、ちょっと出ちまうかもしれないな」

予想外に高かった。だが、それについては僕にも考えがあった。

「一千万を出るとなると、今すぐ、用意はできないんですが……でも一つ、取って置きの情報があるんです。大きなネタです。それを、高値で売って、補塡《ほてん》してもらうわけにはいきませんか」

牧田は急に目つきを鋭くした。

「どんなネタだ。さわりだけでも、聞かせてもらえねえか」

「まあ、そうですね……仁勇会が、壊滅的ダメージを負うかもしれない、そういう話です。ネタとしては、店舗の摘発とかではなくて、むしろ、企業絡みです。仁勇会のフロント企業に対する、地検の捜査情報です」

しばらく考え、牧田は「分かった」と自分の膝を叩いた。

「その捜査情報と、小林の命とで、取引だ。小林の始末は、できるだけあんたに分かりやすい形でつける。場合によっちゃ、あんたの目の前で、息の根を止めたっていい。その代わり、仁勇会の情報、間違いなく頼むぞ。もう、そのネタは出せる状態なのか」

いいえ、と僕はかぶりを振った。

「まだ、日程までは詰まっていないので、そこら辺が明らかになったら、お見せできるようになると思います」

「分かった。じゃあ、そっちはそっちで進めてくれ。俺も、小林については準備を進めておくから」

額から、脇の下から、あらゆるところに汗を掻いていた。

生ぬるい風が僕らの間を吹き抜けていき、それでふいに、寒気がきた。

もう、後戻りはできないと思った。

2

レンタカーを返したりなんだりで、結局玲子が中野署の捜査本部に戻ったのは二十六日の午前一時頃だった。

「すみません、遅くなりました……」

それでも、捜査員のほぼ全員が講堂に残っていた。心なしか、組対捜査員から注がれる視線が冷たい。

「主任、お疲れさまです」

菊田や湯田、葉山らが玲子を取り囲む。

「うん。ごめんね、あんま連絡もしなくて」

見ると、前の方の席に座っている下井がこっちを振り返っていた。軽くお辞儀をしておく。下井は、分かっているという顔で頷いた。

とりあえず、上座に挨拶にいく。

「係長……会議、しばらく留守をして、すみませんでした」

「それはあとでいい。とりあえず、藤元殺害の経緯を頭に入れておけ」

その場で今泉から説明を聞いた。

もう昨日になるが、十二月二十五日の二十三時二分頃、浜松町二丁目七-△、グランスウイート浜松町の七階で銃声らしき音が聞こえた。同時五分に通信指令センターに通報が入り、愛宕《あたご》警察署の地域課員二名が現場に臨場したところ、五二二号で賃借名義人、藤元英也、五十一歳と思われる遺体を発見した。

「現在、愛宕署の刑組課と、うちの三係、四課の二係が現場に入ってる。こっちの六係からも二人いってるが、今はその報告待ちだ」

今泉の口調からも、周りの雰囲気からも、すでに大事《おおごと》になっていることが感じられた。

「この件と、藤元殺しには関連があるんでしょうか」

「まだ分からん」

少し離れたところに座っていた四課の松山係長が立ち上がり、近づいてきた。

「あるに決まってるだろう。だからこっちは最初からいってるんだ。小林殺しは、石堂組に跡目争いが勃発する予兆だって」

なんだ。もう、捜査本部的にはそんな話になっているのか。

確認のつもりで今泉を見ると、小さく頷かれた。

「組対の調べでは、タイセイ会のミハラテツオと藤元の間には確執があり、藤元に不利益な情報を、小林がミハラ側に流した。そのことがバレて、小林は自分の親分である、六龍会の竹嶋和馬の指示で始末された……そういう線は、確かに浮かんできている」

あの、クラシックの流れる高円寺のマンションにいた竹嶋和馬が、小林殺しの首謀者——

そうなのか？

松山が「しかし」とまた話に入ってくる。

「それでミハラと藤元の確執が解消されたわけでもない」

「すみません。その、ミハラというのは、何者でしたっけ」

松山は呆れ顔、今泉は困ったように下を向いた。だが後ろから葉山が、自前の捜査ファイルを差し出して見せてくれた。二代目大政会会長、三原鉄男。藤元の弟分。石堂組での役職は若頭補佐。うん、大体分かった。

「……つまり四課としては、三原鉄男が藤元殺しを指示したと」

「そうはいってない。可能性があるといっただけだ」

「だとしたら、小林殺しとは根本的に別問題となりますよね」

「馬鹿をいうな……一連だよ。ことはすべて、石堂組の跡目争いに繋がってる。四代目の石堂神矢が入院、藤元が殺されたとなったら、当然、次は誰だって話になる。キョクセイ会のマキタか、大政会の三原か。その辺りで今度は、ドンパチが始まるかもしれん」

キョクセイ会の、マキタ――。

きゅっ、と小さく心臓が縮こまる。

まさか。

また葉山を振り返り、資料を見せてもらうと、初代極清会会長、牧田勲とあった。よかった。槙田功一とは別人だった。ちなみにこの牧田も石堂組では若頭補佐。三原と同格ということになる。

もう少し、玲子も意見を述べておく。

「いや、四課的にはそうかもしれないですけど、こっちはあくまでも殺人犯捜査ですので。小林殺しを指示したのが竹嶋だというのならなおさら、石堂組の跡目争いとは別に、立件する必要があると思うんですけど」

「ああそうかい。だったらそっちはそっちで勝手にやればいい。そもそもこっちは、いるんだかいないんだか分からないような女主任なんざ、端《はな》っから当てにはしてないがな」

隣にいる菊田の体温が、ぐっと上がるのを感じた。

玲子はそっと手を下ろし、菊田の腿の辺りを叩いてなだめておいた。

「分かりました……少し、捜査方針については考えさせてください」

「いうほどお前に権限はないだろ」

女主任云々より、この発言の方がよほど玲子の癇《かん》に障った。

捜査一課殺人班の主任を、舐めてもらっては困る。


いったん講堂から出た。販売機でコーヒーでも買おうと思い、エレベーターのところまできたら、今泉が追いかけてきた。

「姫川、少し話がある。付き合え」

「……はい」

そのまま、中野坂上駅近くの「ミス・グラデンコ」というバーまで連れていかれた。入る

と、右手のテーブル席には下井と、

「……ガンテツさん」

なんと、五係主任の勝俣の姿があった。

玲子も加わると四人。だが他の席に客はいない。まあまあ話しやすい雰囲気ではあった。

今泉は「生二つ」とカウンターにいる店員に告げた。

「係長。これは、どういう」

「どうもこうもあるか、田舎もんが」

いきなり嚙みついてきた勝俣を、玲子は思いきり睨んでやった。

「その、田舎もんっていうの、いい加減やめてもらえませんか。捜査に関係ないじゃないですか」

「上の命令に背《そむ》いて勝手なことやってる年増女の方がいいか」

「普通に名前で呼べないんですか」

ケッ、と勝俣は吐き捨ててそっぽを向いた。

ウェイターがグラスビールを二つ持ってきた。追加の注文がないことを確認して下がっていく。

「……だから係長。どうしてここに勝俣さんがいるんですか」

今泉は眉を段違いにして答えた。

「やってることはお前と同じだ。柳井健斗についての内偵だ」

勝俣が今泉を一瞥《いちべつ》する。

「フザケるな。俺は部長に泣きつかれて仕方なくやってんだ。こんな電柱女と一緒にするな」

よくもまあ、そう次から次へと。人をヘコませるような表現を。

だが、今泉は素知らぬ顔で続けた。

「で、どうなんだ。柳井健斗については、何か分かったか」

一瞬、玲子は自分の単独行動がすんなり受け入れられていることに疑問を感じたが、下井が黙って頷いてみせたので、すべては了解済みなのだろうと解釈することにした。そういえば、下井も「柳井健斗」と訊いて「誰だ」とはいわなかった。つまり、これはそういう人間の集まりであるということか。

「ええと……まず柳井健斗は、かれこれ一週間、姿をくらましています。小林殺害の翌日はアルバイトに出ていますが、その後は連絡がとれなくなっているようです」

健斗の住居、仕事、勤務地についても説明しておく。

「連絡をとろうとしたのは、アルバイトの店側か」

「ええ、それもありますが、健斗は実は、バイトの同僚である、内田貴代という女性と交際しており、しかもいま彼女のお腹には、健斗の子供がいるらしくて」

これには今泉と下井だけでなく、勝俣も驚いた顔をしていた。

「かれこれ一週間留守にしているという情報は、主に彼女の証言によります。それで、一応ですね……室内で死亡している可能性も考えまして、緊急だといって大家を呼び出して、室内を確認しました」

さすがの今泉も、これには眉をひそめた。勝俣は笑っていた。下井は、ノーリアクション。

「怪しいところは特にありませんでした。争った形跡もなかったです。ただ、ノートパソコンが置いてあったような、机の上の空間が気になりましたね」

勝俣が首を傾げる。

「逃げるのに、パソコン持ってってどうすんだ」

「さあ。よほど大事なデータでも入ってたんじゃないですかね……それと、これはバッチリ目撃したわけではないんですが、どうも健斗の留守中に、内田貴代とは違う女性が、部屋に出入りしているようなんです。出てきたと思われる瞬間と、アパート方面からタクシーに乗ってどこかにいくのと、都合二度、目撃しました」

今泉が訊く。

「内田貴代と別人というのは、間違いないのか」

「ええ。それは間違いないです。まったく似ても似つかない女です」

じゃあよ、と勝俣が身を乗り出す。

「柳井健斗が女装して、自分の部屋に出入りしている、って線はどうだ」

それは、まったく考えてもみなかった。

「いや……でも、けっこうキレイ系だったんで。それはないかと」

「そうとは限らねえだろ。俺の知ってるオカマん中にゃ、少なくともお前より数段美人なのが何人もいるぜ」

ごめんなさいね。オカマ以下で。

「でも、その女って、けっこう吊り目なんですよ。柳井は……」

「目なんざぁ化粧で、吊るのも垂らすのも自由自在だろ。それよりも体型だ。柳井は確か、痩せ型だったよな」

この人、一体どこまで健斗について知っているんだろう。

「ああ、それなら写真があります……これです」

貴代からもらった画像を出して三人に見せる。

「痩せてる、な……まあ、やりようによっちゃあ、イケる体型だろう」

勝俣の言葉に、下井が頷く。

「肩幅も、これくらいならアリだろう……その、女の背はどうだった」

「百六十五とか、それくらいだったと思います」

「靴は」

あれれ。

「靴は、どうだったかな……」

今泉が入ってくる。

「つまり、現状を整理すると、柳井はもう一週間近く姿を消している。その際にパソコンを持ち出している可能性がある。留守中に部屋に出入りしている謎の女がいる。交際相手の内田貴代は妊娠中と……そんなところか」

そんなところ、と括られるのは癪《しやく》だが。

「はい。そんなところです」

一瞬、槇田の顔が頭に浮かび、微熱のようなものが胸の内に広がった。健斗の住居を訪ねてきた男、という意味で、報告する価値はあると分かっているのに、その微熱が邪魔をする。黙っていること自体が後ろめたいのに、その後ろめたさを、失いたくないと思う自分がいる。

今泉はビールをひと口含み、不味《まず》そうに口元を歪めた。

「まあ……柳井をクロと見るのは早計だが、一週間近く姿を消している点は気になるな」

話題が流れたことに、玲子は密かに安堵した。

下井が今泉に頷いてみせた。

「それと、藤元殺しが……無関係だといいんだがな」

そうか。まだその問題があったか。

「でも係長、このヤマを藤元殺しと絡めて考えるなら、柳井健斗はむしろシロでしょう。マンガ喫茶の店番をしている青年が、石堂組の若頭を射殺するなんて……そんな大それたこと、考えられないですよ」

今泉は、グラスを摑んで濡れた手を、お絞りで拭った。

「だと、いいんだがな。あのタレ込みがまったくのガセで、このヤマとはなんの関係もなければ……それが一番いいんだが」

なんとなく、全員が頷く。

その一点に関しては、みな気持ちは一つのようだった。

店を出た途端欠伸《あくび》をしたら、今泉に笑われた。

「寝てないのか」

「いや、ちょいちょい、仮眠は」

「どこで」

「車借りたんで、その中で」

さらに溜め息をつかれた。今泉は、あまり玲子のことを怒らない。その思いやりには、これまでずいぶんと助けられてきた。

「朝の会議まで、どっかで寝てこい。確か、駅の向こうにカプセルがあったはずだ」

玲子が署の仮眠室で寝たがらないことも、今泉はよく知っている。

「はい……すみません。じゃあ、そうさせてもらいます」

そんなわけで、三人とは「ミス・グラデンコ」の入っているビルの前で別れた。今泉に聞いた通り、中野坂上駅を越えてすぐのところにカプセルホテルを見つけた。女性専用ルームもあり、確かに安心して眠ることはできたのだが、

「……ああ……はい……もしもし」

朝五時に電話がかかってきた。今泉からだった。

『寝ろといったり起きろといったり申し訳ないが、今すぐきてくれ。ちょっと、妙なことになってる』

「はい……分かりました」

とはいえ、整髪料でペッタペタに固めればどこにでも出ていける男性と違い、女にはある程度身支度に時間が要る。シャワー後のドライヤーが不充分だったせいか、特に今朝は前髪と左上の方に妙な分け目ができていて、どうにも恰好がつかない。ちょっと濡らしてドライヤーで寝かしつけて、あとは後ろで括ってしまえばいいか。そもそも、このドライヤーの効きが悪いのが寝癖の原因なのであって——。

そんなこんなで、中野署に着いたときにはもう六時近くになっていた。

今泉は玄関で待っていた。

「すみません……遅くなりました」

走ってきたお陰で、寒さだけは気にならなかったが。

「きてくれ」

そのまま階段の方に連れていかれる。

「……お前、あの、井岡巡査部長が、ここにいるのを知ってたか」

「ええ。少しだけ、廊下で」

泣いてるのを目撃しました。

「実は奴が……拳銃を一丁、押収した」

「ハァ？」

ちょっと声が大きくなってしまった。階段室の上の方まで、語尾が響き渡っていく。

「……なんですかそれ」

「地域課から報告が上がってきて、まあ、愛宕署管内とはいえ、藤元殺しがあったばかりだからな。一応ここで指紋を採って、あとは本部の鑑識に回して任せた」

藤元殺しは浜松町。その拳銃が、小林殺しのあった中野で見つかるなんてことは、普通ではあり得ない話だが。

「で、その井岡巡査部長なんだが、どうも……お前と話がしたいらしい」

ずるっ、と上手くコケてみせたいところだったが。

「全然、仰る意味が分かりませんが」

「奴がどこまでこっちのヤマについて把握してるかは知らんが、藤元殺しは無線で聞いて、ある程度は知っているだろう。それとこれとを、勝手に結びつけたんだろうな。押収した経緯は、本部の姫川主任にしか話せないと、目下黙秘を続けている……らしい」

ついに被疑者レベルにまで身を落としたか。

「そんなわけなんで、いってやってくれ。奴の扱いは、お前が一番慣れてるだろう」

「そういう言い方やめてください……まあ、話くらいなら、してもいいですけど」

なんだかなぁと思いつつ、二階の刑組課に併設された取調室に向かう。井岡が入れられているのは第二調室のようだった。

そのドアをノックする。

「捜査一課の姫川です。入ってもよろしいですか」

どうぞ、というのと、玲子しゃん、というのが同時に返ってきた。

「失礼します」

ドアを開けると、奥の席に制服のままの井岡、手前にここの刑組課捜査員が座っているのが見えた。

「じゃ、すんません……あとはよろしく」

「はい……」

立ち上がった彼とすれ違い、代わりに玲子が入る。ちょっと乱暴にドアが閉められる。

「玲子しゃん……」

向かいに座ると、すでに井岡は涙目。普通に手を出していたら握られそうな気がしたので、それとなく引っ込めておく。

「あんた、なに考えてんの……押収の経緯くらい、身内なんだから誰に報告したっていいでしょう」

「ワシはただ、玲子しゃんのお役に……」

「事件が解決すればあたしだって助かるんだから同じでしょ……ほんと、バカじゃないの」

とはいえ、こんなナマコが制服を着て拳銃をぶら下げているような、ニセ警官一歩手前の変態巡査部長であろうとも、慕われていると思うと悪い気はしない。睨んでいるつもりでも、いつのまにか頰はゆるんでくる。

「玲子しゃん……」

そういう自分の甘さがこの男を調子づかせていることも、頭では分かっているのだが。

「とにかく説明してちょうだい。どうやって拳銃を押収したの」

井岡は、一つ頷いてから始めた。

「あのぉ、今ワシぃ、早稲田通《わせだどおり》交番の勤務なんですけどぉ。二時半頃に、立番しとったら、ちょっと離れたところの、木の陰に……ああ、早稲田通りには、街路樹が植わってるんですけども、その陰に、男がおって。なんや、ちろっちろ、こっち見とって。何か困ってるのに、言い出せない恥ずかしがり屋さんなんかなぁ、それとも、すぐ向かいには女子高がありますんで、そこに忍び込もうとしてる変態が、交番の様子窺ってるんかなぁ、とかも思ってたんですけど」

あんたに変態って思われるってどんだけ怪しいのよ、と思ったがあえていわずにおく。

「一応、声かけとこかぁ思て、ワシが歩き出したら、タタタ一てそいつ、逃げ出しよって。ほんでワシも、なんやァ一思て、追いかけて。そしたら奴は、次の次の角を左に曲がって、ワシもその角を曲がって。まだ背中は見えてたんですけども、なんや、カコーンって音がして。男はちょっと立ち止まりそうになったんですけども、でもすぐまた走り出して。で、そこにワシがいったら……拳銃が、落ちとったと。で、それを拾ってたら、逃げられてしもた、と……」

なんと。

「それって、どんな男だった?」

「うーん……痩せ型でぇ、背も、そんなに高くはなくてぇ」

すごく、嫌な予感がする。

「ちょっと、これ見てくれる」

携帯を取り出し、例の画像を見せる。

「……どう、似てる？」

井岡は、わざわざ玲子の手ごと携帯を握り締め、ディスプレイを凝視した。

「んん、似てる……気も、しまんなぁ」

そこで、ドアがノックされた。

「姫川、ちょっと」

今泉だった。

「はい」

井岡の手を引き剝がして席を立つ。ドアを開けると、今泉はやけに難しい顔をして立っていた。

ちょっとこい、と今泉が示すので、取調室から少し離れたところまで移動した。

「はい、なんでしょう」

「マズいことになった……拳銃から出た指紋、柳井健斗と一致した」

ざらりとした不快感が、背中をひと撫でして流れ落ちる。

「指紋って……だって」

柳井健斗の指紋なんて、どこにあったのだ。

「お前と別れたあと、勝俣が忍び込んで採ってきた」

さすが元公安。違法捜査はお手のもの、か。

「それと、本部に回す前に採っておいた拳銃の指紋が一致した」

それは、確かにマズい。

この上、健斗の指紋がついた拳銃の旋条痕が、もし藤元殺しのそれと一致したら――。

いよいよ、柳井健斗がホシという線が濃くなる。

3

石堂の見舞いから戻って以降、牧田はずっと事務所の社長室にこもっていた。別に仕事をしているわけではない。机には座らず、ただソファでだらだらしているだけだ。

「失礼します……会長、昼、何かとりましょうか」

川上は、事務所内では牧田のことを「会長」と呼ぶ。

時計を見ると、午後一時。

「いや……なんか、果物でも持ってきてくれ」

「イチゴと、パイナップルがありますが」

「じゃあ……イチゴ」

さすがに、食欲がない。

藤元の死が、ようやく現実的な重みとなって心に伸し掛かってきている。

若い頃は何かと目をかけてもらった。遊びにも連れていってもらったし、シノギも回してもらった。これからの極道は経済に明るくなきゃ駄目だと、経済誌や専門書を何冊もいっぺんに渡されたこともあった。

スマートで、ファッションセンスも抜群で、極道というよりはむしろ、映画に出てくるイタリアンマフィアに近い雰囲気の人だった。女が好きで、また実際よくモテた。もう五十を過ぎていたが、今でも最低、週に三人は相手にしているように聞いていた。それでいて、家庭もちゃんと大切にしていた。ある意味、非常に器用な人だったのだと思う。

牧田にとっては、間違いなく一番の兄貴分だった。

自分たちの関係が変化し出したのは、いつ頃だっただろう。おそらく先代、三代目組長の豊岡《とよおか》が引退し、若頭だった石堂が四代目に就任、次の若頭を誰にしようかとなった頃からではなかったか。

石堂は当時、「英也と勲、どちらにしようか迷っている」と公言して憚《はばか》らなかった。この問題は定例会議で正式に協議され、その結果、藤元が若頭の職に就いた。若頭なんて滅相もないと思っていた牧田は、この協議結果に安堵すら覚えた。

藤元の若頭就任を祝った席では、牧田もひと言挨拶をした。これからも一緒に石堂組を守り立てていこう。そういう意味のことをいったつもりだった。だが、どの台詞が気に喰わなかったのか、藤元はあとで牧田を呼び寄せ、低い声でいった。

「勲……あんまりいい気になるなよ」

おそらく、あれ以降だと思う。決して険悪というほどではないが、昔のように肩を組むことはなくなった。大口を開けて、笑い合うことも――。牧田が石堂と長話をしていると、迷惑そうな顔さえされるようになった。

若中の中で、石堂が牧田を特別扱いしてきたのは自他共に認めるところだろう。同年代の誰より遅く入ってきた牧田を、石堂は「勲、勲」といって近くに呼び寄せ、自分の顔の高さにある牧田の肩を摑んでは楽しそうに揺すった。むろん牧田はそれを嬉しく思ったが、周りの視線が気にならなかったといったら、それは嘘になる。

藤元はむろん、三原にも永峰にも、川田にも磯辺にも、なんとなく申し訳なく思っていた。ただ、藤元ほどあからさまに嫌な顔をする者は、他にはいなかったが。

そんな藤元が、殺された。

犯人に心当たりなどない。だがなぜか、罪の意識はある。牧田が殺したわけではない。なのに、どうしようもない後ろめたさがある。ひょっとして、自分は藤元に死んでほしかったのだろうかと自問する。そんなことはないと答えてみる。だがそれすら、嘘臭く聞こえてならない。俺が死んで清々してんだろう。そんな藤元の声が、頭の中に響いては消えていく。

「……会長」

川上が戸口に顔を出す。イチゴだろうと思ったが、そうではなかった。

「警察の方が、お見えです」

まあ、そういうこともあるだろうとは思っていた。

「お通ししろ」

入ってきたのは、知った顔と知らない顔の二人組だった。

知った顔は警視庁組対四課の小坂《こさか》。もう一人は愛宕署の人間らしいが、名は名乗らなかった。

「エライことになったな、牧田」

小坂は五十代半ば。古くなった夏蜜柑のような、実に汚い顔をした男だ。勧めもしないのに、勝手にソファの真向かいに座る。

「ええ、参ってます」

「……という、芝居だろ」

「怒りますよ、小坂さん」

小坂は笑った。さも愉快そうに。

「実はな、牧田……今朝方、中野でチャカがあがってな」

「は?」

中野といったら、あの小林充のヤサがその辺りだ。偶然か。いや、何かの振りかもしれない。この話題には乗らない方がいい。

「……藤元を殺ったもんかどうかは、目下鑑定中だがな。これが、お前が過去に扱った品だったりしたら、面白《おもしれ》えな」

牧田に銃刀法違反の過去はない。極清会内にもそういう者はいない。完全なる当てずっぽうの揺さ振りだ。

「私はね、小坂さん。エアガンもろくに弄ったことのない人間ですよ。あんまり冗談が過ぎると……茶にワサビ入れますよ」

「脅しか」

下らない切り返しだ。

「サービスですよ」

「藤元にはどんなサービスをしてやった」

「なんの話です」

「鉛の弾か」

「ゴルフボールくらいなら、プレゼントしましたがね」

隣のデカは、瞬きもせずじっとこっちを見ている。案外、こっちの方が曲者かもしれない。

「……で、今日はどんなご用でいらしたんですか」

答えるのは、あくまでも小坂の役であるようだ。

「そりゃ、目の上のたんこぶがくたばって、清々してるお前の顔を見てやりたくて、きたんだよ」

「なんのお話か分かりませんが、私ならいつもこんな顔ですよ……もう、とくとご覧いただいたでしょう。お引き取りください」

しばらく小坂はこっちを睨んでいたが、牧田が「川上、警視庁さんはお帰りだ」と大声でいうと、面白くなさそうに「いくぞ」と呟き、席を立った。

むろん、見送りなどはしなかった。

中野でチャカがあがった。中野で、チャカ——。

ふいに、あの女刑事のことが頭に浮かんだ。

姫川玲子。あの女なら、何か知っているのではないか。会って話をしたら、柳井の件に絡めて、何か捜査情報を引き出せるのではないか。

なぜだろう。不思議なほど鮮明に、あの女の顔が思い浮かぶ。

キツい目つき。固く結んだ唇。馬鹿に丁寧な言葉遣い。そのせいだろうか。いま思うと、ときおり浮かべる笑みは逆に印象的だった。自信満々のようでいて、ふいに不安げに目を伏せたりもした。あれはなんのときだ。牧田の携帯にかけ直そうとしたときだったか。自分の番号を教えることを、一瞬躊躇《ためら》ったような間だった。

会ってみようか。あの女に。

机に置いていた携帯をとりにいく。一年ほど使っている、テレビなどはついていない、シンプルなモデルだ。片手で開き、アドレス帳を捲っていく。

姫川玲子。

その字面を見るだけで、心の片隅に、華やぐような何かを覚える。

曇った冬の夕方。赤堤の古びたアパート。その前に現われた、地味なスーツ姿の女。景色はすべて灰色に彩《いろど》られているのに、記憶はなぜだか赤い。どこにもそんな色はないのに、真紅のイメージがつきまとう。

あの女をベッドに引っ張り込んだら、この赤の正体も分かるのだろうか——。

馬鹿な。何を考えている。

牧田は目を瞬いて、携帯の通話ボタンを押した。

コールは十回近く続いた。出そうにない、諦めようかと思った頃に、

『はい、もしもし』

中音域の、濁りのない、真っ直ぐな声が耳に飛び込んできた。こんなに澄んだ声だっただろうか。

「あ……牧田です」

名乗りながら、この女には「槇田功一」の顔で相対するのだと自らに命ずる。

『はい……』

なぜ続けて話してくれないのだ、と苛立たしく思う。だが、かけたのはこっちだ。用件をいわなければと焦る。

「あの……柳井くんについて、もう少し、お話しできませんか」

また間が空く。上手く会話を繋げられない、不恰好な焦りだけが積み重なっていく。

「……そちらの、都合のいいときで、いいんですが」

違う。交渉事は譲って始めたら駄目だ。その時点で負けだ。こんな初歩的なところでつまずくなんて。何をしている。

『ええ……じゃあ、今日の夕方でも、いいですか』

向こうのミスで救われた。よし、これでイーヴンに戻した。

「夕方……はい、けっこうです。じゃあ、場所は新宿辺りでいいですか」

そうじゃない。もっと決めつけろ。

『はい……どちらでも』

「では、新宿プリンスホテルの、地下のラウンジに……五時」

『分かりました』

別れの挨拶が続き、それにこっちが答えたら、この通話は終わる。そんな流れを止めたのは、彼女だった。

『あの……私の他に、もう一人いても、かまいませんか。それとも槙田さんは、私一人の方が、いいですか』

なぜ、そんな訊き方をする。

もう一人って誰だ。相棒の刑事か。そいつが組対の人間だったら、牧田の面が割れる可能性が出てくる。それはマズい。幸い、姫川の押しはさほど強くない。

「そう、ですね……できれば、姫川さんだけの方が、私は、話しやすいですが」

『分かりました。じゃあ、私だけ、伺います』

「ええ……お願いします」

また妙な沈黙がはさまる。

どちらかがひと言いえば、今度こそ、この通話は終わる。

『それでは……五時に、新宿プリンスのラウンジで』

「はい……お待ちしてます」

『失礼します』

さらに数秒、間が空いてから切れた。

すぐ、最後のひと声を思い出そうと、耳を澄ます。だが声の印象が強くなった分だけ、逆に顔のイメージは薄れてしまったように思う。さっきまでは、あんなにはっきりと思い出せたのに。

目を閉じ、並んで商店街を歩いたひとときを記憶の中にたどる。自分の肩の辺りにあった、丸い額。少し風に乱れた、真っ直ぐな髪。見上げる目。ノイズの如く周囲を舞う、赤い、何か——。

「会長」

ふいに呼ばれ、我に返った。イチゴの載った皿を持った川上が戸口に立っていた。

「ああ……すまんな」

「どうしたんですか。何度もお呼びしたんですが」

「いや、なんでもない」

ソファに戻り、川上がテーブルに置いた皿に手を伸ばす。

そうだ。こいつにも確認しておかねば。

「……そういや、あれからシゲルは、何かいってきたか」

甘いイチゴだった。よく熟れている。

「いえ。今のところは、何も」

「柳井の消息は摑めないのか」

「難しいみたいです」

困った。姫川に話すネタが何もない。

それにしても。

「義則……お前、奴のこと、本当に信用してるのか」

「シゲルのこと、ですか」

「ああ」

小林充を実際に始末したのは、シゲルだ。柳井に頼まれて、牧田が川上と相談して、川上がシゲルにやらせようと提案し、それを牧田が承諾した恰好だった。

金額的な問題はさほどなかった。柳井から受け取った五百万と、牧田が同じ額、合わせて一千万を払って、シゲルに仕事をさせた。逆にいえば、牧田は柳井の持つ仁勇会のフロント絡みのネタを、五百万で押さえたともいえる。

だが肝心の、その仁勇会ネタをよこす前に、柳井は消えた。

普段の牧田なら、ぶっ殺してやると息巻いて、血眼《ちまなこ》になって捜すところだが、こと柳井に関しては、どうもそういう気持ちにはなれなかった。奴の、姉と父親の復讐をしたいというそれが、とても他人事には思えなかったからだ。

まさにかつての自分がそうだった。犯人こそ捕まらなかったが、タイミングからいって、牧田の父親を撲殺したのは徳永の手の者に違いなかった。次いで母親が自殺。妹は失踪。会社は解散。あの頃の牧田に、復讐以外の生き方は選びようもなかった。

だから、金の話はいい。五百万くらいの金、別に柳井にくれてやるのは惜しくもなんともない。ただし、仁勇会に関する情報は欲しい。それだけは、なかったことにはできない。特に藤元が亡くなった今、さらに経済面で仁勇会がダメージを被るのは、結局のところ石堂組本体の痛手ともなる。

藤元を失った仁勇会の窮地を救い、石堂組に繋ぎ止めたい。これが第一義。あわよくば、仁勇会を石堂組か、極清会に吸収合併。いや、そこまでいったら打算が過ぎる。とにかく、今は柳井を見つけ、情報を出させる。それが最優先事項だ。


五時少し前に待ち合わせ場所にいくと、姫川玲子はすでに席をとって座っていた。

「すみません……急に、お呼びたてしまして」

「いえ。こちらこそ、ありがとうございます」

そう、こういう顔だった。よく見れば、なかなかの美人だ。瞼はくっきりと二重だし、鼻筋も通っていて、左右のアンバランスもない。それなりに華もある。いや、この前よりちゃんと化粧をしているだけか。とはいっても、今日もさほど厚く塗っているわけではない。ちょっと色をつけるだけで、これだけ見られるようになる。もともとそういう素材だったということか。

注文はまだだったようで、二人でコーヒーを頼んだ。

「槇田さん、おタバコは」

「ああ、吸いますが」

すると小さく頷いて、自分の側にあった灰皿をこっちに押し出す。商売女なら一度手にとり、両手でこちらに差し出すだろうが、そこまでしないところが、自然といえば自然でいい。

それじゃあ、と一本吸っているうちに、コーヒーが運ばれてきた。

彼女は下がっていくウェイターに頷くように頭を下げ、カップに指をかけながら始めた。

「……あの、お電話いただいた件ですけれど。柳井さんについて、何かお分かりになったのでしょうか」

そう、それが問題だ。実は、こっちから餌として撒けるネタはほとんどない。あまり姉の事件をほじくり返して、小林充に繋げるのも得策ではない。一体、なんなら話しても問題ないだろうか。

「いや、分かったというほどのことではないんですが」

ひと口、牧田もコーヒーを飲んでおく。

「……彼の実家が、確か武蔵小金井辺りだったなと、そんなことを思い出したもので。そこから何か、分かるんじゃないかなと」

どうやら、柳井の実家については先刻承知だったらしい。姫川はやや残念そうに目を伏せた。そもそも、有益な情報を提供してやるつもりなど微塵もなかったのだが、そういう態度をされると、こっちも何か損をしたような気分になる。

「ひょっとして、柳井くんの実家については、ご存じでしたか」

「あ、ええ……一度、いってきました。もう、マンションになっていました」

ここは一つ、さも失敗したという顔をしておく。

「そうですか……いや、それなら、先にお電話で申し上げておくべきでした。すみません……こんなところまでお出でいただいて。かえって、ご迷惑でしたね」

だが姫川は、慌てたようにかぶりを振った。

「そんなこと、ありません……あの、お電話いただけるようにお願いしたのは、こちらですから」

その表情には、何か救われるものがあった。分はまだこっちにある。牧田はそう踏んだ。

「あの……正直、私には分からないんです。姫川さんは、柳井くんの何を、調べていらっしゃるのですか。確かに今、彼とは連絡がとれない状態ですが、姫川さんはあのアパートにきて、初めて彼の留守を知ったわけですよね。連絡がとれないから心配しているのとは、違うんですよね」

微《かす》かに、姫川の眉根に力がこもる。細からず太からず、綺麗な形に整えられた眉だ。意地悪なようだが、その困った表情すら、牧田はじっくり見てやりたいと思う。

姫川はしばらくしてから答えた。

「正直にいいますと……そうです。我々は柳井健斗さんが、ある事件について事情を知っているのではないかと、考えています」

「平たくいうと、犯人かもしれない、ということですか」

さらに、姫川の表情に困惑の色が強まる。牧田の中にある、サディスティックな一面がやたらと刺激され、思わず前に身を乗り出した。

「姫川さん。私は今、単なる知人として、柳井くんの身を案じています。ただ彼が、その……犯罪に、関わっているのか、そうではないのか。そこのところは、重要なことだと思うんですよ。もし彼と偶然どこかで出くわしたとして、どこにいってたんだと話をして、警察の人も捜してたよと……そこまでいっていいものなのか、それともいってはいけないのか、今のままでは、私には判断がつきません」

姫川は、しばしコーヒーカップの辺りに目をやり、考え込んでいた。

やがて、硬いものを飲み込むようにして、頷く。

「……槇田さんは、仁勇会という名前を、ご存じですか」

ぞくっと、股の間から寒いものがせり上がってきた。

柳井は、藤元殺しで疑われているのか。いや、姫川があのアパートを訪ねたのは、藤元が殺されるより前だった。

「仁勇会……名前は、聞いたことが、あるような」

「では少なくとも、お知り合いはいらっしゃいませんね」

「ええ……いません」

四課の小坂は、中野でチャカがあがったといっていた。姫川は、藤元殺しと柳井の関連を疑っている。ということは、チャカから、柳井に繋がる何かが出たと考えていいのか。たとえば、指紋とか。

だが、そんな馬鹿な話があるだろうか。柳井がチャカを持つこと自体考えられないが、それで藤元を殺すなんて、荒唐無稽もいいところだ。藤元と柳井にはなんの接点も、因果関係もない。少なくとも、牧田の知る限りでは。

「仁勇会というのは、ひょっとして、暴力団ですか」

「すみません。現状こちらからは、これ以上のことは申し上げられません」

姫川は「失礼します」といいながら、伝票に手を伸ばした。

思わず、その細い指の並んだ手に、自らを重ね合わせた。

冷たい指先だった。切ないほどに。

「……困ります」

それでも牧田は、その手を離さなかった。

「槇田さん……困りますから」

何がだ。よく知りもしない男にコーヒーを奢《おご》られることがか。それとも、人前で手を握られることがか。そういうわりには、ちっとも手を動かさないのはなぜだ。頬に赤みが差しているのはなぜだ。

伝票を、その手の下から引き抜く。

「……大した情報も差し上げられず、すみませんでした。せめて」

「ほんと、困りますから」

姫川は、牧田が触れた手の甲をもじもじと、反対の手で弄っている。

「じゃあ……この次、ビールでも奢ってください」

もっと粘るかと思ったが、姫川はそこで頷いた。

ご馳走になります、という声が、少女のように頼りなげだった。

4

藤元英也殺害の翌日。十二月二十六日、月曜日。

玲子は朝っぱらから、会議で散々な目に遭っていた。

都合三日の単独行動、五回の会議に参加しなかったことに対して、組対四課の捜査員から非難が相次いでいた。

「……結局、姫川主任は何をしてらしたんですか」

やたらとしつこく喰い下がってきたのは暴力犯六係主任、奥田《おくだ》警部補だ。

「ですから、それについては下井さんが説明した通り」

「私はあんたに訊いてるんだよ。みんな、あんたの説明を聞きたがってる」

「誰が説明したって同じです。夜しか会えない、早朝しか会えない関係者に話を聞きにいっていたんです」

「誰と誰に。その成果も碌に報告はないじゃないか」

上座の幹部は黙ってことの成り行きを見守っている。

下井が、広げていたノートを、スッとこっちにすべらせてくる。

「……じゃあ、ご報告します。二十三日の夜は」

別の方から声があがる。

「それ見るなよ。あんたの報告をしろっていってんだよ」

くそッ。これではまるで、小学生のホームルームの吊るし上げではないか——。

玲子のこめかみで、パチンと爆《は》ぜるものがあった。

「……分かりました。そうまで仰るなら、ご説明いたします。ただし、私の欠席に関してのご不満はさて置き、いったんは下井係長がお断りを入れた形になっているはずです。それをお認めになった上で私に報告を蒸し返せと仰るわけですから、逆に私は、私が欠席した回の報告を、今一度みなさんにここで要求いたします。むろん、私の疑問に関してもお答えいただきます。組対さんが、どういう方法で小林殺しの経緯を把握したのか。なぜ六龍会の内部情報にそこまで明るいのか。なぜ六龍会の構成員である小林が、仁勇会とイザコザを抱える大政会会長、三原鉄男に、藤元と大東建業の佐伯の密会を報告したと分かったのか。いつ誰から、どういった方法でそれらを聞き出したのか。捜査協力の謝礼に適正な処理は行われているのか。そもそも今回の本部捜査で、組対四課の捜査員同士がペアを組んでいるのはなぜなのか。中野署の捜査員と組んでの捜査ができない理由はなんなのか。そういったことも含めて、この場でご説明いただきます。よろしいですね」

たっぷり十秒、間を取ったが、奥田主任からの返答はなかった。

次に発言したのは、上座にいる六係長の松山警部だった。

「時間の無駄だ……姫川主任の敷鑑に関しては、下井さんから報告を受けている。そういうことでいいだろう……奥田」

奥田主任は無言で頷き、前に向き直った。

こういうのを、マルBでは「手打ち」というのだろう。

下井には、署を出た辺りで謝った。

「いろいろ、ご迷惑をおかけしました……」

玲子が頭を下げると、下井は苦笑いを漏らした。

「気にするこたぁねえよ。あんくらいのことは、男のデカなら話題にもならねえが、あんたみたいなのがやるとな……どうしても目立っちまう。それと今回、組対部員は部長から、絶対に刑事部に手柄は渡すなと、そうキツくいわれてるらしい。だから……あんたみたいなのが不穏な動きをすると、足元をすくわれるんじゃねえかと、不安で仕方ねえのさ」

褒められているようにも聞こえるが、一点だけ気になった。

「あたしみたいな、って、どういう意味ですか」

下井は肩をすくめながら小首を傾げた。

「どういう意味、か……そうだな。周りに睨まれても、嫌われても、平気なところかな」

なにそれ。

「あたし……嫌われても平気なんかじゃないですよ」

「そう見えるんだよ。平気そうに、屁とも思ってないように見えるんだ」

「そんな……」

自分は決して、特別に強い女なんかじゃない。

下井は雨を心配するように、灰色の空を見上げた。

「でもそれは、お前の大きな武器だぜ。手放さずに、しっかり持っときな。それと、逃げ場な……お前にはちゃんとした、いい逃げ場がある。お前を守ろうとしてくれる、上司と部下がいる。そういうの、大事にしろよ」

思わず、はっとなった。今回の捜査が始まってから、十係の連中とはあまり話をしていなかった。

「菊田って、あのデカいの……相当心配してたぜ。会議でも、お前さんをかばうのに必死になってた。今夜辺り、一杯くらい奢ってやっても罰は当たらんと思うがな」

そうします、と玲子は頷いておいた。

だが心にあったのは、逆にひどく後ろめたい、薄暗い思いだ。

ここ二日は菊田より、槙田の顔を思い出す回数の方が、圧倒的に多くなっている。


午後二時過ぎ。六龍会と合法的取引をしていたという飲食店の聞き込みを終え、外に出たところで、玲子の携帯が鳴った。

「ちょっと、すみません」

ディスプレイには「槙田功一」と出ている。

どくん、と胸の内で何かが暴れる。

なんとなく、下井と距離をとってから通話ボタンを押した。

「はい、もしもし」

すると、意外にも槙田の方から会いたいといってきた。健斗について話したいことがあるのだと。むろん、その場でどういう話かを訊くこともできた。だが玲子は、あえて訊かずにおいた。訊いて、それがさして意味のない情報だったら、槙田と会う理由がなくなってしまう——。

そこまで考えが至って、ようやく、自分の気持ちを認めざるを得なくなった。

あたしは、この人に、会いたいと思っている――。

いや、違う。槇田は健斗の関係者だ。だから会いにいくんだ。そう心の内で言い訳をしてから、彼に確認した。もう一人一緒にいってもいいか、それとも、自分一人でいった方がいいのか。槇田は、玲子一人の方がいいといった。その答えを、喜んではいけないと自らに言い聞かせる。

「下井さん……」

電話を切ったあとで、下井にもう一度一人になる時間をくれと頼んでみた。今日は会議に間に合うように帰るから、とも付け加えた。

下井は眠たそうな目をして「いいよ」といってくれた。

「イマハルに、姫川の好きにやらしてやってくれって、そう頼まれてんだ。だから、遠慮はいらねえよ。どこへでもいきやがれ」

そうか。そういうことだったのか。

十六時四十五分。玲子は槇田に会うために、新宿プリンスホテルの地下ラウンジまできた。

後ろめたい気持ちは、さらにその暗さを増していた。それは下井に対してであり、今泉や、菊田に対してでもあった。また、風邪のひき始めのような熱にも冒され始めていた。多少は、店内の暖房が利き過ぎているというのもあるだろうが、それだけでは説明のつかない火照りが顔に張りついている。

槇田は、約束の数分前に現われた。それでも彼は、自分の方が遅かったことについて詫びた。低く、それでいて、体の芯に直接響くような声だった。

玲子の、顔の火照りはそのまま。一方で後ろめたさは明らかな罪の意識へと変わり、ずしりと、その重みを増した。

コーヒーを頼んだあとで、槇田はタバコを吸った。男っぽい、やや雑ともいえる吸い方だった。消し方も、いい加減といえばいい加減だ。ぐっと灰皿に押しつけて、お終い。まだ少し煙が立っているのを見て、コップの水をちょっとだけ注ぐ。一連の作業をする左手は、独立した別個の生き物であるかのようだった。

大きな手。意外なほど綺麗な指――。

残念ながら、槇田の話というのは健斗の実家に関することで、特に情報として目新しいものではなかった。またその後の会話にも、収穫といえるようなものはないに等しかった。

玲子は適当なところで話を切り上げ、伝票をとって立とうとした。それは決して、槇田の情報にこれといった価値がなかったから、ではない。むしろ、槇田と二人でいるのがあまりにも息苦しくて、空気が重過ぎて、耐えられなくなっていたからだ。

だが、あろうことか槇田は、玲子の手に自分の手を重ねてきた。

火照りと、冷や汗と、罪の意識と、手の甲に感じる槇田のぬくもりと。そんなこんながご

ちゃ混ぜになって、

「……困ります」

玲子は、自分でも情けなくなるくらいか細い声で、そんなふうにいってしまった。それでもまだ、槇田は手を離してくれない。

結局、槇田は伝票を玲子の手から抜き取り、この次ビールでも奢ってください、と笑顔でいった。

槇田は、玲子の「困る」を、単に支払いに関することと解釈しているようだった。

それならそれで、かまわないのだが。

中野に帰る都合があったので、新宿駅まで戻るというと、じゃあ駅まで一緒にと、槇田はいった。

外の風に当たったせいか、火照りはだいぶ治まってきていた。

今はむしろ、この男と並んで歩くことに対する後ろめたさが玲子の胸を重くしている。

何やってるんだろう、あたし――。

わけもなく、泣きたい気持ちになった。勤務中なのに。捜査中なのに。男に手を握られたくらいで、なんでこんな気持ちにならなければいけないのか。

歌舞伎町一番街の入り口前まできた。そこで信号待ちをする。

視界の端にある、槙田の大きな肩。厚みのある胸。この前も、ラウンジにいるときも分からなかったのに、こうやってすぐ隣に立ってみると、微かに香水の匂いを感じる。

どうして、今日は？

そんなことに意味などない。きっとこの前もつけてはいたんだ。でも時間が経って薄くなっていたか、たまたま自分が気づかなかっただけだ。変な勘違いはするな。そう、繰り返し自分に言い聞かせる。

馬鹿だな、あたし——。

そんなことを思ったときだ。

「……おい、マキタァ」

どこからか声がした。玲子は辺りを見回したが、信号待ちの人が大勢いてよく分からなかった。

槙田は、気づかなかったのか前を向いている。

すると、人込みを縫うようにして二人の男が玲子たちの後ろに現われた。槙田を呼んだのはその内の一人だったようだ。グレーのコート。中は黒いスーツ。ワイシャツにノーネクタイ。髪は五分刈りほどで、眉はほとんどない。

「テメエ、さっき目ぇ合っただろうがよ」

槙田の肩を摑んで自分の方を向かせようとする。槙田は、目は合わせたが体はそのまま。

まだ黙っている。

男は玲子にも目を向けた。

「うちの会長がやられたってのによ、オメェはろくに挨拶にもこねえで、こんなとこで女と何やってやがんだ」

会長が、やられた——？

「……放せ」

「アア？　聞こえねえよバカヤロウ。こっち向けコラ」

男が槇田の胸座を摑む。男の背は玲子と変わらないくらいだが、全体にがっしりしていて、力は強そうだった。もう一人の男も、玲子と槇田を遠ざけようとするように割って入ってきた。

周囲の通行人は少し距離をとって、成り行きを見守っている。

「それともアレか、フジモトの兄貴が死んで、腹ん中じゃ笑ってやがったのかテメェは。アア？」

フジモト。仁勇会会長、藤元英也——？

「よせよ……公衆の面前だ」

「だったらなんだってんだ馬鹿がッ。挨拶しろってんだオラッ」

強引に頭を下げさせようとする男。胸座を摑んだ手を引き剝がそうとする槇田。そんな揉

み合いが続き、やがて、

「……あっ」

槇田の、淡いブルーのストライプのシャツ、その前ボタンが、立て続けに弾け飛んだ。露わになった肌。肩から胸にかけて見えた、濃紺の絵柄。

「……なにすんだ……カネダ」

そのひと言と同時に、槇田の表情が一変した。

「……俺は……放せといったはずだぜ」

「ンア？」

男がとぼけた顔をした、その瞬間だった。

槇田の額が、大きな落差をもって男の顔面を襲った。左目から頬、鼻筋辺りまでが、グシャッと陥没したように見えた。

「てっ……」

テメェと怒鳴る間もなく、もう一人の男の腹を槇田の拳が襲った。前のめり、二つに折れる体。さらに槇田は小さく右腕を折り曲げ、コンパクトに振り上げた肘をその背中の真ん中、脊髄に打ち下ろした。

歌舞伎町の、薄汚れたアスファルトに横たわる、二つの体。

「……いこう」

槙田はシャツの胸元を掻き合わせ、玲子の手をとって横断歩道を渡り始めた。

歩行者信号の青は、もう点滅を始めている。

「ちょっと、槙田さん」

「いいから」

そのまま駅まで走らされた。

東口交番を左手に見ながら駅構内に入り、地下コンコースへと続く階段を下りる。

JRの改札前で左に折れ、その通路の壁際に寄って、槙田は足を止めた。

「……放して」

玲子は、どちらのとも分からない汗で濡れた手を引っ込めた。

二人とも、かなり息が切れている。

「……どういうこと、なんですか」

槙田は大きく息をつき、今一度胸元を掻き合わせた。だが、何度やっても、手を放してしまえばまたはだける。なんの絵柄かは知らないが、濃い色の彫り物が胸の辺りに覗く。今も襟にぶら下がっているネイビーブルーのネクタイとは、あまりにもチグハグな取り合わせだった。

「……おおよそは、察しがついてるでしょう」

ついている。でも、認めたくない。

「ちゃんと、説明してください」

頭突きのときに相手の歯でも当たったのか、槇田は左眉の上を少し切っていた。垂れた血が眉毛に溜まり、今にも目に入りそうになっている。

玲子はハンカチを出し、その傷口に当てた。槇田の視線を意識しつつ、血の止まらない傷口に目を向け続ける。見られていると思うだけで、震えがきそうになる。体の芯は熱いのに、寒気がする。視線を合わせたら、自分がどうなってしまうか分からない。だから、彼の目を見られない。

その肌にある絵柄、絡んできた男の素性、殺された藤元との関係。知らなければいけないことはたくさんあるのに、何一つ聞きたくない。

槇田は、血のついたハンカチごと、玲子の手を握った。大きな左手で、玲子の右手を、強く。

「……やめてください」

「信じてくれ、俺は」

「放して……」

「騙すつもりはなかった」

いつのまにか、反対の手も握られていた。

「素性を偽ったことは、謝る……でも」

どうして、涙が出るの——。

「柳井の身を案じてるのは、本当なんだ」

どうして——。

「……じゃあ……あなたは一体……誰なんですか」

どうしても、顔を見られない。目を合わせられない。

「俺は……」

駄目、いわないで。

「極清会の……牧田、勲だ」

やっぱり——。

束の間、玲子の中にあった熱いもののすべてが、冷たい砂となり、流れ落ちていった。

立っているのがやっとだった。

何をいう気にもなれず、現状をどうにかしたいという気持ちも湧いてこない。

いまだ握られている両手も、ほとんど感覚がなくなっている。

自分が流した涙の意味なんて、考えたくもない。

今はただ——。

体の真ん中にある、火傷の跡が、痛い。

5

事務所に帰ってからも、牧田はずっと考えていた。

なぜ、黙っていられなかったのだろう。

なぜあの女に、素性を明かしてしまったのだろう。

今日日、肌に彫り物があるくらいで、それが即極道となるわけではない。ましてや極清会の牧田だなどと、正直に名乗る必要はこれっぽっちもなかった。なのに自分は、いってしまった。

あの女が、泣いたからか。自分の彫り物を見て、ショックを受けているようだったからか。

馬鹿な。そもそもあの女に、自分の何を信じてほしかったというのだ。自分はただ彼女を、姫川玲子を、情報源として利用したかっただけではないのか。柳井健斗が失踪した。その足取りを追うための情報を、姫川から引き出すのが目的だったんじゃないのか。あるいは、藤元が死んだ。殺したのは誰なのか。捜査はどこまで進んでいるのか。そういう情報を、姫川と接触することで得ようとしたんじゃないのか。

左眉の傷は、事務所に帰ってから川上に治療してもらった。理由を訊かれたが、うるさいといって追い払った。

牧田が歌舞伎町で伸《の》したのは、仁勇会の金田幸生《かねだゆきお》とその子分だ。金田は仁勇会の舎弟頭、つまり藤元の弟分。牧田とは直接盃は交わしていないが、業界内での格付けはほぼ同列といったところだ。

いずれ金田は、今日のことについて何かいってくるだろう。ひょっとしたら、仁勇会に対する極清会の敵対行為という見方をしてくるかもしれない。そうなったら厄介ではあるが、まあ、どうにかして収めるほかないだろう。売られた喧嘩を買ったまで、と主張するか、あるいは何か土産を持たせて詫びとするか。どちらになるかは、金田の出方次第だ。

それよりも。

あのときの、姫川の目が瞼に焼きついて離れない。驚きでもなく、怯《おび》えでもなく、強いていうならば――そう、悲しみ。そういう目だった。そして牧田は今、確かに、あの目に見られたことによって傷ついている。

自分は、ヤクザ者との哀れみを受けたのか。フザケるな。そんなことにはこちとら慣れっこだ。だったらいってやればいい。ヤクザで何が悪いと。見たければ見ればいい。この背中の不動明王を。覚悟の上で背負ったものだ。恥じる気持ちはない。胸から尻まで、きっちり色を入れて仕上げた極上の彫り物だ。いつでもどこでも、素っ裸になって見せてやる。

そう、頭の中で啖呵《たんか》を切ったところで、気持ちは一向に晴れない。

じゃあ、どうしたかったのだ、自分は。

いいからこいといって、あの女をそこらのホテルに連れ込んで抱きたかったのか。そういうことなのか。

だが、いくら目を閉じて想像を逞しくしても、脳裏に浮かぶのは肉欲に乱れた女のそれではない。あくまでも悲しい目で、牧田を見つめる姫川玲子だ。どんなに激しく突いても、顔色一つ変えずに何かを問いかけてくる、悲しみの色を湛えた二つの瞳だ。

自分はあの女に、どう思われたかったのだろう。堅気の不動産屋、槇田功一として見られていたかったのか。シノギだの義理だのという面倒から解き放たれて、束の間、飯事《ままごと》遊びのような時間を過ごしたかったのか。

くだらねえ。ガキじゃあるまいし。

だが、そんな自問に意味がないことは、自分が一番よく分かっている。

ヤクザ者と知れた以上、姫川玲子はもう、自分と会おうとはしないだろう。この前のように、柳井健斗に関する追加情報があるのだがと餌を撒いてみたところで、もう決して喰いついてはこないだろう。あの女は、自分とは最も利害が対立する立場にある、現役警察官なのだから。

もう自分が、あの女に会うことはない。

そう心の内で唱えると、ほんの少しではあるが、気持ちが軽くなった。強いて喩えるなら、それは十代の頃に味わった、失恋後の乾いた気分に似ていた。

失恋、か――。

くだらねえ。ガキじゃあるまいし。

この台詞。自分はさっきから、一体何回呟いただろう。

石堂組の幹部連中とはそれぞれ電話で話した。

今はどこの組にも警察が張りついている。下手に動かず、下の者で足りる用事は下の者に任せ、とにかく捜査が一段落するのを待とう。そういう意見が大半を占めていた。牧田も、それに従うつもりだった。

また、仁勇会の金田は、意外なほどあの日のことについては騒ぎ立てなかった。どうやら、あの場面を見ていた誰かから石堂組相談役の山崎に話が回り、仕掛けたのは金田の方らしいと耳に入ったようだった。そのお陰だろう、牧田へのお咎めは一切なし。まあ、次にどこかで金田と顔を合わせたら、あのときは悪かったな、くらいはいうつもりでいる。眼窩と鼻骨を骨折したと聞いているので。

あれ以降も、四課の小坂は毎日のように事務所を訪れてきている。日によって一人でくることもあるが、大体はあの、目つきの鋭い愛宕署の刑事と一緒だ。

今日も昼時にきたので、仕方なくカツ丼をとって食わせてやった。

「そういや……名誉の負傷は、もういいのかい」

小坂は自分の右眉を指差した。この刑事が、この傷についてどれほど知っているのかは分からない。だが、もはや絆創膏もしていないのだから、見れば分かるだろうと思う。傷口は塞がって、カサブタもとれている。

「……ええ、お陰さんで」

「そりゃ、何よりだ……じゃあ、石堂の親父の具合はどうだい」

小坂という男は、実に妙な箸の持ち方をする。人差し指が余って、上にピンと飛び出している。それでも不自由はないようで、食べ終わったあとの丼は綺麗なものだった。飯粒一つ残っていない。

「よくは、ないですね……私もあんまり、頻繁には見舞いにいけないんですが」

「どうして。いってやりゃいいだろうが」

「何いってんですか。おたくらが張ってるから、動きづらいんですよ」

これは、あくまでも小坂の顔色を見るための振りだ。

「別に……張ってなんかいねえさ」

ほう。嘘をつくときは、ちょっと右眉を動かすのか。小坂たちが通りの向かいの喫茶店からこの事務所の様子を窺っていることは、こっちは先刻承知の上だ。

机の方で、携帯が鳴り出した。

ソファから立ち、携帯をとりにいく。カツ丼の、甘い汁がついた口元を拭った手で、震えるそれをすくいとる。

だが、小窓の表示を見て、牧田は思わず手を止めた。

姫川玲子――。

いや、ここでおかしな態度はできない。

牧田はとりあえず携帯を開き、「切る」ボタンを押した。これで向こうには、時間を置いてかけ直してくれというメッセージが流れるはずだ。

「チッ……いたずらメールか」

携帯をポケットに入れながら、社長室の出口に向かう。

「おーい、伊東《いとう》、お茶。こっちにお茶、三つ」

あえて、留守をしている若中の名を呼びながら出ていくと、すぐそこの机にいた川上が異変を察してこっちに近づいてきた。

それとなく耳打ちする。

「……車、裏に回しとけ」

川上は頷き、すぐさま出口に向かった。

牧田はいったん社長室に戻り、茶がくるのを待ってから、タバコを切らしたことに気づい

「……失礼」

た芝居をした。

「すんません……ちょっと、買ってきます」

「なんだよ。若いもんにいかせりゃいいじゃねえか」

「いや、タバコ屋もね……私が直に買いにいった方が、何かと安心するらしいんですよ」

小坂は、そんなもんかね、といって笑った。

牧田は挨拶もせず部屋を出て、コート掛けから自分のをひったくり、そのまま事務所を飛び出した。

ビルの裏に回ると、エルグランドはちゃんとアイドリングしながら待っていた。

スライドドアから乗り込む。

「……とりあえず、適当に走ってくれ」

「分かりました」

川上は慣れた手つきでハンドルを切り、車を急発進させた。

牧田はすぐに携帯を構えた。

メモリーから「姫川玲子」を読み出し、ボタンを押す。

コールはたったの一回だった。

『……もしもし』

こんな声だったかと、また不思議に思う。

「牧田です……すみません。ちょっと、さっきは出られなくて」

『いえ、こちらこそ……急に、すみません』

なんの用ですか。そう訊くのが怖い。何をいわれるのか想像もつかないし、下手に答えたら、本当にこれが最後の連絡になってしまうかもしれない。許されるなら、とりあえず会いませんかと、そういいたい。だが、それを断られるのはもっと怖い。

図らずも、失ったものを取り戻すチャンスが巡ってきた。この機会を大切にしたいと思うあまり、続く言葉が出てこない。いい年をして何をやっているのだと、自分を殴りつけたくなる。川上が聞き耳を立てていることが分かっているだけに、余計に自分の臆病さがもどかしい。ガキじゃあるまいしと、また心の内で呟く。

すると、姫川の方から切り出してきた。

『あの……今日、お時間は、ありますか』

心臓が倍にまで膨らみ、ひと際大きな鼓動が鳴った。

「ええ……大丈夫です」

平静を装ってそう答えたが、上手くいえたという自信はない。川上は変に思わなかったか。そんなことがやたらと気になる。

姫川の応答までの数秒が、狂おしいほどに息苦しい。

『……会えますか』

思いつめたような声。待ちわびたひと言。

腹の底から、震えのようなものが湧き上がってくる。

「……はい」

密かに深呼吸をする。そうしないと、眩暈《めまい》を起こしそうだ。

『この前の、ラウンジじゃ……なんですよね』

「ええ……別のところの方が、私は」

『どこが、いいですか』

とてもじゃないが、そんなことを考えられる状態ではない。

「決めてください……あなたが」

姫川はしばらく間を置いてから、六本木ミッドタウンのホテル内にあるカフェレストランを指定してきた。時間は、今から一時間後。

「分かりました……必ず、伺います」

『じゃあ……のちほど。失礼します』

電話を切る。

ふいに、自分の体が重いのか、軽いのか、車内が暑いのか寒いのか、そんなことも、よく分からなくなった。

会える。もう一度、姫川玲子に。

そう思うと、強烈な浮遊感が腰の辺りを押し上げてくる。だが、どんな顔をして会ったらいいのかと考えると、急にシートに穴が開いて、墜落していきそうになる。

赤信号だろうか。ゆっくりとエルグランドは停止した。

「……兄貴。誰かと、会うんですか」

ああ、会うんだ。

なんのために会うかは、自分でもよく分からないが、とにかく、会うんだ。

それが今、自分は、どうしようもなく、嬉しいんだ。


店に着くと、姫川はすでに半ば個室のような席をとって座っていた。

ダークグレーの、ピンストライプのスーツ。その下はオフホワイトのカットソー。これまでは、二度ともシャツを着ていたのではなかったか。そのせいか今日はやけに女っぽく、雰囲気が柔らかく感じられる。心境の変化でもあったのだろうか。おそらく、そうなのだろう。表情は幾分憔悴《しょうすい》しているように見えるが。

「お待たせしました」

立ったまま頭を下げると、姫川もいったん腰を上げた。

「すみません……お忙しいときに、お電話してしまって」

「いえ」

向かい合わせに座る。部屋は四畳半ほどだろうか。ふと、取調室にいるような錯覚を覚える。

午後三時。時間的にも、気分的にもビールやワインではなかった。ドリンクメニューを見て、姫川が選んだのはエスプレッソ。牧田はブレンドを頼んだ。

ウェイトレスが下がっていく。

姫川が、やや上目遣いで視線を合わせてくる。

「……傷、もう、いいんですね」

牧田は左眉に手をやった。

「ええ……白血球が、人より、多いんでしょうか。わりと、血が止まるのは、早いんです」

姫川は、なぜか悲しげな笑みを浮かべた。

「……血を止めるのは、血小板です」

ひやっとした。白血病患者は血が止まらない、というところから、いつのまにか勘違いをしていたようだ。

「すみません……無知で」

「いえ……私こそ、すみません……何をいっていいのか、よく、分からなくて」

それは自分も同じだ。そう思うと、少しだけ気が楽になった。

まもなく飲み物が運ばれてきた。姫川はこの前と同じように、下がっていくウェイトレスに小さくお辞儀をした。

「あの」「あの」

二人の声が、テーブルの上でぶつかり合った。

「どうぞ」

「いえ、牧田さんから……」

結局、牧田が譲って、姫川が話し始めた。

「あの、ですから……その、単刀直入に、お伺いします……なぜ牧田さんは……私に、近づいたんですか」

数秒、考え込んでしまった。

「……違う。最初に声をかけてきたのは、あなたの方だ」

「それは、そうなんですけど、でも……二度目は、牧田さんが電話を……じゃあ、なぜ偽名を使ったんですか」

また。分かりきったことを。

「それは、聞かなくても分かるでしょう。むしろ、今日あなたが私を誘ったことの方が疑問だ。なぜ、また私と、会う気になったのですか」

いや、これではまるで、自分が会いたくなかったように聞こえる。

「つまり……私が、ヤクザ者だと分かったのに、あなたはなぜ、電話をくれたんですか」

姫川は目を伏せ、忙しなく瞬きをした。長い睫毛が、小鳥の羽のように細かく上下する。

「それは……あなたが暴力団員だからといって、会わないというのは……違うと、思ったからです」

「ヤクザにも、一応は人権があるってことですか」

「そんな……卑屈な言い方、しないでください」

怒ったように結ばれた唇が、ひどく艶《なまめ》かしい。

気持ちを落ち着けようとしているのか、ゆっくりとした息遣いが、薄い胸の動きが、否が応でも牧田に「女」を意識させる。

「……いろいろ、考えました。実際、過去についても、調べさせてもらいました」

まあ、刑事なのだから当然だろう。

「軽蔑しましたか」

「何がですか」

「二人殺していることです」

それについては、意外なほど表情を変えなかった。

「いえ……むしろ、納得しました」

「何をですか」

「あなたの抱く……殺意の、種類についてです」

なんだろう。姫川の目の色が、急に変わったように感じられた。

視線は、こっちが恥ずかしくなるほど真っ直ぐ、牧田に向けられている。左目で右目を、右目で左目を――。

奇妙な感覚に囚われた。

頭の中を覗かれるような、だがそれを拒みたくはないという、不可思議な心境。自分の過去も、現在も、秘密も、弱点も、すべて晒してしまいたいという、誘惑。

「……あなたは、お父さまの会社絡みで、白川会系徳永一家総長、徳永晃と、そのフロント企業である大西土木の社長、井川良和に恨みを抱き、殺害した……営利目的で殺すのでなければ、愉快犯や衝動的な殺人でなければ、心情的に許せるとか……そういう、単純なことではないですが、でも、当時の捜査資料や、裁判資料を読む限りでは、私は……あなたの殺意を、認めはしないけれど、でも、理解はできると、思いました」

何をいおうとしているんだ、この女は。

「私は……私自身、今でもある男を、殺したいほど憎んでいます。そういう殺意を、心に飼っている女です……でも、それがあるからこそ、私は警察官になったんです。刑事であり続けたいと、思っているんです……矛盾しているかもしれませんが、私は、そういう人間です」

とんでもないことをいわれているようにも、当たり前のことを聞いているようにも思える。

この女が拳銃を握り、牧田の知らない誰かに突きつける。そんな様子は確かに、容易に想像できる。

「だから……というのでは、ないですが……私はあなたを、少し、身近に感じることができて、ほっとしたんです。もう一度会って、お話を聞きたいと、思ったんです」

二人殺している過去を知って、ほっとした——？

その告白を奇妙に思う一方で、自分もまた姫川の言葉に安堵していることに気づく。だがその安堵すらすぐにひっくり返り、新たな不安に形を変える。この女は、自分がヤクザであることも、二人殺していることも、関係ないというのか。本心から、そういっているのか。

それを確かめる術はあるのか。

触れたい。この女に——。

切実に、そう思う。

この、姫川玲子という女の膝に抱かれて眠りたいという欲求と、押し倒して、両手の自由を奪って、強引に思いを遂げたいという肉欲が交錯する。四の五のいうな、本当は俺に抱かれにきたんだろう、素直になれと、喉元まで出かかっているのに、今の関係を壊したくない、認めてもらえるなら、受け入れられるなら、思われるままの自分でありたいと願う気持ちが、口に蓋をする。

「……光洋不動産についても、調べました。ちょっと、分かりづらかったんですが、あなたとあの会社は、実際にはほとんど、関係がないんですね。むろん、営業部長としての仕事なんてしていない。おそらく何かの取引を通じて、義理ができて、光洋側はあなたに代償を支払う義務が生じたけれど、あなたはお金よりも、架空の立場を要求した……そんなところではないかと、推測しました」

大したもんだ。ほとんどその通りだ。

「正直に、話してください。あなたは、柳井健斗と、どういう関係なのですか。引っ越し先を世話するとか、資金を融通するとか、そういうのはもういいです。本当のことを話してください。お願いします」

姫川は、頭を下げた。

はらりと肩から落ちる、癖のない髪。脳天の、几帳面な分け目。

それでもこの女に抗《あらが》おうとする、自分の中の、ちっぽけな自尊心。

「……じゃあ、取引をしましょう」

姫川の目が、もとに戻った。今は普通に、焦点が合っている。

「どういう……取引、ですか」

「なぜあなたが柳井健斗を追っているのか。それについて、ある程度は説明をしていただきたい」

姫川の、見ては逸らし、逸らしてはまた見る目遣いが、牧田にはやたらと子供っぽく感じられた。

　不思議な女だ。人の心を見透かすような目をしたかと思えば、臆病な少女のようにもなる。打ち明け話で泣き落としを狙っているのかと思えば、知り得た情報を並べ、論理で捻じ伏せようとしてくる。

　まただ。また目の色が変わった。今度は何色だ。

「分かりました……お話しします」

　そういって、思い出したようにカップに手を伸ばす。

　爪に色はないが、何か塗ったような艶はある。

　エスプレッソをひと口飲む。喉元、白い肌の微かな動きに、目を奪われる。

「……柳井健斗には、ある殺人容疑が、かけられています」

　やはり。

「誰を殺した、容疑ですか」

　今一度、唇を固く結ぶ。

「……それは、牧田さんなら、お心当たりがあるんじゃないですか」

「取引ですよ。私は、あなたの口から聞きたい」

　姫川は、仕方ないというように頷いた。

「……小林充という、暴力団員です」

悪い予想ばかりが的中していく。

確かに、小林殺しを望んだのは柳井だ。がしかし、実行犯は違う。その手配をしたのは自分なのだから、間違いない。柳井は小林を殺してなんていない。なのになぜ、警察は柳井を疑っているのだろう。

まだ知りたいことはある。

続けて牧田が訊く。

「それと、この前あなたは、仁勇会という組織を知っているかと、私に訊きましたね。あのときは、とぼけてしまいましたが……今なら答えられます。むろん、私は仁勇会を知っています。会長の藤元英也が射殺されたことも、知っています。でもそれを、なぜあなたは私に訊いたんですか。仁勇会と柳井健斗に、一体なんの関係があるというんですか」

姫川は、細く息を吐き出してから答えた。

「……それも、同じです。柳井健斗には、藤元英也殺害の容疑も、かけられています」

「馬鹿な」

相手が姫川でなかったら、笑い飛ばしているか、怒鳴り散らしている。

「柳井が藤元を殺したなんて……あり得ない」

「ええ。私も、そう思います」

「だったらなんで。なんでそんな」

「それには、捜査の関係上、お答えできません」

だが、チャカだろうことは小坂から聞いて分かっている。それとて、到底納得できることではないが。

姫川は目を上げ、小首を傾げるように訊いた。

「……もう、よろしいですか。取引に、応じていただけますか」

正直、ずるいなと思う。この女に、こうも下手に出られて、要求を拒める男などそうはいまい。

仕方なく、牧田は頷いた。

「ええ……柳井は……ある種の、情報屋でした。私は、彼の持っている情報を、金で買っていました」

「なんの情報ですか」

「それは、お答えできません。極道にも、都合ってもんがあるんですよ」

「そんな……」

それはこっちの台詞だ。そんな、すがるような目で見ないでくれ。

「これ以上は、勘弁してください」

姫川は、なおも強く乞うように牧田を見つめた。だが、いえないものはいえない。柳井が提供していた情報とは他でもない、警察の内部情報なのだ。刑事である姫川にいえるはずがない。

だが、ふいに姫川は、目から力を抜いた。

すると、こっちの気構えも、たたらを踏むように崩れた。

なんだ——。

「あの、その情報って、どうやって取引してたんですか」

「……は？」

「だって、情報って、もらったもん勝ちじゃないですか。たとえば、牧田さんはその情報が役に立つかどうか分からないんじゃ、お金は出せませんよね。先払いなんて、リスクが大き過ぎる……でも、情報をもらってしまってからの後払いじゃ……相手は、いわば一介の、マンガ喫茶の店員でしょう。牧田さんみたいに力のある人が、真面目に代金を払う気になんて、よくなりましたね」

若い女といえども、さすがは刑事だ。頭の回転は悪くない。

「ええ……ですから柳井は、まず最初は、タダで情報をよこすんです。その代わり、次の情報がほしかったら、そのとき料金を払ってくれと……まあ、そういう営業形態でした」

「なるほど。上手いですね」

「ええ。実際、それで上手くいっていました」

しかし、姫川の表情はすぐに曇った。

「柳井健斗は、あなたたちのような暴力団と取引するの、怖くなかったのかしら」

「いや、怖かったでしょう。奴は、なかなか用心深かったですよ。私も取引を始めてから、しばらくは顔を合わせませんでしたから」

「はあ……顔を合わせずに、どうやって」

「情報のやり取りは、ずっと携帯でした。支払いは、奴が用意した口座への振り込みです」

すると、また今までとは違った色に、姫川の目が輝く。

「それって、柳井名義の銀行口座ですか」

「あ……いや、他人名義の、でしたが」

「つまり、柳井健斗の利用していた、他人名義の銀行口座を、牧田さんはご存じ……ということですね」

事ここに至って、ようやく気づく。

自分がいつのまにか、姫川のいいように喋らされていたことに。

第五章

1

牧田に小林殺しを依頼したのちも、僕は情報収集を続けた。

本当は、そんなことをする必要なんてないのに、なんとなく、惰性で続けていた。

家族を失い、その復讐を果たすためだけに生きてきた。その目処がついた段階で、僕の人生は終わったも同然だった。

だからもう、金はいらない。したいことも、するべきこともない。欲しいものなんて一つもない。飢え死にするなら、それでもいい。ただ、腹が減るのはやはり苦しいから、つい食べてしまう。死なない程度の栄養補給をしてしまう。まあ、無理もないところだろう。即身仏になれるほど強い精神力を持ち、人生を達観できていたら、最初から復讐などという無益なことは考えなかっただろうから。それ以前に、父親と姉の歪んだ関係をどうにかしようと努力していたか。自分が弱い人間であることは、他でもない僕自身が、一番よく分かっている。

だから、よく分からなかったんだ。

なぜ内田貴代が、こんな僕に興味を持ったのか。

見てくれがいいわけでもない、大した稼ぎがあるわけでも、何かの才能があるわけでもない。最低限の栄養を摂取して、空気を吸って生きている。いわば、服を着て道を歩く「草」のような人間。こんな僕の何がいいのか。何が面白いのか。

「柳井くん、明日休みやろ。うちもやねん。なあ、暇やったら映画でもいかへん？」

内田貴代は非常にエネルギッシュな人だった。僕みたいな人間には、その申し出を断ることすら困難だった。明日が駄目だといったら、その次の休みはどうかと訊いてくる。それも駄目だといったら、もう店長に提出するシフト表の段階で、あらかじめ休みを合わせておこうと提案してくる。

結局、観念して付き合うことになった。翌週には映画館に連れ出され、食事に付き合わされ、そのまた翌週には遊園地に連れていかれ、十一月の初めには一泊の温泉旅行まで計画され、実行された。

楽しくなかったのかと訊かれれば、まあ、楽しかったのかもしれない。映画で可笑しい場面があれば、少しは笑ったし、ジェットコースターに乗って怖い思いをすれば、思わず声もあげた。

あと、セックスも、した。温泉旅行にいったときに。

初めてだったけど、どうするかくらいは分かっていたので問題はなかった。そう、問題なかったという程度で、良かったとか悪かったとか、そういう評価のできるレベルではなかったと思う。ただ、出し入れしているうちに、出た。それだけのことだった。

彼女についても、好き嫌いでいったら、嫌いではない、というくらいだった。まもなく勝手にアパートに押しかけてくるようになったが、追い返すのも面倒だったので、そのまま部屋に上げた。情報収集の邪魔にはなったけれど、もうさほど躍起になってやっているわけでもなかったので、切りのいいところまでやったら、すぐにパソコンは閉じた。

総じていえば、彼女は非常にお節介な人だった。うちの台所で勝手に料理を始める。浴槽の汚れがひどいといっては、頼んでもいないのに掃除を始める。ヤツのボタンが取れているのを見つけたら、繕い始める。そして必ず、最後にこういった。

「うち、いいお嫁さんになると思わへん？」

そこは素直に頷いておいた。ただ、僕のではないだろうとは思っていた。

ただ、十二月に入ると、彼女はたびたび妙なことを口走るようになった。

「……生理、ないねんけど……どないしたんやろ」

最初、僕は適当に聞き流していた。

「なんかな……できたっぽいねん……もう、二人やなくて、三人、みたいな」

充分、意味は分かっていた。彼女は妊娠している。そしてそれは、僕の子供でもあるのだろう。

当たり前だが、困惑した。結婚の意思もないのに子供ができれば誰だって戸惑うだろうが、僕の場合は、そもそも自分が生きること自体に興味がないのだ。そこに、嫁です子供ですと、錘《おもり》を積み重ねられても困る。

僕は、答えなかった。聞かなかった振りをした。

それでも彼女は、自分とその子供の存在を、僕にアピールし続けた。

「なあ……一緒に住むんやったら、ここやとせまいやんか。せめて、もうひと部屋あるとこに引っ越さへん？」

彼女と話すべきことはたくさんあったと思う。彼女のいうように、部屋のことや、子供のこと、仕事なんかについても、本来ならばもっと真面目に考えて、互いに意見を交わし合うべきだったのだろう。

だが、僕が訊いたのは、そんなことではなかった。もっと根本的な、それでいて幼稚なことだった。

「ねえ……どうして、僕なの」

そう訊くと彼女は、閉じたパソコンの前に座っていた僕の背中に、おんぶをするようにかぶさってきた。

「そんな……悲しいこと、いわんといて」

背中に感じたぬくもり。人の体の、重み。

「うち、寂しいねんもん……柳井くんやて、そうやろ。寂しいから、うちのこと抱いたんやろ」

そう、かもしれない。そうじゃなかったかも、しれない。

「……もっと、繋がろう。一人で生きるのなんて、寂しいやん。東京には、こんなにいっぱい人おるのに、なんで柳井くん、一人ぼっちやの。うちも、一人ぼっちやの。悲しいやん……もっと、繋がろう。うちと、繋がろう、柳井くん」

生温かい雫が、膝に落ちた。彼女のかと思ったが、そうではなかった。

「うち、柳井くんのためやったら、なんでもしたげる。あったかいこと、いっぱいしたげる。うちは、美人やないし、家も貧乏やったから、洒落たことはできひんけど、あったかいことなら、いっぱい知ってるよ。いっぱいできるんよ。そういうの、柳井くんに、してあげたいんよ……誰かのために、何かするって、大切なんよ。その誰かが……うちにとっては、柳井くんなんよ」

姉さん。僕はこのとき、本当は、どうするべきだったのかな。彼女の思いを受け入れて、普通の人みたいに生きる努力をするべきだったのかな。今でも、分からないんだ。

でも、僕が誰かのためになにかをするとしたら、それはやっぱり、彼女と、その子供のためにってことに、なるんじゃないかな。それは、間違ってないよね。姉さん。

十二月の半ばになって、牧田から連絡が入った。

計画の準備が整った。ついては十七日の夜、新宿の、とあるビジネスホテルにきてほしいといわれた。

当日、指定された部屋にいってみると、牧田と、舎弟の川上という男がいた。川上の顔は情報取引の開始当時、牧田の素性を調べた際に知っていたが、直に会うのはこのときが初めてだった。牧田に紹介されたが、このときは「どうも」と頭を下げただけだった。

「……もうすぐ、結果を持った奴がここにくる。しばらく、ここで待ってくれ」

牧田は、何か飲むかと僕に訊いた。すると川上が机のところにいって、その下にある冷蔵庫の扉を開けた。ビール、コーラ、オレンジジュース、ミネラルウォーター。一瞬、毒でも飲まされやしないかと警戒したが、そうなったところで別にいいか、と考え直した。

「じゃあ……コーラで」

ただ、実際にコーラの缶を受け取って、プルタブを引くと、彼女の顔が脳裏に浮かんできた。ここで僕が死んだら、彼女は悲しむだろうか。子供は、どうなってしまうだろう。

「安心しろよ……変な混ぜもんなんてしてねえから」

ふいに牧田にいわれ、我に返った。そう。牧田が僕を殺して得になることなんて、何もないのだ。

一時間半ほど、そこで待たされただろうか。

「あの……僕、前にいったと思いますけど、十一時から、バイトがあるんです」

その時点で十時ちょっと前。新宿から下高井戸までは京王線で十分ほどだが、移動時間を考えるとやはり三十分前にはここを出ておきたい。

「ああ。こういうときこそ、普段通りの生活をするってのは大事なことだが、まあ、もうちょっと待ってくれ。もうすぐくる予定だから」

部屋のチャイムが鳴ったのは、十時を一、二分過ぎた頃だった。

川上が鍵を開けにいき、やがて小柄な男を伴って帰ってきた。外は雨が降っているのか、男の黒いナイロンジャケットは濡れて光っていた。

牧田は、窓際のソファに座ったまま訊いた。

「ご苦労さん。……どうだった、首尾は」

小柄な男は無言で頷き、ジャケットのジッパーを開いた。

見ると、首から何か提げている。紺色の、やはりナイロン製らしき、ポーチのようなもの。

男はそれも開き、中から銀色の機械を取り出した。ビデオカメラだった。側面にあるモニター画面を立て、引っくり返して僕の方に向ける。

牧田がソファから立ち上がった。

「まあ、観てみてくれよ。どういう仕事だったか」

なるほど。そういうことか。

牧田が頷くと、男は小さなボタンを押してビデオの再生を開始した。

最初、画面は真っ青だった。だがすぐ、どこかのマンションらしき室内が映し出され、誰かの後ろ姿がフレームに入ってきた。

その誰かが、振り返った。小林だった。

小林の表情は、しばらくにこやかだった。撮影者と何か会話をしているようだが、声は聞こえない。あと、視線が微妙に合っていない。カメラより、少し上に向かって話しかけているように見える。隠し撮り、というわけか。まあ、そっちもこっちも考えは似たようなもの、といったところか。

やがて、小林の表情が凍りつく。驚いたように下を向く。

映像も、その視線を追うように下に下りていく。

白いスウェットの腹に、誰かの、おそらく撮影者の拳が当たっていた。それも、親指を上にして、何かを握ったまま。

急に画面が勢いよく流れて、小林の姿が消えた。一瞬遅れてカメラが向きを変える。小林は目を見開いたまま床に倒れ、ブルブルと震えていた。腹から何かの柄が飛び出ている。撮影者はしゃがみ、その柄を握った。引き抜くと、すぐに赤いシミが白いジャージの腹に広がり始めた。

撮影者はいったん小林を仰向けに返し、小林の顔を撮り始めた。ぼんやりと焦点の合わない目。その左目に、刃物を打ち下ろす。小林は目を開けたまま、目玉を縦に割られた。それでも瞬きすらしない。

死んでいる。それは、よく分かった。

さらに鼻から口にかけて、もう一撃。

上下の唇が割れ、そこから少し歯が見える。出血はさほどではない。もう心臓が止まっているからだろうか。その辺はよく分からない。

男は停止ボタンを押して、ビデオの再生を終了した。

「……どうだい。これが先生の望んだ、小林充の、最期《さいご》だ」

そう牧田に話しかけられて、僕は初めて、自分がずっと息を止めていたことに気づいた。

大きく吐き出すと、心臓の鼓動も、痛いほど早くなっていた。人が死ぬ場面を目の当たりにした衝撃。小林が望み通りに殺された興奮。何年もかかって目的を達成したという充足感。

そしてもちろん、罪の意識。

小林は殺されて当然の男だと思うが、それでもこれが犯罪であるのは動かしようのない事実だ。その依頼をし、実行させたのは間違いなく僕だ。そういった意味での罪の意識は、ある。意識というか、自覚だ。小林を殺したのは、間接的にであれ、僕だ。この僕が、小林充を殺したのだ。

「……俺からも、保証する。小林充は、確実に死んだ。これで満足かい」

僕は、自分でも滑稽《こっけい》だと思いながら、カクカクと、震えるようにして頷いた。

「じゃあ、あとは取引の話だ……おい、あんたは帰っていいよ」

ビデオカメラを持った男は、なぜか牧田を睨みつけたまま動かない。

「……帰れよ。仕事の話があるんだ。あんたにゃ関係のない話だ。金は川上からもらってるだろう。もう、いいから帰れよ」

するると、男は手だけを動かしてカメラをケースにしまい、懐に収め、もと通りジャケットのジッパーを上げた。

川上が肩に手をやって促すと、ようやく男は牧田を睨むのをやめ、出口に向かった。

カチャン、とドアの音がして、一人分の気配が室内から消えた。

川上だけが戻ってくる。

「……で、例の件だが、そろそろ形にできそうかい」

むろん、仁勇会のフロント企業に対する地検の捜査情報について、牧田はいっているのだろう。

「いえ、ちょっと、地検も足踏み状態でして。もう少し時間をください」

すると、

「お前、いい加減にしろよ」

川上が横から割り込んできた。

「よせ、ヨシノリ」

「でも兄貴」

「いいから」

僕の肩を摑んでいた川上の手を、牧田が引き剝がす。

「……悪かったな。普段はそんなに、気の短い方でもないんだが、何しろこの件では、根回しだのなんだの、いろいろ神経を遣う仕事をこいつにさせた。チンピラといえども、殺しは殺しだからな。こいつもここしばらく、緊張してたんだ。大目に見てやってくれ」

頷いていいものかよく分からなかったので、僕は「いえ」といって、軽くかぶりを振っておいた。

「じゃあ、ざっくり……あと、何日くらいかかりそうだ」

「まあ、三、四日だとは、思うんですけど。あくまでも、経験則ですけど」

「分かった。まとめられそうだったら、早くまとめて連絡をくれ」

「はい、分かりました」

「じゃあ、いいよ……バイトにいって」

僕は二人に頭を下げ、その場を辞した。

鼓動はまだ、早いままだった。

そして僕は今、基地にきている。

頼まれてというか、脅されてというか、嵌められてというか。

結局、自ら死を選ぶことになったのだ。

よく分からないのだが、どうも連中は、今になって僕が邪魔になったらしい。仁勇会絡みの情報も、もう不要とのことだった。その理由は説明されていないし、僕自身も興味はないので訊かなかった。ただ、これだけは繰り返し確認した。

僕が死んだら、彼女には手出ししませんよね。

それだけは、約束してもらえた。

自分が死んだあとのことなんて気にしても仕方ないのかもしれないけど、唯一、僕が自ら死を選ぶ真っ当な動機があるとしたら、それはやっぱり、彼女を守るため、ってことになるんだと思う。

女がどうなってもいいのか。そういうふうに脅されて、僕にできることといったら、連中のいう通り、自分から死んでみせることくらいだ。それで彼女が危険に晒されないで済むなら——本望とまでいったらカッコよ過ぎるけど、でも、そういうことだ。

誰かのために、何かをするって、大切なんよ。

彼女はそう、僕にいった。

僕にとってのその誰かが、つまり、彼女になったということだ。それと、お腹の子供。父親が死んじゃうんだから、のちのちの苦労を考えたら中絶した方がいいようにも思うけど、でも彼女は、それだけはしないだろうと、なんとなくだが思う。

ごめん。結局君のこと、一度も「貴代」とは呼ばなかったね。好きだとか、ましてや愛してるなんて、君の喜んでくれそうなことは、ひと言もいわなかった。今も、ちょっとそういうことはいう気になれないけど、でも、もしこの気持ちが電波に乗って届くようなことがあるなら、これだけは、伝えたかったなって思う。

ありがとう、貴代。君のお陰で、最後に少しだけ、あったかい思いができたよ。短かったけど、君からはたくさん、あったかいもの、もらった。

僕が君のためにできることなんて、こんな、どうしようもないことしかないんだけど。でもちょっとだけ、男らしいって、思ってもらえたらいいかな。

じゃあ、もう、いきます。

勝手ばかりいって悪いけど、あとのこと、頼みます。

子供には、僕の分まで、あったかいこと、してあげてください。

それと、あのメールに書いた、パス。もうちょっと、ちゃんと説明しておけばよかったんだけど——。

2

結局、また玲子は、牧田に会いにきていた。

面と向かうと、言い訳ばかりが口をついて出た。いろいろ調べただのなんだのいいながら、要は、牧田に会いにきた自分を正当化しようとしてた。

だが、そんなふうに話をしているうちに、どこかでスイッチが入った。刑事のというか、捜査のスイッチみたいなものが。意識せぬままに会話は流れ、いつのまにか柳井健斗の使用していた、他人名義の銀行口座の話になっていた。

玲子は、詳しく教えてくれと牧田に頼んだ。いや、頼んだというか、要求した。牧田は、自分は金融機関名くらいしか分からず、口座番号となると部下に訊かないと分からない、といった。玲子は、だったらその部下に確かめてくれとさらに求めた。牧田は渋々携帯で連絡をとり、金融機関名、支店名、普通口座の番号、名義人を確かめ、書きとった手帳のページを破って玲子にくれた。

「ちょっと、失礼します」

玲子は席を立ち、いったん店から出て、今泉に連絡をとった。

『……もしもし』

低く沈んだ声だった。無理もない。このところ四課に会議を牛耳《ぎゅうじ》られ、一課は捜査本部で肩身のせまい思いをしている。今泉なら、その原因は自らが下した「柳井健斗には触るな」という命令にあると考え、自分を責めているはずだ。

でも、これを聞いたらどうだ。

「係長、至急調べていただきたいことがあります」

『なんだ』

「柳井健斗が使用していた、他人名義の銀行口座の動きです」

玲子の言葉を理解しようとするような間が、数秒あった。

『……それは、なんのための口座だ』

「柳井健斗は、石堂組関係者と、情報取引により報酬を得ていた可能性があります」

極清会の牧田、とは、まだいえなかった。

「この口座の動きを追ったら、ひょっとしたら、失踪後の柳井の足取りが分かるかもしれません」

どこかのATMを利用していれば、そこの監視カメラの記録に柳井の姿が残っている可能性だってある。

「金融機関名をいいます」

玲子は牧田にもらったメモをそのまま読み上げた。

「……銀行、新宿支店、普通口座、八六八、〇七〇九、若松茂之。若い、松竹梅のマツ、生い茂るのシゲに、ユキ、は……芥川龍之介の、ノです。平仮名の〝え〟みたいな」

今泉は「分かった」といい、金融機関名から繰り返した。

「はい、間違いありません……ですんで、これはあくまでも、若松茂之名義の口座です。柳井健斗のではありません。別に、捜査本部が令状をとって捜査するのに支障はありません……ですよね？」

逡巡するような間が空いた。

「係長」

今泉は、一つ咳払いをはさんだ。

『……分かった。やってみる』

「ありがとうございます」

なんとなく、頭を下げながら終了ボタンを押す。すると、店のレジ前に牧田が立っているのが見えた。どうやら、勝手に会計を済ませてしまったらしい。

店員の差し出すレシートを手で遮った牧田が、こっちに歩いてくる。

玲子は慌てて、携帯と財布をバッグの中で持ち替えた。

「あの、すみません……おいくらでしたか」

ぽんと何かを押しつけられる。何かと思ったら、玲子が席に置いてきたコートだった。

「いいよ。それより、ちょっと付き合えよ」

さっきまでと違い、どこか苛立ったような、乱暴な口調だった。

「え、どこにですか」

「あんたが俺にくれた情報より、俺があんたにやった情報の方がどう考えても価値は高い。ビールの一杯くらい付き合ったって罰は当たらないだろう」

左手を摑まれる。

「ちょっと……」

「いいから。どうせ口座を調べさせるのに、少し時間がかかるんだろう」

半ば強引にホテルから連れ出され、少し歩道を歩くと、牧田は道端に停まっていた白いボックス車に近づいていった。たぶん、日産のエルグランドだと思う。

牧田が玲子の手を放し、車の前に回ると、運転席から一人降りてきた。玲子よりやや背の高い、痩せ型の男だ。牧田同様、さほどヤクザ臭の強い服は着ていないが、強いていうならば、サングラスの趣味が若干それっぽい。

「お前、タクシー拾って先に帰れ」

「えっ、どういうことっすか、兄貴」

まあ、口調はまんま、そっち系だ。

男は玲子と牧田を交互に見比べている。

「俺が運転するんだよ」

「いや、そういうことじゃなくて」

「そういうことなんだよ」

牧田はさっさと運転席に乗り込み、エンジンをかけ、窓を開けた。そこから、男が残したのであろうセカンドバッグを放り投げる。車の前にいた男は、見事それをキャッチした。

助手席の窓も開く。

「早く乗れよ」

今度は玲子が二人を見比べてしまった。

どうしよう。ここで自分が拒んだら、牧田の舎弟らしきこの男は、どういう行動をとるのだろう。牧田の顔を立てて、玲子を強引に車に乗せようとするのだろうか。でもこのまま、玲子が自主的に車に乗りさえすれば、舎弟の方はタクシーで帰りそうである。それなら、牧田と一対一。男二人を敵に回すより、だいぶ状況はいい。それにこの舎弟、なんか感じ悪い。さっきから玲子のことを、物凄い眼で睨んでいる。

「ほら、早くしろよ」

よし。ここは一つ、肚を括ろう。

「じゃあ……お邪魔します」

玲子が助手席のドアを開けると、舎弟は車の前からどき、歩道に上がった。念のため後部座席を見ておく。スモークで暗くはなっているが、二列目にも三列目にも人の姿がないことは確認できた。別の子分が隠れていて、気がついたら多勢に無勢、みたいなことだけは、どうやらなさそうだ。

「……失礼します」

玲子がシートに座るなり、牧田はサイドブレーキを解除した。慌ててドアを閉めると、即座に車を発進させる。

歩道にいた舎弟の顔が、左に流れて見えなくなる。最後まで彼は、玲子のことを睨んでいた。すぐにサイドミラーを覗いてみたが、そこにはうまく映らなかった。

いや、そんなことよりも。

「あの、牧田さん……どこに、いくんですか」

車を運転している以上、もうビールということはなさそうだ。実のところ、ヤクザが飲酒運転にどこまで気を遣うかは分からないのだが、少なくとも現役警察官の前で、いきなりそれはやらかさないだろうと思う。甘いだろうか。

「俺は、どこでもいいよ……二人きりになれるところなら」

サッと額が冷たくなり、心臓が一度、弾けるほど大きく鳴った。

体の中を、ざわざわと砂粒のようなものが飛び回る。ノイズしか映らないアナログのテレビ画面。胸に手をやって押さえ込みたいけれど、でも、そういう仕草をすること自体に抵抗を覚える。

「……どういう、意味ですか」

自分でも意外なほど、出てきた声は落ち着いて聞こえた。

牧田は真っ直ぐ前を向いたまま答えた。

「欲しいんだよ、あんたが」

この期に及んで自分でも馬鹿だとは思うが、額面通り以外の意味はないものかと考えを巡らせる。

なかった。これは、どこをどう解釈しても、そういう意味だ。

「ヤクザもんじゃ嫌か」

急に口の中が乾いて、舌がもつれた。

「俺は、あんたが刑事だろうが、関係ない。欲しくなった」

そんな。

「……あたしは、物じゃ、ありません」

「ああ。物なら金で買える。でもあんたは金じゃ買えない。商売女なら別だが、そんなもんは俺だって欲しかない。俺は……今のあんたが欲しいんだ。それだけだ」

マズった。道、全然見てなかった。いま走ってるのがどこだか、さっぱり分からなくなっている。

牧田はしばらく、黙って運転をした。むろん、赤信号では停止した。逃げようと思えばそのときに逃げられた。でも、そうはしなかった。玲子は自分でもよく分からないまま、逃げないことを選択していた。

見覚えのある通りに出てきた。ここは確か、外苑西通りだ。もう少しいけば白金台の辺りで、目黒通りと交差するはずだ。

やっぱりそうだ。目黒通りとの交差点だ。で、ここを右折するのか。目黒駅方面だ。

だが、それからまもなくして牧田はハンドルを左に切り、いきなりマンションの地下駐車場のようなところに車を入れた。

長いスロープを下りていく。広い駐車場だった。デパートとか、ホテル規模のそれに近い。

牧田はずっと奥の方まで進んで、一度右に曲がって、また突き当たりまで進んで。空いているところに、斜めに車を止めた。

逃げるなら、おそらく今が最後のチャンスになるはずだ。

牧田はシフトレバーを「P」に入れ、エンジンを切った。シートベルトもはずす。

その瞬間を狙って玲子もシートベルトをはずし、体をドアに向けた。

「……待てよ」

なんて馬鹿なのだろう。待てといわれて待つ泥棒はいないのに、刑事である自分は、待てといわれて待ってしまった。

右肩に牧田の手が掛かる。決して強引ではないが、でもゆっくりと、重たく、力が加えられる。

「無理やりってのは、俺も趣味じゃない」

逆らえないほどの力ではないのに、体が、シートに引き戻されていく。

大きな手が、肩から首に回される。もう一方の手も伸びてきて、左頬から耳の辺りまでを、すっぽりと包み込まれる。

そのまま、引き寄せられた。

思わず、目をつぶってしまった。

自分がどうなってしまうのかを見たくなくて、でも目をつぶったら、許したことになるのは分かっているのに、それでも、目を閉じてしまった。

生ぬるい肉の感触が唇を覆う。チクチクとしたものがその周りに当たる。濃密な、男の肌の匂いが鼻腔を満たす。

すぐに舌が差し込まれてきた。無理やりにはしないといったのに、強引に前歯をこじ開けて入ってくる。粘つく唾液。ヤニの味。誘い出される自分の舌。決して心地好いものではないのに、意に反して体から力が抜けていく。緊張を維持できなくなっていく。

牧田の右手が、頬から首筋に下りていく。指先で玲子の髪を弄びながら、掌を肌に這わせる。

まだ間に合うかもしれない。これ以上は駄目だといって、この体を突き放せばいい。力でくるなら、こっちも出方を変える。もう自分は、十七歳のひ弱な女子高生じゃない。警察官になって、それなりに暴力に対抗する手段も覚えた。それがどこまでヤクザに通じるかは分からないが、やってやれないものではないという思いがある。

その一方で、黙っていれば分からない、秘密にしておけばいいと囁く自分もいる。一度くらい、こういうことがあったっていいじゃないか。そう思う自分が、確かにいる。

牧田の手は胸にまで下りてきていた。カットソーの上から、下着ごと揺き乱される。

牧田の唇が、頬から耳、首筋へと移っていく。両手でカットソーをたくし上げ、インナーも引き上げて、直接肌に触れてくる。右手は脇腹の傷を素通りし、そのまま背中へと回っていく。それだけで、全身に鳥肌が立つ。

這い上がってきた指先がホックを探し始める。見つけないで。そう思ったのも束の間、直後には、ぽんっ、と胸の締めつけが失せた。

思わず、溜め息が漏れた。

もう、駄目だ——。

どんどん力が抜けていく。この状況を解消しようとする意思が、止めようもなく萎えていく。

前に回ってきた牧田の掌が、裸の胸を遠慮なく捏《こ》ね回す。太い指が、敏感な先端の感度を確かめている。つままれると、体の芯が直接、跳ねるように反応してしまう。牧田は、明らかにそれを楽しんでいた。先端への刺激と、体の反応。牧田の腕の中で、操り人形のように踊らされる自分を意識する。もう、そっとしておいてほしいのに、牧田に与えられる刺激に、体が勝手に応えてしまう。

腹の辺りで、何かがもそもそ動き始めた。パンツのジッパーを探られているようだった。

唇と、右手と、左手。全部が別々のことをしている。

大きいのに、器用だな。この人——。

そんなことを思っているうちに、ジッパーは下げられてしまった。

ああ、本当に、駄目だ——。

もう、どっちの手で何をされているのか、よく分からなくなってきた。

捲《まく》れたカットソーが恥ずかしい。それを直していたら、下にある手の何指かが、下着の中に侵入してきた。牧田の長い指は、ジッパーの口からでも、充分目的の場所に届くようだった。

「……あっ」

なんて恥ずかしい声だろう。自分で漏らして、自分で赤面してしまいそうだ。でも、それでもいい。このまま——。

「……んっ」

だが、ふいに牧田は低く漏らし、玲子にかぶさったまま、すべての動きを止めた。

なんだろうと思ったら、玲子の上着のポケットで、携帯が震えていた。

気まずい空気が、蒸れた車内に漂った。

でもとにかく、この状態は、マズい。

「……ちょっと……手……どけて」

牧田はふざけたように眉を段違いにし、苦笑いを浮かべた。

指を抜くときに、わざわざもうひと撫でしていく。

気を抜いていたので、また体の芯が、鋭く反応してしまった。

「……んもうッ」

牧田の頬がさらに意地悪く歪む。

玲子はジャケットの前を掻き合わせ、ポケットに手を入れた。

取り出した携帯の小窓に表示されているのは、案の定、今泉春男の四文字。

ほんと。気分は最悪。全部自分のせいだけど。

「……もしもし、姫川です」

『ああ。口座の取引内容、分かったぞ』

すごい。

「……ずいぶん、早かったですね」

『まあ、な。ガンテツを、使ったからな』

なるほど。今回の陣容ならその手もありなのか。

「で、何か分かりましたか」

『残念ながら、ATMでの引き出し等はなかったんだが、柳井はここから、毎月七万二千円と、電話、電気料金を自動で引き落としている』

どういう意味だ。

「電話と、電気料金だけですか？　ガスとか水道は」

『ないんだ。電話と電気料金だけ……妙だろう』

「ですね……ちなみに、七万二千円の方は、なんなんでしょう」

『家賃かなと、思ったんだが』

「ああ、それだったらあたし、あのアパートの大家さんに会ったことあるんで、訊いてみましょうか」

『それができるなら、そうしてみてくれ』

取引内容の詳細はあとでメールで送ってもらうことにして、電話を切った。

再び、無音になった車内。

フロントガラスは曇って、ところどころに水滴ができて、流れ落ちていた。

遠くで、甲高《かんだか》くタイヤが鳴るのが聞こえる。

牧田はネクタイを緩め、ドアに肘をつき、こっちを見ていた。

急に、乱れた着衣が恥ずかしくなった。

「そんな……見ないで」

パンツのジッパーを上げ、インナーとカットソーの裾を直す。背中のホックははずれたままだが、今ここではどうしようもない。

牧田が溜め息をつく。

「……何か分かったのか。ガスとか電気とか、大家とかいってたが」

「ええ……ぼちぼち、収穫あり、みたいな……お陰さまで」

「大家ってのは、あの、赤堤のアパートのか」

うん、と頷いておく。

「そうか……じゃ、しょうがねえな」

姿勢を正し、イグニッションキーに手を伸ばす。

「送ってってやるよ」

あ、そうなんだ。

「たまには、おあずけ喰らう気分も……いいもんだ」

へえ、そうなんだ。

牧田って、そういう人なんだ。

3

夢中だった。年甲斐もなく興奮していた。残念ながら、電話がかかってきたため中断せざるを得なくはなったが。

ただ、そのお陰で意外な発見もあった。

携帯を耳に当てて話す横顔も、悪くない。仕事をしているときの姫川の顔は、それはそれで魅力的だった。

男に媚び、その力と金に涎を垂らす女の目とは根本的に違った。目の前ではなく、もっと遠くを見ている。自分がいくべき遥かなる地平を見据えている。そんな目だ。

電話の相手は、さっき店の前で話していたのと同一人物だろう。どうやら、柳井の使っていた偽名口座から何か分かったようだった。

どうも、気が削がれてしまった。いい年をして、こんなところで始めようとしたことが急に照れ臭くもなった。

赤堤まで送ってやるというと、姫川はちょっと驚いた顔をしたが、すぐ、嬉しそうに笑みを浮かべた。

そんな、子供みたいな顔をするなと、憎らしく思った。

駐車場から出たのが五時半頃。空はすでに暗くなっていた。

十分ほど車を走らせたところで、また姫川の携帯が震え始めた。だが今度はメールだったようだ。

「……ワイオー、プランニング」

ディスプレイを見ながら、そんなことを呟く。

ワイオープランニング。はて。どこかで聞いたような言葉だが。

「なんだ、それは」

視界の端で姫川が小首を傾げる。

「んん……柳井は若松名義の口座から毎月、電気料金と電話料金と、あと七万二千円を、自動引き落としにしていたんですよ。その、七万二千円を引き落としていたのが、ワイオープランニング……企業名ですよね、これ。どう考えても」

ワイオープランニング。ワイオー、ＹＯ、プランニング――。

「あ……それ、ひょっとしたら、高田馬場にある不動産管理会社じゃないかな」

ちょうど赤信号で停止したので横を向くと、姫川は喰いつかんばかりの目で牧田を見ていた。

「知ってるんですか。間違いないですかそれ」

「たぶん。川上に訊けばちゃんと分かる」

「どなたですか、その」

「さっきの運転手だ。俺の舎弟だ」

牧田は車を路肩につけ、川上に連絡を入れた。

『……はい、もしもし』

「ああ、俺だ。お前、今どこだ」

『事務所ですが』

珍しい。いつになく声がぶっきら棒だ。タクシーで帰れと追い払ったのがよほど気に喰わなかったらしい。

「ちょっと、至急調べてくれ。……ワイオー、プランニング。ワイ、オー、プランニング。高田馬場辺りにある不動産管理会社だったと思うんだが、違ったかな」

『ちょっと、待ってください』

パソコンの前に移動するような間が空く。キーを叩く音が微《かす》かに聞こえる。

『……ああ、そうですね。高田馬場三丁目、ワイオープランニング。早稲田通り沿いにある西友と、音楽専門学校の間のビル、モリナカビルディング一階、ってなってますね』

「お前、その会社のケツ、分かるか」

『これはですね……いや、ちょっと心当たりないですね』

「調べろ。で分かったら、その会社が若松名義か柳井名義で賃貸物件の家賃回収を請け負ってなかったかも調べろ。できたら、その物件の住所も」

『分かりました。ちょっと、お時間もらいます』

電話を切るなり、姫川が身を寄せてくる。

「どうですって。分かりますって？」

「現状では、なんともいえない。ちょっと、時間がかかるかもしれない……どっちにせよ、下手に赤堤にはいかない方がいいかもしれないな。馬場の会社の専任物件だとしたら、やっぱり、その周辺地域って可能性が高い。むしろ、そっち方面に移動しておいた方がいいだろう」

「そう、ですね……はい」

「いいか、赤堤じゃなくて。高田馬場で」

「はい。お願いします」

再び車を走らせる。

すでに世間では年末年始の休みに入っているところが多いのか、道は普段より空いているように感じられた。

「あっ……」

姫川が小さく声を漏らす。

思わず、さっきのアレを思い出してしまった。

「急に、嫌らしい声出すなよ」

「ちっ、違うわよ……雨よ、ほら」

見ると、確かに。フロントガラスにぽつぽつと雨粒が落ちてくる。

「傘、持ってんのか」

「ええ。折り畳みなら、一応」

そうこういっているうちに、雨粒はどんどん大きくなっていった。車の屋根も騒がしくなり、ライトに浮かぶ路面は白く煙っていく。

「折り畳み、ってレベルじゃねえな」

「……ですね」

「雨宿りの休憩でもするか」

キッ、と姫川がこっちを睨む気配がした。牧田が横目で見ると、避けるように顔を前に向ける。

「そういう冗談、やめてください」

なんだ。急にお高くとまりやがって。

高田馬場駅を過ぎ、目的の建物の近くまで進めて車を停めた。

雨は、依然激しい勢いで降っている。

「そういやあんた、年いくつなの」

急にモジモジと、姫川は下を向いた。

「……三十、一、ですけど」

「へえ」
二、三秒してから、牧田を見る。
「……へえ、ってなんですか。それだけですか」

「何が」

「若く見えるとか、もっと上だと思ったとか、なんかあるでしょう」

「ああ……まあ、そういった意味じゃ、年相応かな」

「なんですかそれ」

つまらなそうに前を向く。

「でも、強いていえば……そうだな。体は若い、と思ったかな」

ぐっ、と玲子の体が縮こまる。全身から針でも飛び出させそうな力の込めようだ。

「……そういう冗談、やめてくださいって……いったでしょ」

おお、怖い怖い。

すると、また電話がかかってきた。今度は牧田の方にだ。

「はい、もしもし」

『川上です。お疲れさまです。調べ、つきましたよ』

「そうか。どうだった」

『ケツは、磯辺さんとこの安谷《やすたに》でした』

磯辺は牧田と同じ、石堂組の若頭補佐。安谷はその中堅子分。身内なら話が早い。

『ワイオーの方はですね、電話じゃさすがに困るって、渋ってるらしいです。でも、牧田さんが直接顔を出してくれるなら、それまでに帳簿を見て確かめておくっていってます。どうしますか』

「ああ、それでいい。もう、近くまできてるから」

『そうですか。場所は分かりますか』

「分かる。西友の隣だろ」

いま停まっているのが、ちょうどその西友前だ。

「安谷と磯辺には礼をいっといてくれ。……じゃ」

『あっ、兄貴』

急に、川上の声色《こわいろ》が変わった。

「なんだ」

『あの……さっきの女、何者ですか』

「それは」

姫川の隣では説明しづらい。

「……帰ってから話す。じゃあな」

牧田は、あえて川上の返事は聞かずに切った。

「……いこう。いけば、取引内容は教えてくれるらしい」

「ほんとですか」

「ここで俺が嘘をいってどうなる」

いったん車をパーキングまで動かして、そこからは姫川の折り畳み傘に二人で入って、目的のビルまで走った。

「牧田さん、ずいぶん濡れちゃいましたね」

「ああ。傘は一番デカイのじゃないと駄目なんだ」

姫川がバッグからハンドタオルを出して、肩と袖を拭いてくれた。

この女が、刑事じゃなかったら——。

どうしても、そんなことを考えてしまう。

姫川も自分の肩を拭い、傘を畳んで、自動ドアの前に立った。ワイオープランニングの表記は「Y．Oプランニング」が正解のようだ。そのロゴが二つに分かれてドアが開く。

「……いらっしゃいませ」

スーツ姿の真面目そうな男が迎えに出てくる。

「ああ……牧田だ。安谷か、川上という人間から連絡が入っていると思うが」

「はい、承《うけたまわ》っております。どうぞ、お掛けください」

明るい店内には、携帯電話ショップのように長いカウンターが設けられている。牧田たちは勧められたすぐ目の前の席に座った。他に客はいない。

店員は一度引っ込み、それからメモを一枚持って戻ってきた。

真向かいの席に座る。

「ええと……これは、あくまでもお客様の、個人情報となりますので」

「そんなことは承知の上だ」

「あ、はい……ですが、どういったご利用を、されるのかだけでも、伺えますと、当方といたしましては……」

「それは、申し訳ないが訊かないでくれ」

サッ、と店員の顔が強張《こわば》る。

「別に、あんたが心配するようなことは何もないよ。この店に迷惑はかけないから」

「はあ……」

「安谷の顔だってある。こっちも無茶はしないよ」

そういってから手を出した。店員は固く口を結び、願でも掛けるように恭《うやうや》しくメモ紙を差し出した。

見ると、若松茂之、西新宿八丁目○×-△、菅沼コーポ、二〇二号、七万二千円、と書いてあった。

「ありがとな」

カウンターの向こうにある細い肩を、ぽんと叩いておく。

店員は反動で小便でも漏らしそうなほどビクつき、いえ、とんでもないと、中腰になって頭を下げた。


外は相変わらずの土砂降りだった。近所のコンビニで一番大きいビニール傘を二本買い、それから車に戻って、メモの住所へと向かった。

西新宿といっても、八丁目までくるともはや普通の住宅街だった。多くは二階家で、特に一戸建ては古いものが多い。雨に濡れたモルタルの外壁がなんとも貧乏臭い。その間をいく道は幅がせまく、街灯も少ない。目的の菅沼コーポはわりとすぐに発見できたが、前の道はとても路上駐車できる広さではなかった。

仕方なくコインパーキングを探して停め、また大雨の中、傘を差して二人で歩いた。

菅沼コーポは、柳井の住まいである赤堤のアパートとよく似た雰囲気の建物だった。貧乏臭い木造アパート。それ以外の形容はまったく思いつかない。

構造としては左右対称。一階が二戸、二階も二戸。それぞれこっち向きに窓があり、一階の真ん中には二階に上がる内階段があった。一階の二戸には、右手の路地から裏に回って入るようだ。

「二〇二号、でしたよね」

「ああ」

姫川が傘を閉じ、暗い内階段へと向かう。牧田もそれに続いた。

上り始めると、ちょうど目の高さに姫川の尻がきたが、ほとんど真っ暗なので色気も何もあったものではなかった。

階段はコンクリート。上りきったところの床もコンクリート。左右に分かれる内廊下になっている。ドアを確認すると、振り返って左手が二〇一号、右手が二〇二号だった。背後には窓があり、微かにだが裏の家の明かりが差し込んできている。

姫川はノックをするように拳を握ったが、なぜか数秒、その恰好のまま静止した。

「……どうした」

拳の人差し指が立つ。シッ、と口の前に持っていく。

なんだろう。やけに目つきが険しい。

扉に顔を近づけ、ドア枠との隙間に鼻を持っていく。すっすっ、と小刻みに吸い込み、臭いを嗅ぐ。そのままさらに、右側へと移動していく。そこには暗い窓がある。同様に臭いを確かめる。

姫川は、曇りガラスの中を透かし見るように目を細めた。

「……牧田さん」

低く、暗い声。

「今日のところは、このまま、帰ってください」

「……は？」

依然姫川は、見えるはずのない窓の中を見つめている。

「私が通報して、警察官がきたら、私は、あなたとの関係を、説明しなければならなくなります。現段階では、まだそれは避けたいんです」

通報、って——。

「どういうことだ」

姫川は背筋を伸ばし、今度は窓全体を見回すように目を動かした。

「たぶん……この中で、人が死んでいます」

背中の不動明王が、急にピリピリと痺れ始めた。

「……人が、死んでる？」

ゆっくりと、姫川が頷く。

「なんで、そんなことが分かる」

「ほら」

顎を上げ、今一度、すっすっ、と鼻を鳴らす。形のいい小鼻がそのたびにすぼまる。

「……分かりませんか。シシュウがするんですよ」

分からない。多少黴臭い気はするが、この手の古いアパートにはありがちな臭いだ。シシュウが「死臭」であると気づくのにも、少し時間がかかった。

「外傷によるものではありませんね。血の臭いはほとんどしない。死体から漏れ出た、体液、糞尿、腐敗臭も少し……病死か、あるいは他殺なら、絞殺、毒殺。じゃなかったら、首吊り自殺。そういう臭いがします」

急に、薄気味悪くなった。この、姫川玲子という女が。

妖怪とか、幽霊。そんな、得体の知れないものに抱く気味の悪さだ。その華奢な手で死肉をすくいとり、平気で口に持っていく。そんな場面すら容易に思い浮かぶ。

「そういうわけですから……お願いします。今日のところは、お引き取りください」

口調も、今までの彼女のそれとは違った。平板な、心を失くしたような、あるいは何かに憑かれたような。そんな調子だ。

だが帰れといわれて、はいそうですかと帰れるものではない。

「……中で、誰が、死んでるってんだ。まさか……」

姫川はゆっくりと首を倒した。

「柳井健斗かもしれないし、ひょっとしたら……三人目の犠牲者かもしれません。それは、さすがに分かりません。臭いだけですから」

なんだ。一体、何が起こってるっていうんだ。

姫川は、ふっ、と息を吐き、肩から力を抜いた。

そしてようやく、牧田の方を向く。

もとに戻っていた。初めて会ったとき、新宿で左眉の傷を診てくれたとき、車の中で抱きしめたときの、姫川玲子に。

「だから……お願い。今日は、帰って」

思わず、牧田も息を吐き出した。

悪い夢から覚めたような、狐につままれたような。実に奇天烈な気分だ。

「……分かった。また、連絡する」

姫川が頷くのを確かめてから、階段を下り始めた。

下りきったところで振り返り、階上を見上げた。

仄明るい窓がぼんやり見えるだけで、姫川の姿はそこになかった。

このまま、彼女は饐えた臭いのする闇に、溶け込んでしまうのではないか。消えてしまうのではないか。もう二度と会えないのではないか。

そんなことを、思わずにはいられなかった。

4

今泉に電話がかかってきたのは、まだ中野署の捜査本部にいる夜八時頃だった。

捜査会議は始まったばかり。上座にいたので出ずに済ませようと思ったのだが、表示に「姫川」とあるのを見て気が変わった。只事ではない何かを感じた。

隣の松山に頭を下げて上座を離れ、廊下まで出る。

通話ボタンを押し、もしもしと応じると、姫川は一気に喋り始めた。

『……すみません、こんな時間に。あの……例の情報をたどって、西新宿八丁目のスガヌマコーポというアパートに今、きています。まだ室内には入っていませんが、ドアの隙間から微かに腐敗臭というか、死臭がします。ひょっとしたら中で……柳井健斗は死んでいるかもしれません』

正直、立ち眩《くら》みを起こしそうだった。

「そうか……分かった。通報は、まだしてないな」

『はい、まだです。でも中を見て、もし遺体があっても、センター通報じゃマズいですよね』

少し考える時間がほしかった。

センター通報をしてしまったら、もう通常の事件として扱うしかなくなってしまう。通信指令本部は警視庁地域部の直轄部署。そうなったら刑事部長の長岡がどんなにがんばったところで、刑事部で事件をコントロールすることは不可能になる。

ただ姫川は、ひょっとしたら中で柳井が死んでいるかも、といっただけで、実際に開けてみたら柳井は疎《おろ》か、死体すらない場合だって考えられる。

とりあえず姫川が一回やっているように、緊急だといって大家に開けさせ、中を確かめてみるか。しかしそうしてみて、姫川の見立て通り柳井の死体が出てきたら、どうなる。新宿署に報告しないわけにはいかなくなる。それをせずに遺体を動かしたら、それはどう考えても死体遺棄罪だ。ことによったら死体損壊罪。捜査の合法非合法の問題ではなくなる。

まあ、なんにせよ、柳井の死体が出るのは問題だ。

とりあえず、和田と長岡に情報を上げるか。

「姫川。死臭がするということは、死後、ある程度は時間が経っているものと思っていいな」

『はい。それは、そうだと思います』

「じゃあ、急ぐ必要はないな。現場保全だけして、少し待ってくれ。上に話を通す」

『分かりました』

切ってすぐ、今度は和田の携帯にかけた。和田はちょうど八王子の帳場から本部庁舎に帰ってきたところのようだった。

『これからすぐ、碑文谷《ひもんや》にいく予定なんだが』

「すみません、課長。それ、ちょっと待ってもらえませんか」

『どうした。何かあったか』

「ええ……実は」

廊下の突き当たりまでいき、さらに辺りに人の耳がないことを確かめる。

「……姫川が、例の、柳井健斗が偽名で使っていたらしいヤサを、西新宿で見つけまして。しかも、どうやら中から死臭がすると……今し方、報告してきまして」

しばし、和田の返答を待つ。

『……やはり、調べていたのか』

「すみません。私の責任です」

『そんなことはいい。お前が黙って引き下がるとは、そもそも私も思っちゃいなかったさ。ただはっきり、いけともいえなかった……私も、弱くなったもんだ』

すみません、と今一度詫びておく。

『分かった……とりあえず、こっちに上がってこい。部長は私が捕まえておく』

みたび詫び、よろしくお願いしますといって、今泉は電話を切った。

霞が関。警視庁本部庁舎の、六階。

刑事部長室に入ると、長岡に和田、参事官の越田がテーブルについていた。時刻はもう夜十時に近い。

「……遅くなりました」

長岡は、今泉に座れとはいわなかった。まあ、いわれても立って報告するつもりではいたが。

咳払いを一つして、長岡は始めた。

「今泉さん、困ったことをしてくれましたね。私はあなたに確かめましたよね。姫川主任が独断専行してはいませんかと」

ここは、頭を下げておくしかあるまい。

「申し訳ありませんでした。私が……命じました」

「そんなことはどうだっていいんですよ。私にとっては、あなたの首も和田さんの首も、姫川主任のも、大差ないですから」

自分以下はすべて使い捨ての駒、といいたいわけか。

「問題はね、警察組織をどう守るかということなんですよ。九年前の汚点を蒸し返した挙句、今度はなんですか……そのホシが、別の暴力団組長まで殺害したというんですか」

誰だ。藤元の件まで報告したのは。勝俣か。

「しかも、そのホシが死亡したかもしれないだなんて……あなたたちは、とことん無能ですね」

確かに。被疑者死亡は、警察にとっては大きな汚点だ。

誰も、何も言い返さない。

「ここまで事態を悪化させて、私にどうしろというんですか」

悪化させたのはあんただ、といえたらどんなに楽だろう。

「はい……できれば、捜査の過程で行き着いた物件ですから、内部の捜索令状を申請することを、許可していただきたいと思います」

「捜索して、柳井健斗の死体が出てきたら、どうするんですか」

「現場は西新宿ですから、むろん……事案はいったん、新宿署に預けざるを得なくなります」

「それで？」

「それで……新宿署刑事課と連携を図り、捜査に当たります」

「自分の部下すら満足にコントロールできないあなたに、あの猛者《もさ》ぞろいの新宿署刑事課を使いこなせるとは到底思えませんね。そんなことならいっそ、溶けて身元が分からなくなるまで放っておいたらどうですか。身元さえ分からなければ、中野の帳場は関係なくなる。新宿が変死体を一つ処理するだけのことです」

よく分かった。そっちがそういう考えなら、こっちも出方を変えるしかない。

「……誠に、仰る通りだと思います。事実、姫川はアパートの捜索くらい、令状なしでも平気でやる捜査員です。このまま私が下命せずに放置しておけば、遅かれ早かれ勝手に内部を捜索するでしょう。それで死体が出たら、手っ取り早くセンター通報をするかもしれません

……でもそれは、刑事部としては避けるべき事態ではないでしょうか」

長岡の顔つきが変わる。小馬鹿にしたような冷笑は消え、あからさまに今泉を睨んでくる。

「脅しですか」

「どうとでも」

「ただでは済みませんよ」

「それは……柳井健斗の素性が割れたときから、覚悟しています」

「あなただけじゃないといっているんです」

すると、それまで腕を組んで聞いていた和田が、ふいに前に身を乗り出した。

「部長」

表情は穏やかだが、目には強い力がある。

「……部長は、私らデカが、年間、何足の靴を履き潰すか、ご存じですか。私らがいく場所

はね、あんた方の歩くピカピカのタイルや、掃除の行き届いた絨毯の上とは違うんですよ。アスファルトの地べた、小便や反吐《へど》で汚れた裏通り、沼のようにぬかるんだ土砂降りの空き地……私らデカはね、この身が汚れることなんざ、痛くも痒くもないんです。本当に痛いのは……ここですよ」

　地味な、鼠色のネクタイを親指でつつく。

「事件を解決できなくて、誰の役にも、なんの役にも立てなくて、遺族に申し訳ない、ホシが死んじまったら、改心させてやることもできなくて、間に合わなくてすまなかった……そう歯軋りする夜が、一番、ここが痛むんですよ」

　和田は、両膝に手をやって立ち上がった。

「やれるもんなら、おやりなさい。私がいなくても、今泉がいなくても、警視庁は潰れやしませんよ……むろん、あなたがいなくてもね。いっとき泥をかぶるくらい、私らは屁とも思いません。私の首が捜査の枷になるのなら、どうぞ……いつでも差し上げます」

　一礼し、和田は今泉の横を通って、出口に向かった。

　今泉も倣い、長岡に頭を下げてから和田を追った。

　部長室を出たところで、すぐに追いついた。

「課長、すみません……私が」

「いいんだ、今泉」

ぽん、と背中を叩かれる。

「私も、今の一課の体制が崩れるかもしれないと思い、躊躇した部分はあった。自分の身だって可愛かった。まんまと、部長の口車に乗せられてたわけさ……でも、そうじゃないんだって、デカってのは、そうじゃないだろって、姫川か……あの子は、そういってきたわけだよ。思い出させてくれたわけさ……捨てたもんじゃないよな、若い連中も。ああいう若いの足手まといになるようなことだけは……私らは、しちゃいけないいんだよ」

違う。躊躇したのは自分だ。部長の口車に乗せられていたのは、本当は自分なんだ――。

そう思いはするけれど、なかなか言葉は出てこない。

「いこう、今泉」

「えっ、どこにですか」

「西新宿だよ。姫川が待ってるんだろう。令状をとって調べる必要があるのか、あるいは緊急でイケるのか、現場を見て決めようじゃないか」

にわかに、二十二年前に戻ったような興奮が、腹の底から湧いてきた。

「はい」

青臭いとは思いつつ、今泉は、和田に頭を下げずにはいられなかった。

すぐ日下に連絡をとり、西新宿の菅沼コーポ前で落ち合うことになった。

夜十一時十分。現地には日下の方が先にきていた。

「お疲れさまです」

日下は建物の前で、大きな黒い傘を広げて立っていた。

「姫川は」

「中です。すでに大家には連絡をとり、きてもらっています」

「入ったのか」

「いえ。まだですが、あまり遅くなると大家と連絡がとりづらくなるかと思いまして。私の独断で呼びました。任意で協力してもらう旨の同意は得ています」

不思議なものだ。同じことをやるにしても、日下が段取りをすると安心感がある。当人同士の仲は決してよくはないが、日下と姫川という、まったくタイプの違う主任二人を擁する殺人班十係は、ある意味、非常にバランスのいいチームなのではないかと今泉は思っている。

「どうぞ」

日下が和田を階段にいざなう。

見上げると二階には裸電球の明かりがあるが、和田に続いて上り始めると、足下は陰になって非常に暗かった。手摺りもないので、思わず壁に手をつきそうになる。が、手袋をしていないためそれもできない。

「あ、課長……お疲れさまです。わざわざ、すみません」

階段を上りきった和田を、姫川がいつになく恐縮した様子で迎える。並ぶと若干だが、和田より姫川の方が背が高い。

和田は一つ頷いて済ませ、隣にいる大家であろう中年女性に向き直った。年の頃は六十前後といったところか。

「夜分遅くに申し訳ございません……私、警視庁捜査一課の、和田と申します」

かつては日常的に耳にしていた、和田の、初対面の人間に対する挨拶。柔らかく、人の懐にスッと入り込む、絶妙な間と声色《こわいろ》を持っている。

「すみませんね……うちの者が、どうしても気になるというんで、少しだけでいいんで、見せていただけますかね。何もなければもう、ほんとに……さっと見て、すぐ帰りますんで」

日下と姫川は、どちらかといえばこういう局面でピリピリとした雰囲気を発してしまうタイプだ。だが和田は、まったく逆だ。関係者も仲間も、思わず油断してしまうような空気を作る。

大家も安堵したように頷く。

「ええ……じゃあ、そろそろ、開けましょうか」

「はい。お願いいたします」

せまく短い廊下に、いい大人が五人。立ち位置を互いに譲り合い、大家を二〇二号の前に進ませる。

かなり旧式の木製ドアだ。大家はドアノブの中心に鍵を挿した。金具のはずれる軽い音がし、すぐさまノブを捻る。

ドアが開き、ほんの少し中の暗闇が覗いた途端、大家は、うっ、と咽《む》せるように唸り、不快そうに口と鼻を押さえた。

無理もない。確かにこれは腐臭であり、死臭だ。だがまだ、せいぜい生ゴミと糞尿を合わせたようなレベルだ。慣れた者にとっては、さして強烈なそれではない。

「中は、ご覧にならん方がいいかもしれんですな」

「……はい……すみません」

大家は和田の言葉に従い、一歩下がった。

入れ替わりに、白手袋をした姫川がドア前に立つ。日下もそれに並ぶ。

「じゃ、すみません……拝見します」

一礼した姫川が、暗い室内に入っていく。左右をさっと見て、左に手を伸ばす。蛍光灯が瞬き、内部が青白い光で満たされる。

今泉も手袋をし、二人のあとに続いた。

まず目に入ったのは入り口の向こう。こっちに右肩を向ける恰好で立っている人影だ。当たり前だが、遅かったなと、口惜しく思う。

部屋は六畳ほどの日本間。入ってすぐ右手には簡素な流し台。廊下に面した窓のところだ。その奥には幅のせまいドアがある。おそらくトイレだろう。

正面と右側の壁には窓がある。いずれもベージュのカーテンが引かれている。左側は一面塗り壁。奥の方に収納用らしき小さな扉がある。おそらく、いま上ってきた内階段の上に張り出すような構造になっているのだろう。

人影はその、小さな扉に寄りかかるようにして立っている。くの字に膝が曲がっており、細い紐状のものが首回りに喰い込んでいる。その首自体が、通常ではあり得ない長さに伸びている。紐は、扉の上端から内部に消えている。中でどういうふうに固定されているかは、開けてみないと分からない。

足下には黒っぽい液体が溜まっている。ジーパンも、股間から下は茶色く汚れている。顔は髪に隠れてよく見えないが、だらりと下がった右手は浮腫み、暗紫色に変色している。死斑だ。

靴を脱いだ姫川が近づいていく。じっとその顔を覗き込む。

「……柳井、健斗です。おそらく」

姫川が、白手袋の両手を合わせる。

日下は一番奥になる向かい角に進んでいった。そこには金属フレームのラックがあり、機材が何段も積み上げられ、収まっている。しかし、オーディオにしては遊びがない。前面に並んだパネルも、どこかレトロな感じがする。室内にはスピーカーらしきものも、レコードやCDといったコレクションも見当たらない。機材ラックの左横の低い台には、パソコンがひと揃いセットされている。

「日下。なんだ、それは」

玄関から今泉が訊くと、日下はしゃがみ込み、振り返りもせずに答えた。

「無線……でしょうね。盗聴用の」

遺体を見ていた姫川が、はっとなって振り返る。

「盗聴？　なんの」

「おそらく、警察無線だろう」

立ち上がった日下に、姫川が近づいていく。

「おそらくって……だって、そんなこと、不可能でしょう」

いや、と日下がかぶりを振る。

「二〇〇〇年を越えてまもなくした頃、警察無線は一度盗聴されている」

「知ってます。左翼ゲリラのあれでしょう。でも、その後に改良されてからは」

「それだけじゃない。ときをほぼ同じくして、『ラジオフリーク』というアマチュア無線の雑誌スタッフが盗聴に成功し、それを雑誌で発表してもいる。左翼ゲリラの件を受けて、警察庁はすでに新型無線の導入を発表していたから、さしたる支障はなかったが……しかし、こういった手合いとは常にイタチごっこだ。十年で追いつかれるか、五年か、三年か……」

今泉が半歩下がって廊下に顔を出すと、和田と大家の姿はもうそこにはなかった。下に下りたようだった。話を聞かれる心配は、とりあえずはなさそうだ。

「見ろ。これがまず、デジタル無線機だ。ここに入った信号が、たぶんこの、ハードディスクレコーダーに録音されるんだろう。おそらくこの時点では、ただのデジタルノイズだ。しかしそれが、これ……これは、自作の機材だろうな。開けてみないとどういう仕組みなのかは分からないが、ここで、何か別の形に変換されるんだ。それが最終的にパソコンに送られて……これも、ただのパソコンじゃない。このタワーはサーバだ。これにデータを溜め込んで、最終的に音声データに変換するのか、どうするのか……とにかく、いったん録音してあとで解析するのは、左翼方式とも雑誌方式とも共通した手口だ」

姫川が、何か思い出したように目を泳がせる。

「……そういえば……柳井健斗は、石堂組関係者と、情報のやり取りをして報酬を得ていたとか」

「それが、これだろう。つまり柳井は、暴力団に警察情報を売るビジネスをしていた……場所がここってのも、気になるな。基幹系なら都内全域、どこでも同じものが聞けるが、ここならさらに、新宿署のそれが聞ける。まあ、調べてみないと署活系の電波に対応しているかどうかは分からないが、新宿署の、特に組対や生安の動きは、ヤクザなら金を払ってでも知りたいところだろう。ひょっとすると組対五課のガサ連敗も、この辺に原因があったのかもしれん」

ふいに姫川が、コートの裾を気にしながらその場にしゃがんだ。

パソコンのキーボードを少し持ち上げ、その下から何か抜き出す。

「……係長、これ」

白い、縦長の封筒。それをこっちに持ってくる。遺書だろうか。

中に入っていたのは、罫線のない、コピー用紙一枚だった。

【私、柳井健斗は、姉、柳井千恵を殺された恨みを晴らすため、小林充を、殺害しました。また、小林を数年間にわたり擁護した、暴力団組長、藤元英也も、殺害しました。もう、思い残すことはありません。生きている意味もありません。ご迷惑をおかけしました。さようなら。】

ボールペンで書かれた下手糞な字だが、乱れはない。

隣から覗き込んでいた姫川が短く溜め息をつく。

「そんな、馬鹿な……」

こっちにきた日下にも見せる。

一読し、日下は眉をひそめた。

「……遺体の指紋を例の拳銃のそれと照合したら、藤元殺しはいよいよ動かなくなりますね」

でも、と姫川が日下に目を向ける。

「柳井が藤元を殺すなんてあり得ません」

「だったらこの遺書はなんだ」

「柳井が書いたとは限りません」

「筆跡が一致したらどうする」

「誰かに書かされたんです」

「誰に」

姫川は黙った。

とにかく、最悪の事態になった。

5

警視庁本部への連絡は和田がした。

玲子はそれを、すぐ横で聞いていた。

西新宿八丁目○×の△、菅沼コーポ二〇二号において、柳井健斗、二十六歳と見られる遺体を発見。首吊りによる自殺である模様。死後数日が経っているものと思われる。遺書があり、それには現在捜査中の殺害事案、二件の犯行を自白する記述がある。中野署に設置された小林充殺害事案、愛宕署に設置された藤元英也殺害事案がそれである。至急、関係各局に連絡されたい――。

まず現場に駆けつけたのは新宿署地域課係員三名。すぐに本署から捜査用PCで刑事課強行犯係員二名、組対課員一名、生安課員一名が臨場。さらに刑事課鑑識係、他にも制服、私服と、続々新宿署員が現場に集結した。機動捜査隊もふた組、駆けつけた。夜も十二時を回ろうというのに、現場周辺は祭りのような騒ぎになった。

まもなく組対四課の宮崎課長、中野署の帳場からは松山六係長と捜査員二名が、愛宕署の帳場からは四課八係長、捜査一課四係長と捜査員三名が、それぞれ現場を訪れた。彼らへの説明は和田と今泉が担当した。

玲子と日下は鑑識作業に立ち会った。現場に入った経緯、状況、心象、触ったもの、立った場所について説明し、足痕を採らせた。むろん、遺書の発見についても説明した。

そうこうしているうちに、捜査一課検視官の衛藤《えとう》警部がアパートの階段を上ってきた。検視は彼が行うようだ。

「おや、玲子ちゃん。ここ、おたくの担当なの」

「お疲れさまです……いえ、うちのヤマではないんですが、まあ、いろいろありまして」

「あっそう」

鑑識とよく似た活動服姿の衛藤は挨拶もそこそこに現場入りし、まだ収納扉にぶら下がったままの柳井に手を合わせた。

「……じゃ早速、代行検視、始めます。記録、よろしいね」

周囲の鑑識係員が頷く。

「はい。お願いします」

衛藤はそのままの状態で柳井の顔色、首回りの状態、着衣、手の色、全体の姿勢などを見、口頭で鑑識の記録係に伝え、それからようやく遺体に手を触れた。瞼を開いて瞳孔を調べる。顔の皮膚を押し、その張りや、血色の戻り具合を確かめる。

「死後、三日くらいかな……でも確定は、胃の内容物等を調べてから、になります」

その見立てが正しければ、自殺は藤元殺害の翌日。遺書との矛盾はない。

「じゃ、寝かそうか……いつまでもこれじゃ、可哀想だ」

幸い、部屋の真ん中は最初から何も置かれていない。遺体を横たえるスペースは充分にある。

鑑識係員がブルーシートを敷き、まず数人で力を合わせて、遺体を抱きかかえる。

「動く？　扉、開く？」

「あっ……いや、もうちょっと、前にお願いします」

なんとか首の紐をつけたまま遺体を動かそうとしたが、難しいようだった。仕方なく、遺体を立てたまま紐を解くことになった。

首回りに、くっきりと窪みをつけた柳井の遺体が、初めて扉から離れる。首と扉を結びつけていた索状物は何かのコードらしかった。パソコン用か、あるいは無線機とその他の機材を繋ぐためのものか。どちらにせよ、かなり丈夫そうだ。

コードは収納庫内の桟に結びつけられていたようだ。それを扉の上端から出し、自らの首に括りつけて足の力を抜き、命を絶ったということか。

この場で見る限り、他殺の疑いはないというのが衛藤の見解だった。

正式な死因は、縊死《いし》。首回りの索状痕に不審点はない。多少、頭部上方に移動してはいるが、これは死後の皮膚乾燥などでずれたものと思われる。皮膚が破れているが出血はないため、生活反応のある傷とはいえない。

コードの使用状況にも不審点はない。他殺の場合は、凶器となる索状物や遺体を支えていた場所、この現場でいえば収納扉に、ささくれなどの破損が見られることが多いが、それがない。また、尿や大便の失禁も遺体の直下にあった。他殺の場合は、これが方々に飛び散っている場合があるが、それはない。

顔面はおおむね蒼白。流涙および唾液の漏出、耳、鼻からの出血にも不審点はない。両手首外側および掌、指先、両足の踵に皮膚の破損があるが、これも絶命時の痙攣《けいれん》によるもので、何者かと争った際の防御創などではないと思われる。また、手足の末端に出現している死斑もごく自然である、ということだった。

「あとは、署に移してから見ましょう。この場で裸ってのは……ね。仏さんも嫌だろうから」

柳井の遺体は、鑑識係員によって持ち込まれた担架で現場から運び出され、新宿署に搬送されていった。


十二月三十日、午前二時半。

玲子は和田、今泉、日下、橋爪管理官と共に、警視庁本部の刑事部長室にきていた。

「姫川さん。あなたですか……命令違反の単独捜査で帳場を台無しにしたというのは」

刑事部長の長岡は細面の、いかにも役人といった雰囲気の持ち主だった。年の頃は五十をちょっと超えたくらい。今泉と同年配に見えるが、受ける印象はまるで違っていた。動よりは静、感よりは考、情よりは策、道理よりは体面、といった手合いか。

玲子は頭を下げただけで、何も答えなかった。余計なことは喋るなと、今泉にいわれていたからだ。

「あなた方の処分はのちのち考えるとしますが、とりあえず、柳井健斗の死亡についての発表は、現時点ではしません。遺書さえなければただの自殺です。遺書はあとから発見されたことにします」

なるほど。一時避難の方策としては、悪くない案だ。

「ただ……藤元殺害や小林のそれに関して、いつまでも放置しておくことはできません。しかしながら、年末年始の休みに入ると、現場の記者はともかく、新聞社やテレビ局の動きは多少鈍ります。ですので……来年の一月四日までに、小林殺害、藤元殺害、柳井自殺の、三件を別件として処理できる証拠をそろえてください」

四日までといったら、あと正味、五日しかないではないか。

馬鹿な、とは思ったが、それでも玲子は黙っていた。

「いいですね。この処理によって、あなたたちの処遇はだいぶ変わってきますよ。……今泉さん。中野の帳場は、柳井の自殺、藤元殺し、これらに触らない形で、小林の事案を処理。和田さんは、愛宕の帳場が藤元殺しのみで処理できるよう、徹底してください」

しかし、と発したのは和田だった。

「柳井の遺書は今、新宿署にあるんですよ。組対の人間も見ています」

「その心配なら不要です。遺書は必ず、科捜研の文書鑑定課に回ってきます。……分かりますでしょう」

科学捜査研究所は刑事部の附置機関だ。確かに、あの遺書が長岡の手に落ちるのは時間の問題かもしれない。

まだ和田が喰い下がる。

「では、柳井の指紋が、藤元殺しの拳銃にあったのと一致したらどうするんですか」

「双方の捜査本部の接触は不可とします。いや、中野も含めたら三件ですか。別件で処理するのですから、当然でしょう。幸い、藤元殺しの拳銃はここにありますしね」

長岡は斜め下を指差した。警察総合庁舎二階の、刑事部鑑識課を指しているものと思われる。資料班から柳井千恵殺害に関する資料のすべてを撤去させた長岡だ。拳銃に関する諸々を隠蔽するくらい、平気でやるかもしれない。

「あとは指紋データだけですから。問題ないですよ」

馬鹿をいうな。問題大ありだ。

玲子は中野には戻らず、鑑識課に回って例の拳銃の指紋データを確保すると今泉に告げた。

「しかし、今いっても誰もいないぞ」

腕時計を確かめると、午前三時二十分。

「朝まで待ちます」

了解をとるような顔で、今泉が和田、橋爪、日下を見る。全員が小さく頷いた。

「だが、姫川……無理はするな」

「はい。ありがとうございます」

六階で四人と別れ、玲子は警察総合庁舎の二階に向かった。

きてみると、意外なことに鑑識課のフロアは無人ではなかった。廊下は暗かったが、特殊写真係の部屋には明かりがあり、中を覗くと二名の係員が何やら作業をしている。

玲子は戸口から声をかけた。

「あのぉ、夜分にすみませぇん……」

応対をしてくれたのは、玲子よりはちょっと年上の、酒井《さかい》という女性巡査部長だった。

「どうしたんですか、姫川さん。こんな時間に」

「あの、指紋係の人って、朝になったら、今日も出てきますかね」

酒井は、うーんと宙を見上げた。

「部屋が違うんで、なんともいえないですけど、高木《たかぎ》さん辺りは、出てくるんじゃないですかね。あの人、仕事切らしたことないから。病気にでもならない限り、休みなく出てくる人だから」

高木巡査長なら玲子も知っている。急ぎの指紋は高木に頼め、は刑事部では合言葉になっている。

「そうですか、分かりました……それで、あの、申し訳ないんですけど、朝までいくところがないんで、ここで、ちょっと待たせてもらっていいですか」

「ええ、かまいませんよ」

酒井は玲子に空いている机を勧め、コーヒーを淹れて持ってきてくれた。

「すみません……あの、どうぞ、お構いなく。お仕事、続けてください」

「うん、ごめんなさいね。ちょっと、急ぎのを抱えてるから」

玲子は、いただきますと紙コップを受け取り、いこうとする酒井に一礼した。

しかし——。

一人になって冷静に考えると、実に妙な状況である。

長岡の命令通り、これまでの三件を別物として処理すれば、少なくとも刑事部的にはダメージがなくて済む。また玲子も、小林殺しと藤元殺しが同一犯であるという組対の見解、あるいは健斗の遺書の記述に関しては、まったく納得していない。一介のマンガ喫茶店員が、日本最大の暴力団、大和会の三次団体である仁勇会の会長、藤元を殺せるとは到底思えない。小林を長年擁護した藤元も同罪だという遺書の文面も、まったく動機としては信ずるに値しない。

とすると、だ。柳井による藤元殺しの告白が嘘であるならば、同じ一文にある小林殺しもまた、疑わしいということになりはしないか。柳井はひょっとしたら、小林も藤元も殺していないのではないか。誰かに嵌められただけではないのか。もしそうなら、これは長岡が望むと望まざるとに拘《かか》わらず、柳井の自殺と他の二件は無関係ということになりはしないか。

なんとなく、内田貴代の顔を思い出す。

そうだ。彼女はまだ、柳井の死を知らないのだ。

貴代の声まで、脳裏に蘇ってくる。

「私も、一人で東京に出てきて、寂しかったもんやから……ああ、東京にも、こういう寂しい人おるんや、って思ったら、なんか、目が離せなくなっちゃって……」

結果的に、彼女にはもっと、寂しい思いをさせることになってしまった。これはもう、どんなに詫びても詫び足りない。自分は間に合わなかった。柳井を助けることができなかった。お腹の子のお父さんを、死なせてしまった——。

これから自分は、一体どうすべきなのだろう。

長岡の下命通り、柳井と切り離して、小林殺しを立件すべきなのか。それとも、あくまでもホシは柳井というタレ込みに沿って、これまで追ってきた線で捜査を進めるべきなのか。分からない。どうしたらいいのか——。

姫川さん、と肩を叩かれて、顔を上げた。

「……あ」

いつのまにか、机に突っ伏して眠ってしまったようだった。

玲子を起こしたのは酒井。だがその隣には高木がいた。小太りの、銀縁眼鏡をかけた中年男。

「あ、ああ……おはよう、ございます」

「姫川さん……ヨダレ」

酒井が、近くにあったボックスからティッシュを二、三枚抜いて渡してくれた。

「……やだ、ごめんなさい」

でもそんな、はっきり「ヨダレ」っていわなくたっていいじゃない、と、小さく酒井を逆恨みする。

玲子が口元と机を拭いていると、高木が覗き込んできた。

「あの……実は私も、姫川さんにお知らせしたいことがあったんです」

「えっ、なんですか」

思わず立ち上がる。一気に目線の位置関係が上下逆転する。

「いや、例の、中野で押収された拳銃のことなんですが」

高木が廊下にいざなうので、玲子は酒井に頭を下げつつ、それに従った。

「はい。私もそれについて、ちょっとお願いがあったんです」

隣の指紋係の部屋までいく。高木が照明のスイッチを入れる。

「でも、なんで高木さんが、私に」

「ああ。例の拳銃の領置調書、あれ書いたの、姫川さんだったでしょう」

そうだった。井岡が泣きついてきたから、仕方なく書いたんだった。

「で、あれの指紋、調べてみたんですけどね……なんかね、しっくりこないんですよ」

しっくり、こない?

「それは、どういうことでしょう」

「私も、はっきりとはいえないんですが……なんかね、綺麗過ぎるんです。指紋、掌紋の残り方が。普通、拳銃を発砲したら、衝撃ですべったり、それでなくたって手に汗を掻いたりして、指紋は崩れるものなんですよ。ところが、あの拳銃にはべったりと、ほぼ完璧なグリップがプリントされている。おかしいと思いませんか」

「つまり……とてつもなく銃器に慣れた人間が発砲した、ということですか」

高木が首を捻る。

「いや、そういうことではないですね。そうじゃなくて……」

ああ、そうか。高木は指紋が柳井のものだなんて、知らないでいってるんだった。銃の慣れ不慣れで物事を判断するはずがない。

「むしろ、素手で握って撃った感じより、ちゃんとしたグローブを着用して撃ったときの、樹脂製の滑り止め痕がプリントされているのに似ている、というか……なんか、そんな気がしたんです」

ん――。

「どういうことですか。よく分からないです」

「私も、よくは分かりません。でもですね、たとえば、ですよ。あの拳銃に残っている指紋の、本当の主……と、あえてここではいいますが。その人の手の型をですね、シリコンか何かでとって、薄いゴムか何かで複製して、手袋にして、嵌めちゃうんです」

柳井の手を型にとって、ゴム手袋を作製、着用――？

「で、その手袋の手で、当人の顔を撫でる……これで、皮脂やその他の汚れが手につく。これがあとで、いわゆる朱肉の役割をしてくれる。で、その手で拳銃を握って、発砲する。見事、発砲したのとは違う人物の指紋、掌紋が、拳銃に残る……ところが、ものがゴムでできている関係上、必要以上にグリップが利いてしまい、普通では考えられないくらい、くっきりと拳銃に、指紋、掌紋が残ってしまった……なんてことを、私はちょっと、想像したんですがね」

この説がありならば、藤元殺しは、柳井以外の誰かの犯行ということができる。

「高木さん……それ、どうやったら立証できますかね」

「そりゃ、シリコン型と複製された手袋が見つかれば、立証できますが」

「他には」

「んん……複製された人の手を調べたら、ひょっとしたら、シリコンの成分が残留してるかもしれませんね。あれ、最初は物凄く脂っこいんで。けっこう残りやすいんです」

柳井の、遺体の手か。

「まあ、それだけだと、複製された疑いがある、ってだけか。一番いいのは、本物の手に同じ拳銃を握らせて、指の長さとかで、絶対的な違いが出てくれば立証もできますが……そこまで決定的な差が出るかどうかは、分かりませんしね」

なるほど。

とりあえず玲子は、指紋データを複写してどこかに保存しておいてくれと高木に頼み、指紋係の部屋から出た。

本部庁舎を出たところで今泉に連絡し、例の拳銃に残っていた柳井の指紋は、複製されたものである可能性があると報告した。そしてできれば、柳井の遺体の手にシリコン成分が残留していないか調べてほしい、と頼んだ。今泉は、捜査本部同士の接触が不可である現状、難しいだろうとしながらも、一応和田に頼んでみると約束してくれた。

電話を切り、玲子は大きく息を吐き出した。

これで藤元殺しについては、柳井の嫌疑を晴らす突破口ができた。

でも、小林殺しについては、どうだ。

柳井が小林を殺す動機は、あり余るほどある。だが、包丁状の刃物一本でヤクザ者を仕留める技術が柳井にあったかというと、それは、疑問視せざるを得ない。

包丁状の刃物で、ヤクザを、刺し殺す。

包丁で、ヤクザを、刺し殺す？

思わず、あっ、と声をあげそうになった。

嫌な想像が、頭の裏側から雨雲のように広がってくる。

まさか、まさかと、心の内で繰り返す。

牧田勲は十八歳のときに、徳永一家総長、徳永晃を、刺身包丁で刺し殺している。

ひょっとして、牧田が小林を殺し、藤元も殺し、その罪を柳井に着せようとした、なんてことは——。

だが、あり得ない話ではなかった。

四課の松山係長は、四代目の石堂神矢が入院、藤元が殺された今、極清会の牧田と大政会の三原辺りは、いつ跡目争いでドンパチを始めてもおかしくないといっていた。

牧田なら、藤元を殺す動機がある。藤元さえいなければ、牧田は石堂組若頭補佐から、本物の若頭に昇格できる。

しかし、小林殺しに関しては動機がない。

どういうこと、牧田さん——。

わざわざ思い返すまでもなく、牧田の感触は今も玲子の体に残っている。ヤニの味がする舌、生え始めていたヒゲ、首筋をなぞった唇。直接体を撫でた掌、下着の中に入ってきた指。覆いかぶさってきた広い肩、厚い胸、香水の匂い。久しく味わうことのなかった、胸が熱くなるような、頭の芯が痺れるような感覚。

でも、すべては勘違いだったのか。あれは全部、殺人犯が玲子に撒いた、餌に過ぎなかったのか。牧田の目的は、女としての玲子ではなく、玲子の持っている捜査情報とか、そういうことだったのか。

否定したい。牧田はヤクザだけど、でもそういう人じゃないと打ち消したい。しかし、できない。一度生じた疑念は、打ち寄せる波となって玲子から熱を奪い、なお圧倒的な力で侵食し、牧田への思いを瓦解させようとする。

罰か。これは、自分が警察組織を裏切ろうとした、罰なのか。

牧田さん、どうして――。

そう、もう一度心の内で呟いたときだったので、驚いた。

手に持ったままだった携帯が震え始めたのだ。

絶対に牧田だ。そう確信して携帯を開き、ディスプレイを見た。

が、違った。

「……はい、もしもし」

『よお、姫。元気か。たまにはわしと、モーニングでも食わんか』

監察医務院の、國奥定之助だった。

誰でもよかった。そういったら、國奥は怒るだろうか。

「いやぁ、久し振りじゃの、姫。……なんだか、一段と綺麗になったような」

とにかく、気分を変えたかった。牧田のことは忘れて、頭をリセットしたかった。

「……いつになく、色っぽいような」

池袋駅の近く。豊島公会堂裏のファミリーレストラン。早朝なので、こんなところしか開いてなかった。

「憂いを帯びた、大人の色香が……いやしかし、もっと姫らしい、華のある笑顔も、わしは見たいの……」

それは、無理。

「ごめん、先生……今あたし、とてもじゃないけど、そんな気分じゃないの」

そうか、と國奥は口を尖らせた。

「何か、困り事でも抱えとるのか」

「うん。思いっきり」

でも、久し振りに燃えた相手がヤクザで、しかも、いま抱えてる事件の犯人かもしれないの、なんて、口が裂けてもいえない。

「事件絡みか」

「うん……それは、もちろん。そう」

「遺体写真か、現場写真はあるか」

「うん……持ってるけど」

「見せてごらん」

監察医が担当するのは、不自然死した遺体の検死。主に自殺、自宅での病気、事故死などで、基本的に他殺死体については専門外となる。が、玲子はこれまで、自分が担当した殺人事件について、何度となく國奥に助言を求めてきた。資料を見せるくらいは特別なことだとも、ましてや悪いことだなんて、これっぽっちも思ってはいない。

「これ、なんだけど」

バッグからファイルを出して広げる。小林充の遺体写真と、現場写真。それから、いろいろ書き込みをした現場見取図が、数ページにわたって綴じ込んである。

「こりゃまた……派手にやっとるな」

「うん。けっこう、メッタ斬りって感じ。でもって、最後に心臓をひと突き」

國奥は、遺体写真と現場写真を見比べながら、何やら、オーケストラの指揮者がタクトを振るような仕草で、右手の人差し指を動かし始めた。

「先生、何やってんの」

「んん……タテを、やってみとるんじゃ」

タテって、殺陣？

「なに、犯人が切りつけた順番、ってこと？」

「うん……まあ、そんなところだな」

うっそ。

「そんなこと、この資料だけで、分かるの？」

「分かるさ……ある程度はな」

すごい。なんか、一気に目が覚めた気がする。

しかし國奥は、しばらくして首を傾げ、低く唸り始めた。

「なに、先生、なに」

「いや……んん……角度が、そろい過ぎとる気も、するな」

「角度って、なんの」

「周囲に飛び散っとる、血痕じゃよ」

血痕の、角度？

「どういうこと、先生、それどういうこと」

「だから……この壁が、ここ。この壁が、こっちじゃろ」

國奥は写真をファイルから抜き出し、それぞれを現場見取図の対応する場所に並べていった。

「こうきて、こう……この床の血痕は、こっちから、こう。この壁のも、こうきて、こう……な。そういうことじゃよ」

「いや、何いってんのか、全然分かんないんですけど」

結局、論より証拠。実際にやってみるしかないということになった。

場所は文京区大塚にある、東京都監察医務院。三階の、講堂。

「本当にこんなやり方で、検証できるの」

「大丈夫。前にもいっぺんやっとる。そのときは、糞尿の飛び散り方だったがな」

まず、近所の材木屋で買ってきた細い角材を使って、大きな木枠をいくつも作る。できたらそれを起こして並べ、それぞれを結合していく。ああ見えて國奥は、意外と大工仕事が得意なようだった。ちなみに玲子は金槌と釘、國奥はビスと電動ドライバーを使用している。

「先生、あたしもそういうのがいい」

「駄目。これはわしの私物じゃから」

そうやって講堂内に、小林が殺害されたリビングとまったく同じ間取りの、十一畳半の部屋を作った。

できたら、今度は枠と、床にも模造紙を貼っていく。これは池袋の東急ハンズで大量購入してきたものだ。

「先生。紙、足りそうにないわよ」

「うーむ。じゃあ、貼り替え用も考えて、五倍くらい買い足しておくか」

すでに明日は大晦日。休みに入ってから足りなくなっては困るので、池袋中を歩き回って、買えるだけ模造紙を買い占めてきた。

そんなことまでやっていたら、部屋が完成するのに丸一日かかってしまった。

「そりゃそうと先生。こんなことやってて、本業の方は大丈夫なの」

「うむ……まあ、姫のためじゃからな……あとで有給ってことにしておくよ」

玲子は作業を終え、夜中になってからいったん中野に帰った。昼間、引き伸ばした現場写真を用意しておくよう石倉に頼んでおいたので、それを受け取りにいったのだ。その後、朝まではまた中野坂上のカプセルホテルで過ごした。

翌日に國奥が用意したのは、血糊が一杯に入ったバケツと、大きなスポンジと、包丁。

「姫。この写真と同じになるように、あの壁に向かって、包丁を振ってみい」

「これね。右側に、ピッ、とね」

「わしに切りつけるなよ」

「分かってるわよ……危ないからどいててよ」

血糊に浸したスポンジを包丁で刺し、引き抜く。そうして、適度に血糊の載った包丁を、壁に向かって振る。が、思ったようにはならない。

「てやッ」

「もう一度」

國奥のアドバイスに従って、血糊の量を増やしたり減らしたり、壁に近づいたり距離をとったり、包丁を振る角度を変えたりしながら、何度も何度も試した。

壁が血だらけで分からなくなったら、また模造紙を貼り替える。血糊が足りなくなったら、また作る。そうやって納得がいくまで、現場とそっくりな血痕が壁に飛ばせるようになるまで、玲子たちは延々、同じ作業を繰り返した。

6

年が明けて、一月二日。月曜の、朝八時半。

玲子たちは模造紙を総取り替えして、最終結論を改めて試した。

立ち位置は、小林が倒れていた場所。そこにバケツを置いて、包丁に血糊をつけ、四方の壁に向かって振る。むろん、現場とまったく同じ形の血痕が模造紙につくわけではない。が、角度や、血の伸び方はそれでおおむね似たような状態になった。

その結果、國奥と玲子が達した結論は、こうだった。

小林は、何度も何度も斬りつけられ、むろん抵抗はしたが防ぎきれず、体中を傷だらけにされた挙句、最終的に致命傷となる一撃を心臓に喰らい、死に至った――わけではない、ということ。

本当は、まず最初に心臓をひと突きされ、瀕死の重傷を負い、リビングのほぼ中央、ソファの手前に倒れた。犯人はそれから、わざわざ小林の体を傷つけ、あたかも激しい抵抗があったかのような防御創を多数作り、その場で包丁に血をつけ、四方の壁に飛び散らせた——。

要するに犯人は、暴力団員である小林を一撃で死に至らしめることができたにも拘わらず、わざわざ素人臭い、下手糞な犯行に見せかけようとした、ということだ。

もっと断定的にいえば、犯人は柳井健斗のような素人ではなく、より暴力に通じた、防御創や殺人現場の惨状なども熟知した、いわば殺人のプロであるということだ。

だが國奥は、いみじくもいった。

「確かに、殺しには慣れているのかもしれん。手口も冷静かつ、的確じゃ。しかし逆にいえば、冷静過ぎたな。考え過ぎた……下手に素人の犯行に見せかけようとしたばかりに、馬脚《ばきやく》を露わした。殺しはプロかもしれんが、犯行の隠蔽は、はっきりいって素人じゃ。自殺と見せかけた他殺、病死と見せかけた他殺、事故と見せかけた他殺……わしは数えきれぬほど、そういう隠蔽された殺人現場を見てきた。そのからくりを見破って、長年、警察の捜査に貢献してきたという自負もある……監察医を、甘く見てもらっては困る」

小林殺しについては、つまり、そういうことなのだと思う。

そして、玲子の脳裏に描かれる犯行場面。リビング中央で包丁を筆代わりに握り、小林の血液を四方に振り撒いているのは、ほかでもない、あの男。しかしその横顔は、玲子が見たことのない、狂気の笑みに彩《いろど》られている。

今はその顔を、しっかり見つめなければと思う。

「……ねえ、先生」

バケツを持った國奥が、ん、と玲子の方を向く。

「もし……もしもよ。恋人が犯人かもしれないって、そういう、疑いが出てきたら……もし、そういう状況になったら、女は……どうしたら、いいのかな」

ぐっつと、國奥の喉が鳴る。

「その……女の方は、男に……本気で、惚れとるのかの」

小さく、頷いてみせる。

「うん……たぶん」

國奥は、少し血糊の撥ねた天井を見上げた。

「ならば……信じては、やれんのかの。その人だけでも、最後まで、男を信じてやるわけには、いかんのかの」

分からない。

少なくとも、今の玲子には、難しい。

講堂の後片づけをしていたら、携帯が鳴った。

ディスプレイを見ると、表示には「内田貴代」と出ていた。

玲子は、サッ、と顔が冷たくなるのを感じた。

いけない。本部の鑑識課で思い出したきり、貴代のことはすっかり忘れていた。お腹の子の父親を助けられなかったと悔やみはしたのに、何かあったら連絡すると約束もしていたのに、完全に今まで忘れていた。

そういうところが、自分にはある。捜査に没頭すると、それ以外のことが見えなくなる。刑事として以前に、人として大きく欠けている部分がある。

しかしなぜ、貴代はこのタイミングで電話してきたのだろう。健斗の死を何かで知ったのだろうか。新聞発表はなかったはずだが。

ひと息、フーッと吐いてからボタンを押し、耳に当てる。

「……もしもし、姫川です」

『あ、あの……内田です……今、大丈夫ですか』

ギリギリ聞きとれる程度の、ほとんど、息だけで発しているような声。ここではとても、込み入った話などできそうにない。

「ちょっと待って」

木枠の解体をしている國奥に片手で詫び、玲子は廊下に出た。

「……はい、大丈夫です」

『あ、すみません……あの、柳井くんが、亡くなったって……ほんとですか』

やはり、知ってしまったのか。

答えに窮したが、いまさら嘘をいったところでどうなるものでもない。

「ええ……ほんとです」

息を呑むのが聞こえ、貴代はしばし黙った。

「ごめんなさい、連絡できなくて……部署とか、いろいろ、警察にも都合があって……ほんと、ごめんなさい」

嘘つき。忘れてただけのくせに。

「でも、どうして柳井さんのこと、分かったの？」

『今さっき、アパートいってみたら……ドアに、黄色いテープが、貼ってあって……たまたま、そこに隣の人が、出てきて……訊いたら、亡くなったらしいって』

テープは、新宿署が家宅捜索をした跡、ということだろう。

どうしよう。なんていったらいいんだろう。健斗について、彼女にどこまで話したらいいのだろう。

迷っていると、貴代が続けた。

『姫川さん……実は私、柳井くんから、メールもらってて』

急に、なんの話だ。

「そう……どんなメール？」

『それが、全然、意味分かんなくて……何かあったら、調べて使ってって、文章はそれだけで。あとは、変な英語が書いてあって』

変な、英文メール？

「それは、いつ送られてきたの」

『最後に、お店で会った、直後です』

ということは、先月の十八日。健斗が死亡する一週間ほど前か。

玲子はすぐにいくといって電話を切った。

貴代は十時からバイトだというので、玲子は直接店を訪ねることにした。

「……こんにちは」

カウンターの中の貴代は、泣き腫らしたように目の周りを赤くしていた。小さくお辞儀をし、すぐポケットに手を入れる。

「わざわざ、すみません……あの、これなんですけど」

取り出した携帯を開き、何度かボタンを弄ってから玲子に向ける。

確かに、メールの文面は貴代が電話で伝えてきた通りだった。

【何かあったら、これを調べて、使ってください。

C:¥WINDOWS¥system32¥SoftwareDistribution ¥Setup¥ServiceStartup¥wups.dll¥7.2.6001.788】

玲子は、すぐにピンときた。

「これ、パスだわね」

貴代が「パス?」と聞き返す。

「うん……つまりこれは、あるパソコンの中の、フォルダの所在を示す表記なの。この、最初の〝C〟がドライブを示してて、その中の〝WINDOWS〟っていうフォルダの中に、また〝system32〟っていうフォルダがあって……全体でいえば、ピラミッドみたいな形に広がっていく構造なんだけど……分かるかな」

眉根を寄せ、貴代は首を傾げた。

「ごめんなさい……私、こういうバイトしてるわりに、パソコンとかめっちゃ苦手で。お客さんに何か訊かれても、答えられへんことの方が多くて……」

まあ、これを謎の英文と思うくらいだから、そうなのだろう。

「うん。でもとにかく、このパスが示してるフォルダに何があるのか、調べてみなきゃね……」

とはいっても、このパスだけでは、どのパソコンの中身を調べたらいいのか分からない。

「Cドライブ」は、たいていのパソコンのメインドライブに割り当てられている名前だ。なんの手がかりにもならない。

ただ、何かあったら調べろと貴代にいうくらいだ。健斗の自宅にあったパソコンのことではないのだろう。ましてや、西新宿の部屋のものでもない。可能性があるとすれば——。

「……もちろん、内田さんはお家に、パソコンなんて」

「ありません。高いし、あっても私、使えへんし」

つまり、この店の中、ということになるだろう。

それとなく背後を振り返る。薄暗い店内。木製のパーティションで区切られたブースは、ざっと見た感じ、二十くらいはありそうだった。

「内田さん……ここにはパソコン、何台あるの」

「十六台、です」

「いま入ってるお客さんは」

「えっと……四人です」

面倒だが、全部調べるしかなさそうだ。

玲子はまず、貴代の携帯にきたメールを自分の携帯に転送してもらった。貴代はパソコンは苦手でも、携帯は問題なく使いこなしている。そういえばこの前も、健斗の写真をサササッと赤外線送信してくれたっけ。

「いきましたか」

「……はい、きました。オッケーです」

次に、玲子はそのメールを携帯のメモリーカードにコピーし、携帯から抜き出した。これをパソコンと互換性のあるアダプターにはめ込んで使えば、メールにあったパスをごく簡単かつ正確に、パソコンに入力することができる。

貴代に、どのブースが使用中かを確かめたら、早速作業開始。

まずはAの五番からチェックする。

ブースのパソコンに自前のカードを挿入し、なんでもいいからフォルダを開く。上の方に「アドレスバー」という入力欄があるので、そこに例のパスをコピー&ペーストする。

するとすぐに「7.2.6001.788」という、パスが示す最も末端のフォルダについて見ることができた。そこにあったファイルは「wups.dll」というタイトルのもの、ただ一つ。この「dll」というのは確か、他のアプリケーションと共有して使う小さなプログラムに付く拡張子だったと思う。つまり、単体で開いて使える何かではないということだ。少なくとも、パソコンが苦手な貴代にどうにかできる類のものではない。

要するに、このパソコンはハズレ、ということなのだろう。

玲子はカードを抜き取り、隣のブースへと移動した。同様にカードを入れ、パスの示すアドレスを開く。しかしここでも、「7.2.6001.788」の中に保存されているファイルは「wups.dll」だけだった。

隣のテレビ用ブースは飛ばして、Aの二番を調べる。次の使用中のブースも飛ばして、そのまた隣を調べる――。

困った。使用中のブース以外、すべてのパソコンを調べたが、いずれも「7.2.6001.788」の中には「wups.dll」しか入ってなかった。どういうことだろう。実は健斗は、貴代に「wups.dll」をどうにかしてほしかったのか。いや、それはあるまい。これ一個を狙って開けさせて、貴代にどうにかできるとは到底思えない。

玲子はいったんカウンターに戻った。貴代は中で丸椅子に座り、ぼんやりとレジスターの表示辺りを見ていた。

「内田さん、ちょっといい」

貴代は慌てたように目をあげ、立ち上がった。玲子が近づいてきたことにも、まったく気づいていなかったようだ。

「あ……はい」

「このお店に、今、こっちのブースで使われてる以外のパソコンて、ありません？　調子が悪くなって撤去してあるのとか」

すると貴代は、ああ、といって、カウンターの奥を指差した。スタッフ用の控え室だろうか。幅のせまいドアがある。

「スタッフ用のパソコンが、中に一台……ありますけど」

そうならそうと、早くいってほしかった。

「それも、調べさせてもらっていいかな」

「ああ、はい。どうぞ」

貴代に案内してもらい、その部屋に入る。三畳程度の小部屋の奥には、確かに、店に出ているのと同型のパソコンが一台設置されていた。常にそうなのか、電源は入りっ放しになっている。

「失礼」

手前にある椅子に座り、これまでと同様の手順で「7.2.6001.788」を開くと、

「……あ、あった」

「wups.dll」とは別に「1217.mp4」というファイルがあった。末尾の「mp4」は動画や音声のファイル形式を示す拡張子だ。では、「1217」は? ひょっとして、十二月十七日か。小林充殺害の日のことか。

クリックすると、再生用のアプリケーションが自動で立ち上がり、やがて微かなノイズが流れ始めた。映像はない。単純に、何かの音声ファイルのようだった。

ボリュームを上げると、突然、ガサッと大きなノイズが鳴った。マイクを直接こすったような音だ。たぶん、衣擦《きぬず》れだ。なんだろう。何かを隠し録りでもしたのだろうか。

いったん再生をストップする。

「内田さん。ヘッドホンとかって、あります?」

「はい、あります」

貴代は小部屋から出て、ちゃんと頭にかぶるタイプの、耳パッドの大きなヘッドホンを持ってきてくれた。

「ありがとうございます。私、しばらくこれ聞いてますから、お店、戻っててください」

「はい……分かりました」

貴代が出ていくのを見送ってから、ジャックをパソコンに繋ぎ、ヘッドホンをかぶる。そして、再生再開。

ボリュームを大きめにしていると、ときおり人の声が聞こえてきた。だがマイク位置から遠いのか、内容までは分からない。

それにしても、どれくらいの長さのファイルなのだろう。下のタイムカウンターに目をやると「00:00:48 / 01:45:22」となっている。なんだ。全体では一時間四十五分もあるのか。

健斗は二時間近くも、一体何を録音したのだろう。

しばらくは、玲子も何が起こるか分からなかったので、じっとノイズに耳を傾けていた。だが、段々かったるくなってきて、ちょいちょいスライダーを動かして、先に進めるようにした。しかし、それも徐々に面倒になってきたので、思いきって、一時間半経過の辺りまで

一気に動かした。それでも数秒はノイズしか聞こえてこなかったが、ふいに、
《……こういうときこそ、普段通りの生活をするってのは大事なことだが、まあ、もうちょっと待ってくれ。もうすぐくる予定だから》
そんな声が流れてきた。
聞き覚えのある声だった。低く、太い、押しの強い声。
しばしの沈黙ののち、チャイムの音がし、誰かが新たに現われたような気配がした。
《ご苦労さん。……どうだった、首尾は》
また、さっきと同じ声だ。
もう、間違いない。これは、牧田の声だ。
衣擦れのような音が続く。
《まあ、みてみてくれよ。どういう仕事だったか》
なんのことだろう。何を見せているのだろう。
そこからは数分沈黙が続いたが、もう玲子も、迂闊に早送りすることはできなくなっていた。健斗はどこかで牧田に会い、その会話を録音した。きっと何か、重要な意味があるに違いない。
《……どうだい。これが先生の望んだ、小林充の、サイゴだ》
先生って、誰だ。でも、小林充のサイゴを望んだ、というくらいだから、やはり先生とい

うのは、健斗か。

《……俺からも、保証する。小林充は、確実に死んだ。これで満足かい》

そうか──。

これは、誰かが小林充を殺して、その証拠を、たぶん写真とか映像とか、目に見える形で示したものを、健斗が確認した場面なのだ。

つまり、牧田は健斗から依頼されて、小林充殺害を請け負い、別の誰かに実行させた──。

終章

あの雨の日。事務所に帰るなり、川上に訊かれた。

「兄貴、何者なんですか、あの女」

普段の川上なら、牧田の連れていた女に対してこんな口は利かない。どなたですかと、最低限の礼儀をもって訊く。

おそらく、何かしら感じとったのだろうと思う。

これまでに牧田が扱ってきた女たちとは違う、何かを。

あの、姫川玲子という女に。

「あれは……警視庁の、刑事だ」

途端、川上の顔色が変わった。

「なんで……」

「まあ、いろいろあってな」

「どういうことですか」

「いいよ。お前は知らなくて」

　正直にいうと、牧田もよく分からないのだ。あの女を自分がどうしたいのか。姫川と、どういう関係を築きたいのか。

「マルボウですか」

「いや、違う」

「じゃなんですか」

「いいから。気にしなくていいんだよ、お前は」

　怒った振りをして、その話はそれで終わりにした。

　以後、牧田はそれまでよりも注意深く新聞を読み、テレビのニュースもチェックした。柳井の死亡に関する報道がないかどうか、気になって仕方なかったのだ。

　だが、なかった。世間はすでに正月気分一色で、柳井の件は疎《おろ》か、藤元英也という大物暴力団幹部が射殺されたことさえ、忘れ去られてしまったかのようだった。

　翌三十日は、珍しく四課の小坂も事務所を訪れなかった。何か捜査に進展でもあったのだろうか。もう小坂は、自分に興味をなくしたのだろうか。藤元殺しと自分は関係ないと、そういう結論に達したのだろうか。それと、姫川が口にした言葉。あのアパートの室内で、柳井健斗が死んでいるかもしれないといったあれは、関係があるのだろうか。

　その、姫川からの連絡もなかった。

あそこまで協力したのだ。何かひと言、結果報告くらいあってもいいのではと思う。だが、それが刑事というものか。情報は吸い上げるが、それがなんだったのかは、容易には漏らさない。そういうものかもしれない。自分が刑事だったら、という想像自体が馬鹿げているのだが、たぶん、同じことをするだろうと思う。情報をとったからといって、その結果なんぞ、いちいち相手には報告しないだろう。

だったら、こっちからしてみるか。あの件はどうなった、でもいい。顔が見たくなった、でもいい。忙しいからと断られるかもしれないが、それでもいいと思った。声だけでも聞ければ、それで充分だと思っていた。

だが、意に反してなかなか、牧田から電話をかけることはできずにいた。自分の中の青臭い部分を認めたくないというのもあったし、また、姫川の刑事の側面が怖くもあった。ふとした瞬間に色を変えるあの目に、自分の後ろ暗い部分などは容易に看破されてしまうような気がしていた。

メモリーから、姫川の番号を読み出しては、消す。読み出しては消す。そんなことを繰り返していた。

そうこうしているうちに三原鉄男が、たまには焼肉でも食わないかと誘ってきた。馴染みのクラブの女が、最近ご無沙汰じゃない、と拗《す》ねた声で、店に顔を出すよういってきた。川上には、六本木「シルク」の改装日程の打ち合わせに同行してくれるよう頼まれた。が、牧田はどれも断った。そんな気分じゃないんだといって事務所にこもり、ただビールを飲みながらテレビを見て過ごした。

下らない正月番組ばかりだった。顔とコンビ名の一致しないお笑い芸人。何が面白いのかよく分からないが、こういうときだけテレビに出てくる年配の上方漫才師。ブスと低能を乳のデカさで補うグラビアアイドル。よく見ると、中には一、二度抱いたことのある女も交じっていたりする。そんな連中が作り出す笑い声を小波のように聞き流し、あるいは子守唄にして、うつらうつらしていた。

だから、その電話がかかってきたとき、今が何日なのか、朝なのか午後なのか、一瞬分からなかった。

携帯の表示を見ると、十五時半となっている。日付は、一月三日。

かけてきたのは、

『もしもし』

姫川玲子だった。

まだ夢を見ているのか。そんなふうにも思った。

「……はい」

『先日は、いろいろ……ありがとうございました』

低く、硬い声だった。

あの日、二人の関係は決定的に変わったという手応えがあったのに、そのひと声で、すべてが遠くなったように感じられた。

「いや、それはいいが……どうだった。あの部屋の中は」

『はい。それについて、またちょっと、お話しできませんか』

牧田がこの前の調子で話しかけても、姫川は決して乗ってこなかった。それほど深刻な内容ということなのか。あるいは、あの性格だ。単なる照れと、解釈することもできなくはないが。

「分かった。どこにいけばいい」

『この前の、駐車場で』

あの日のことを忘れてはいない、という意味にもとれる。いや、それは自分の自惚れか。

「分かった。何時だ」

『何時ならこられますか』

壁の時計を見る。

「一時間後にしようか」

『じゃあ、四時半に』

「ああ」

『それじゃ……』

電話を切っても、一向に胸は高鳴らなかった。

これまでのような興奮は訪れず、むしろ、ざわざわと騒ぐばかりだった。

ちょうど川上がきていたので、近くまで運転させた。十五分ほど早く着いてしまったので、川上を車に残し、一人で辺りを歩いた。

正月の白金台は、雨だった。さしてひどい降りではないが、それでも三が日の雨だ。出足は充分に鈍る。通りを歩いても滅多に人とすれ違わない。お陰でいい散歩ができた。ビニール傘越しに見上げる濁った空も、今の牧田の淀んだ気分にはぴったりだった。

五分前になったので、例のマンションに向かった。

どうやって中に入ろうか考えたが、どの道待ち合わせは駐車場内だ。車で入るのと同様に、コンクリートのスロープを歩いて下りることにした。

下りきった辺りまでは外の明かりも入ってきていたが、駐車場の内部は違った。昼も夜もなく、蛍光灯の明かりだけで照らし出される世界。地面が緑色に塗装されているせいか、白いはずの光もどこか緑がかって見える。

この前、自分が進んでいった通りに歩いた。姫川があの位置を正確に覚えているかは疑問だったが、少なくとも牧田は覚えていた。入り口から直進していって、突き当たりを右だ。

その通りに角を曲がると、真っ直ぐに伸びた通路の先、まさに前回車を停めた場所に、人影があった。黒いコートの襟を立て、両手をポケットに入れ、肩幅くらいに足を開いて立っている、背の高い女。微動だにせず、じっとこっちを見ているふうだ。

牧田はゆっくりと近づいていった。惚れた女に会いにいくという感覚は、不思議なほどなかった。むしろ、覚醒剤取引や、密輸拳銃の受け渡し。そういったときの緊張感に似ていた。

地面の白い矢印は、彼女に向かって伸びていた。そして、一つ手前の柱のところで右へと曲がっている。下手をしたら、その指示に従ってしまいそうだ。彼女とは接触せず、駐車場をぐるぐると歩き回った挙句、何もせずに出口へ――。

やがて、その右折矢印のところまできた。彼女との距離は、まだ優に車一台分はある。

「……遅刻は、してないはずだが」

時計を確かめたわけではない。牧田も左手はポケットに入れている。

すると彼女の方が、右手を出した。

別に、撃たれるとは思ったわけではないが、なんとなく足が止まった。

「……ええ。一分前です」

携帯電話の表示を見て、すぐまたポケットに戻す。

「話って、なんだ。例の、死臭のするアパートのことか」

彼女は頷いた。

「はい……やはり柳井健斗は、あそこで、死んでいました。首吊り自殺でした」

照明器具のように、天井からぶら下がった柳井の細い体を思い浮かべる。

「そうか……柳井、死んだのか」

彼女は、今度は左のポケットから何か取り出した。

「遺書が、ありました。これはその写しです……内容、知りたいですか」

知りたいか知りたくないかでいえば、むろん知りたい。だがそれを彼女の口から聞くのは、怖い。

「それとも……牧田さんはこの内容、すでにご存じですか」

何かの冗談かと思ったが、彼女の顔は笑っていなかった。

「どういう意味だ」

「お心当たりはありませんか」

「ないよ。あるわけないだろう」

すると、彼女はふいに、泣き出しそうに頬を歪ませた。

「……正直に、話してよ」

「何を」

分からない。どういう意味でいわれているのか、まったく。

「どうして俺に、心当たりがあると思うんだよ」

それに対する答えは、なかった。

「いいよ。じゃあ、教えてくれよ。その遺書に書かれてること。なんて書いてあるんだよ」

彼女は、手に握ったものを開きもせずにいった。

「柳井はこの中で……小林充と、藤元英也の殺害を、告白しています」

風が吹いたわけでもないのに、全身の肌が粟立った。

「そんな、馬鹿な……柳井が藤元を殺すなんてあり得ない。動機もないし、そもそも無理だ」

「じゃあ、小林殺しの動機になら、心当たりがあるんですか」

遠くから車が近づいてくる音がしたが、どこか途中で曲がったようだった。

この期に及んで、とぼけても仕方ないか。

彼女は続けた。

「牧田さんは、柳井が小林を殺す動機なら、知ってるんですか」

「ああ……知ってる。奴は、小林を恨んでいた。奴の姉さんを殺したのが、小林だったらしいことは……聞いて、知っていた」

「それを聞いて、あなたはどうしたの」

この女、どこまで知ってる。

「どうって……」

いえるか。そんなこと。

「柳井が小林を恨んでいると知って、あなたは、柳井になんて持ちかけたの」

持ちかけた？　どういう意味だ。

またどこかで、鋭くタイヤが啼《な》くのが聞こえた。

「……いえないなら、あたしがいってあげましょうか」

牧田が黙っていると、彼女は手にしていた遺書をポケットに入れ、そのままの姿勢で始めた。

「あなたは……柳井が小林を恨んでいると知り、その殺害を請け負った。復讐を代行してくれたあなたを、おそらく柳井は信用した。けど、あなたはそれを裏切った。あとで警察に、小林殺しの犯人は柳井健斗だという、タレ込み電話を入れた……誰か、知り合いの女を使って」

タレ込みって、なんのことだ。知り合いの女？

「しかも小林殺しの手口を、あたかも柳井の犯行であるかのように、素人臭く見えるよう偽装した……これによって殺人犯、柳井健斗を作り出せたと確信したあなたは、次なる標的に向かった。……仁勇会会長、藤元英也を射殺し、その拳銃に柳井の指紋をつけて、中野署管内で発見されるように仕組んだ。わざわざ誰かを使って、柳井本人が拳銃を持ってうろつき、逃げる途中で落としてしまったかのような芝居まで打たせて」

その口を塞いで黙らせたいという衝動と、最後まで聞きたいという気持ちが、胸の内で入り乱れる。

「そして仕上げに……小林殺害後に拉致《らち》しておいた柳井を、藤元殺害後に、首吊り自殺させた。二件の犯行を告白する遺書を書かせた上で。……むろん、自殺は強要したんでしょう。お前が自分で死ななければ、いま付き合っている女がどうなるか分かってるのか……そんなふうに、脅したんじゃないですか。ひょっとして、あなたは知ってたの？　彼女のお腹に、柳井の子供がいることを。それも含めて、柳井を脅したの？　女と子供が、どうなってもいいのか、って……」

知らない。そんなこと、知るはずがない。

「……違う。信じてくれ、俺は」

「信じたいわよッ」

彼女は、体を折るようにして怒鳴った。

「あたしだって、信じたいわよあなたを。でも無理よ。小林殺しのカラクリも、藤元殺しのタイミングも……全部、あなたに都合がよ過ぎるでしょう。柳井の自殺も含めて、全部……全部、あなたの都合のいいように事件は転がっていってるのよ」

彼女は、歯を食い縛り、俯いた。

癖のない髪が、肩からはらりと、前に落ちる。

「……好きだったのに……信じてたのに」

聞こえるか聞こえないかの、か細い声だった。

でも、牧田には分かった。

好きだった。信じてた。確かに、彼女はそういった。

一番聞きたい言葉だった。一番、彼女にいわせたい言葉だった。でもそれは、こんな場面ででではなかった。もっと違うときに、違う場所で。それも、過去形ではなく。

つまり、もう信じてはもらえないということなのか。好きでいてはくれないということなのか。それは、俺がヤクザだからか。人殺しだからか。でもあんたは、それを認めてくれたじゃないか。認めた上で、俺に体を預けてくれたじゃないか。胸を開き、抱かれようとしていたじゃないか。まさに、この場所で。

あのときと、何が変わったっていうんだ。俺は何も変わっちゃいない。変わったとしたら、それはあんただ。なぜだ。柳井の死体を見つけたからか。そこに遺書があったからか。それでなんで、全部俺のせいになるんだ。俺の仕業《しわざ》ってことになるんだ――。

そう、思ったときだった。

牧田からも、彼女からも死角になっていた右手の柱の陰から、誰かが出てきた。

「……だから俺は、駄目だっていったんですよ。兄貴が直接、この件に手出しをしたら」

川上だった。手に持った拳銃は、姫川に向けられている。

「おい、お前……何やってんだ」

ようやく、足が前に出た。

「よりによって、こんな女刑事を呼び込むなんて……もう、駄目っすよ。始末するしかないっすよ」

川上が距離を詰める。銃口が姫川のこめかみに突きつけられる。だが、すぐに撃つつもりはなさそうだった。とりあえず背後に回り、自由を奪うようだった。どこかに連れていくつもりなのか。

「よせ、その人は」

「やめてくださいよこんな女にッ。兄貴は……兄貴には、上だけを見ててほしいんすよ」

川上、お前——。

「俺は、兄貴に偉くなってほしいんすよ。もっともっと、上にいってほしいんすよ。石堂の看板背負って、いずれは大和会の会長にまで上り詰めてほしいんです。こんなところで、こんな女のために、下手打ってほしくないいんすよッ」

マズい。川上だけじゃなかった。後ろにはシゲルまできていた。しかも、いつもに輪をかけて様子がおかしい。目一杯見開いた目で牧田を見、口元に引き攣った笑みを浮かべている。

その手には——。

＊

ふいに柱の陰から、川上と呼ばれていた牧田の舎弟が、拳銃を構えて現われた。しかも、その数歩後ろには仲間がいる。小柄な男。でも、なぜだろう。玲子はその顔に見覚えがあった。

吊り上がった、目――。

ひょっとして、あの女か。赤堤のアパートから出てきた、吊り目の女か。いや、どっちだ。男なのか、女なのか。

川上は、玲子と接点を持った牧田を咎めた。もう駄目だ、この女は始末するしかないと吐き捨てた。玲子に銃口を突きつけ、自由を奪おうとした。だが玲子は、まだ大丈夫だと思っていた。もっと引きつけられる。そう踏んでいた。

さらに川上は続けた。

「……俺は、兄貴に偉くなってほしいんすよ。もっともっと、上にいってほしいんすよ。石堂の看板背負って、いずれは大和会の会長にまで上り詰めてほしいんです」

脳を、直接殴られるような衝撃を覚えた。

思わず、牧田の顔を見た。牧田も、驚いた顔をしていた。

どういう意味だ。

牧田じゃ、なかったのか。

一連の事件は、全部この、川上という男の仕業だったのか――。

そんな混乱が、玲子の反応速度を鈍らせていた。

牧田が血相を変えて突進してくる。目は玲子の左、吊り目男の方を睨んでいる。慌てて玲子も顔を向けると、吊り目男は手に刃物を握って、こっちに向かってきていた。

しまった、と思った。両腕は川上に搦《から》めとられていて自由が利かなくなっている。気づくのが一瞬遅かった。駆け寄ってくる牧田の背後、十数メートル先には、車の陰に隠れていた湯田、葉山、菊田らが飛び出してきている。他にも帳場の捜査員、応援にきてくれた特殊班の係員らが、この場を包囲するよう動いているはずだった。全員が防弾ベストを着用し、拳銃を携帯している。だがそれも、今この瞬間にはなんの役にも立たない。

間に合ったのは、牧田一人だった。

「よせッ」

玲子の前に立ち塞がろうとする牧田。

その、後ろ姿に隠れる寸前に見た、吊り目男の顔。

ぞっとした。

男は、玲子を見てはいなかった。

明らかに牧田を見て、牧田めがけて、腰に構えた刃物を突き出そうとしていた。

どんっ、と、体と体がぶつかる鈍い音がした。

「お前ら、動くなッ」

押し寄せてくる無数の足音。甲高《かんだか》い笑い。玲子を拘束していた力は失せ、人影が壁のように周囲を取り囲み、目の前にあった牧田の背中が、ぐらっ、と傾いた。

「確保、確保ォーッ」

手を伸ばしたら、すぐに届いた。

牧田の、大きな背中。

抱き寄せると、重たい体はそのまま、玲子の腕の中に落ちてきた。支えきれず、その場に膝をついた。

「……牧田さん？」

眠たそうに、目を瞬く。

「牧田さん……牧田さんッ」

白いシャツのみぞおち辺りに、黒い柄が立っている。

根元に、赤いシミが、浮き出てくる。

「牧田さん……しっかりして。牧田さんッ」

誰かが「救急車ッ」と叫ぶ。

玲子が柄に触れようとすると、よせ、抜くなと誰かに怒鳴られた。

なんで。なんでこんなことに――。

あたしが呼んだから？　あたしがこんなところに呼び出したから、牧田さん、こんなことになっちゃったの？　ねえ、そうなの？

「……いや」

目を開けてよ。ねえ、牧田さん。目を開けて、あたしを見てよ。

「いや……イヤ、イヤ」

お願い。やめてよ。こんなの嫌だよ。

冗談でしょ。あたしが、あなたを疑うようなことをいったから、だから、それで意地悪してるんでしょう。仕返ししてるだけなんでしょう。ねえ、謝るから。疑ったことは謝るから、許してよ。もう、こんな冗談やめてよ。目を開けて、嘘だよって、笑ってよ。欲しいんでしょ。あたしが欲しいんでしょ。いいから。もう、あなたの好きにしていいから。だから、許してよ、牧田さん。

お願い。その手で、またあたしを、抱き締めてよ――。


一月三日、十六時五十八分。川上義則は銃刀法違反、伊藤滋は銃刀法違反と殺人未遂の容疑で現行犯逮捕された。

川上は逮捕後、小林充と藤元英也、柳井健斗の殺害を伊藤滋に依頼したと自供。捜査本部は後日再逮捕することを視野に入れ、現在も調べを進めている。

一方の伊藤は、一切の犯行について黙秘を続けている。取り調べ開始当初はその身元すら明らかではなかったが、川上の供述と裏付け捜査により、徐々にその正体は明らかになってきた。

伊藤にはもともと女装癖があり、実際、普段は「伊藤留美」と名乗って生活していた。近しい人間ですら、伊藤が女性であることをまったく疑ってはいなかったようだ。

川上とは十四年ほど前、川上が「ハッチューズ」というタコライスチェーンを立ち上げた頃からの付き合いで、二人は当初から恋愛関係にあったという。むろん、川上は伊藤が男性であることを承知の上で交際していた。つまり、川上にも男色の気があったということだ。

しかし、渡辺勇太という仁勇会の構成員が伊藤に、おそらく男とは知らずに横恋慕し、それがハッチューズ全体のトラブルに発展した辺りから、二人の関係はおかしくなっていった。トラブル解消に手を貸した牧田勲に川上が惚れ込み、嫉妬した伊藤は川上のもとを去った。

だが、どうも伊藤は川上のことが忘れられなかったようだ。

牧田の舎弟となり、極清会入りした川上を振り向かせようと、自らも裏社会に身を投じた。得意の女装を活かして、美人局《つつもたせ》や恐喝、違法薬物の売買、裏情報の収集などをやっているうちに、殺人にまで手を染めるようになったらしい。

そんな伊藤を、川上は便利に使った。やがて性的な関係も復活し、伊藤は裏社会でも私生活でも、川上を支える存在に立ち返ることができた。

しかし、完全に「元の鞘」に収まったのかというと、そういうわけでもなかった。川上の心はむしろ牧田に向いている。そのことが伊藤は我慢ならなかったようだ。たびたび不満を口にし、川上に極清会から抜けるよう懇願するまでになった。だが川上は、それをはぐらかしながら伊藤を使い続けた。ちなみに川上は、牧田は自分の男色癖については知らなかったはずだと供述している。川上は両刀らしく、牧田の前では普通に女遊びもしていたということだった。

そうして、一連の犯行は始まった。

まず伊藤は、小林充を誑し込み、部屋に上がり込んで刺殺した。翌朝、自宅に戻った健斗を拉致。次に、犯行は柳井健斗の仕業であると警察にタレ込み、さらに指紋工作。前々から粉をかけておいた藤元英也を射殺し、柳井の指紋付き拳銃を警察に摑ませた。そのほとんどを、伊藤は一人でこなしたらしい。川上も案は出したし、柳井の監禁などにも手は貸したが、実行犯はあくまでも伊藤だと供述した。むろん、これをそのまま鵜呑みにはできない。

すべては、これからの捜査で裏付けていかなければならない。

当然ながら玲子も、本部の一員としてこの捜査に参加した。ただし、川上や伊藤の取り調べではなく、あえて、彼らが同棲していたマンションの家宅捜索班に自ら志願し、その任に徹した。具体的には、現場で押収した型取り用シリコンや複製用の液体合成ゴムが、いかに犯行の偽装に使われたかを立証するという役回りだ。

なぜかと問われれば、理由はただ一つだ。

それが一番、牧田から遠い捜査範囲に思えたからだ。

牧田は事件後、新宿区内の救急病院に運び込まれ、数時間に及ぶ大手術を受けた。伊藤は牧田を刺した際、ナイフを手元で二、三度捻ったらしく、一度刺しただけにしては内臓がひどく傷ついていた。そのため、出血がなかなか止まらないのだという。

今も牧田は病院で、生死の境をさ迷っている。

「ネエちゃん。ちったぁ、休んだらどうだ」

下井には、たびたびそんな声をかけられた。でも手を止めたら、自分はまた牧田のことを考えてしまう。彼の生還を願うだけの、ただの非力な女になってしまう。

「……大丈夫です。まだやれます。下井さんは、もう上がってください。いろいろご面倒をおかけしましたから、ここはあたしが引き受けます」

鑑識から別々にあがってくる、シリコンやゴムの成分に関する報告書を読み、それを健斗の遺体検案書の記述と照らし合わせて、捜査報告書にまとめる。化学の専門用語が多くて難渋するが、逆にそれが、今の玲子には助けになっている。牧田への思い、彼を必要以上に疑ったことに対する自己嫌悪。そんなことから目を背ける、恰好の言い訳材料になっている。

またこれを完遂し、一課を救いたいという思いもある。完全に長岡の要求通りにはできないかもしれないが、少しでも、小林殺しを柳井健斗から遠ざけて立件することはできないか。なんとか、九年前の事件に触れない形でまとめることはできないか。そんな道を今、玲子は探っている。

自分が独断専行したことによって、身内が傷つくような結果にだけはしたくない。九年前の事件との関わりさえ消すことができれば、和田も、今泉も、十係も姫川班も、咎められずに済む。

殺人犯捜査員としての自分を育ててくれた部署だ。玲子にとって一課は、いわば学校であり、十係はクラスであり、姫川班のメンバーはまさに机を並べる仲間であり、同時に兄弟でもあった。外では虚勢を張っていても、玲子は、彼らの前でなら泣くことができた。甘えることもできた。

なのに今回、自分はそんな彼らを、半ば裏切ろうとした。

悔いている。自分が道をはずれようとした。これはその報いなのだと思っている。

だからこそ、なんとかしたい。いや、どうにかなるはずだ。

今ここにある捜査資料のどこかに、長岡と取引できる材料が、何かしらあるはずなのだ。

一月十三日金曜日、午前十一時。

警視庁本部庁舎六階の第一会議室。

上座中央に座っているのは、和田一課長。右には橋爪管理官。左には今泉係長がいる。

「ええ……それでは、昨年の十二月十七日に発生しました、暴力団、六龍会構成員、小林充、ならびに、十二月二十五日に発生しました、仁勇会会長、藤元英也の殺害事案についての、発表を行います」

会議室には大勢のマスコミが詰めかけている。

一斉にフラッシュが焚かれ、和田はそれが落ち着いてから始めた。

「先の二件は、指定暴力団、極清会の、四十三歳構成員、川上義則が企て、住所不定無職、三十六歳、伊藤滋が実行したものと見て、現在も、調べを進めています。両名は一月三日、港区白金台三丁目△のマンション内で暴力事件を起こしたため、銃刀法違反ならびに殺人未遂の現行犯で、同日十六時五十八分、逮捕いたしました。その際に、同じ極清会の会長である、牧田勲、四十八歳が、伊藤滋に刃物で刺され、六日夜八時五十分、搬送先の病院で亡くなりました。これを受けまして、伊藤滋の被疑内容は、殺人二件、殺人未遂一件から、殺人三件となりました。……では、事件の詳しい経緯を、続けてご説明します」

玲子は会議室の一番後ろで、この会見を見ていた。和田がどういう発表をするかは、玲子たち本部捜査員も一切知らされていなかった。

だから、驚いた。和田が九年前の、柳井千恵殺害事件から喋り始めたときは。

「……以上の供述から、柳井健斗が、姉を殺された恨みから、小林充殺害を、牧田勲に依頼。それを川上義則が仲介し、伊藤滋が実行したものと、考えることができます。また……」

藤元英也殺害についても、隠すことなく発表された。川上義則が、牧田勲を石堂組内で出世させる目的で企て、伊藤滋に実行させた。さらに二人は、二件を柳井健斗の犯行に見せかけた上で、柳井自身を自殺に追い込んだ――。

かなり複雑な経緯のため、テレビや一般紙の記者は、すぐには意味が呑み込めないようだった。だが一部の、一課担当の記者は違った。捜査過程の問題点を鋭く突いてきた。

「一課長にお伺いします。今のご説明ですと、今回の一連の事件は、九年前に行われた柳井千恵さん殺害事件の捜査で、警視庁が容疑者を千恵さんの父親、柳井篤司氏に絞り込んだことが、そもそもの原因であるかのように聞こえましたが、その点はいかがですか」

また、一斉にフラッシュが焚かれる。

和田が、マイクに口を持っていく。

「……ご指摘の、通りだと思います」

同じ記者が続ける。

「つまり、柳井篤司氏は犯人でないにも拘わらず、娘を殺した犯人であるかのように扱われ、それを苦にし、警官の拳銃を奪って自殺したことになりますが」

「九年前の真相は、いまだ明らかではありませんが……当時の捜査情報の漏洩と、その後の報道が、柳井篤司氏の自殺という結果を招いたことは、事実だと思います」

「では、柳井健斗が目論《もくろ》んだ小林充の殺害は、九年前の捜査の失敗がなければ、起こり得なかったことと考えていいわけですね」

おかしい。あの記者、すんなり事件内容を把握し過ぎている。

「警視庁が九年前に、事件の真相解明を怠った、という点においては、一定の責任があるものと考えております」

会議室全体がざわつく。上座の両脇に控えている刑事総務課の人間も、唖然とした顔で互いに目を見合わせている。

「もう一つ、お伺いします。九年前に不起訴となった事件を発端として起こった、今回の一連の事件。柳井健斗を含め四人の犠牲者が出ましたが、警視庁としてはこの責任について、いかがお考えですか」

和田の両隣に座る、橋爪と今泉が同時に姿勢を正す。

だが、答えるのはあくまでも和田だ。

「……九年前当時の、捜査関係者の多くは、すでに警視庁にはおりませんが、今回の、小林充殺害事件発生の時点で、柳井健斗を、捜査の視野に入れることができなかった点に関しましては、現在の、警視庁刑事部に責任があるものと、考えております」

「さらに事件が連続したことに関しては」

「続く三名の犠牲を出したことに関しましても、責任を感じております」

別の記者が、割り込むように声をあげた。

「その責任、どうやってとるつもりですか」

和田はいったん、会議室全体を見回し、改めてマイクを手にした。

「……刑事部長を始め、この捜査に携《たずさ》わった刑事部幹部は、すべからくその任から退《しりぞ》くべきであると、考えます」

そう言い終え、和田が立ち上がると、橋爪も今泉も倣って立った。

「事件を未然に防ぐことができず、市民の皆様に多大なるご不安と、ご迷惑をおかけしたことを、心よりお詫び申し上げます」

三人が頭を下げる。みたび一斉のフラッシュ。

頭を上げた和田が出口に向かう。総務の人間がそれをガードする。さらに写真を撮ろうとする者、その場で社に電話をかける者、会議室を飛び出していく者、様々いた。

そんな中で、パイプ椅子に座ったまま、肩を震わせている男がいた。近くまでいってみると、さっき、和田にいち早く質問をした一課担当の記者だった。

横顔を見たら思い出した。曽根《そね》という、朝陽新聞の記者だ。和田とも仲が良く、よく飲みにいったり、課長室でサシで雑談をする間柄ではなかったか。

彼は、泣いていた。鉛筆とノートを握り締め、歯を食い縛って。

玲子は、何もいえなくなった。

廊下はまだひどい混乱状態だった。

玲子は記者やカメラマンを押し退け、掻き分けて、ようやく課長室までたどり着いた。ドアは総務の人間ががっちり固めていたが、玲子が睨みつけると、さっと一人がどいて中に入れてくれた。

橋爪と今泉は、ソファに座っていた。和田は奥にある執務机で受話器を握っていた。

だが、何も喋らない。ただ相手の言葉に耳を傾けている。

やがて、失礼します、とひと言だけ返して、受話器を置く。

玲子は一礼してから奥に進んだ。

「……課長、あれは一体、どういうことですか」

意外にも、和田は玲子に、笑みを浮かべて立ち上がった。

「姫川主任。今回は、ご苦労だったね。君がいなければ、こんなふうに事件は解決できなかった。礼をいうよ……ありがとう」

玲子は、最後まで聞かずにいった。

「そんなことじゃありません。会見、あれじゃ、総辞職じゃないですか」

「そうだよ。新しくするんだ。捜査一課を、一新するんだ」

「どうして……」

自分で自分を支えきれず、思わず課長の机に両手をついた。

「私は、こんなことのために、捜査をしてきたんじゃありません」

「そう、かもしれんが……でもこれは、私なりに考えた結論なんだよ。私だけじゃない。橋爪にも、今泉にも相談して、賛成してもらった」

「そんな……だって、牧田や柳井が亡くなった今、九年前の件なんか持ち出さなくたって、一連の事件は説明できるじゃないですか。立件できるじゃないですか。それなら、長岡部長だって……」

和田は笑みのまま、ゆっくりとかぶりを振った。

「駄目なんだ、それじゃ……ああいうのをのさばらせといちゃ、世のためにならない。警察全体にも、いい影響を与えない」

やはり和田は、長岡と刺し違えるために、あの会見を開いたのか。わざわざ仲の良い記者を使って厳しい質問をさせ、会見の場で責任問題に言及したのか。

「姫川主任……組織なんてものはね、同じ形のまま永続するのがいいわけじゃ、決してないんだ。壊れながら、削ぎ落としながら、新しいものを取り込んでいく必要がある。また、組織はしがみつくものでも、よじ登るものでもない。それぞれが地に足をつけて、踏ん張って、支えるものなんだよ……今の、君のようにね。組織人が、みな君のような人間ならいいんだが、残念ながらそうじゃない。なんとか自分だけは片足を浮かせて、できることなら両足を浮かせて、少しでも眺めのいいところに登って、楽をしようとする……どうも、そんな人間が多いように思う。日本人全般にそんな気分が蔓延《まんえん》しているなんて、私は、できれば思いたくはないがね」

もう、玲子には何も言い返せそうになかった。

「……君の上司を、道連れにせざるを得なかったことは、申し訳ないと思っている。また、こんな私の希望がどこまで通るかは分からないが、君にはこのまま、捜査一課に留まってほしいと思っている。この身を賭してでも、それだけは、通したいと思っている」

肩を叩かれ、その反動で、涙がこぼれた。

「姫川主任。私は、捜査一課が好きだ。こんな形で任を退くのが望みではなかったが、君のようなデカと、最後に仕事ができたことを、私は誇りに思っている。何よりの、勲章だと思っている」

暖かい手だった。柔らかくて、ふかふかした、優しい手だった。

「新しい一課を作れ。姫川主任……君が、作るんだ。君たち一人ひとりが、作るんだ」

はい――。

たったそれだけの返事が、上手くできなかった。

喉に何かが詰って、ただ頷くことしか、玲子にはできなかった。

その後、和田は鳥取県警察学校の校長に任じられ、警視庁を去っていった。校長といえば聞こえはいいが、鳥取県警の規模からいったら、学校長は警視のポスト。そもそも警視正とはいえ、警視庁採用の警察官が他道府県に異動するのは稀なケース。この異動が懲罰人事であるのは誰の目にも明らかだった。

そしてこの、鳥取県警の本部長に就任したのが長岡警視監だった。これも負けず劣らずの降格人事だが、長岡の異動が先に決まって、和田がそれに引きずり込まれたのか、あるいは単なる偶然だったのか。そこのところは、玲子にも知りようがなかった。

そして、橋爪は八王子署の副署長、今泉は東村山署刑組課の課長代理となった。殺人班十係は完全に解体され、日下を含む若干名が捜査一課に残った他は、課を移るか所轄署に出ることになった。

そう。和田はああいってくれたが、やはり、玲子が無事で済むはずがなかった。

二月二十日、月曜日。

「……捜査一課から参りました、姫川です。よろしくお願いいたします」

玲子は池袋警察署の四階、刑事課強行犯捜査係にいた。肩書きは担当係長。係員は玲子を入れて八名。警部補が四名、巡査部長が三名、巡査が一名だ。

「じゃ、この机、使ってください。何しろ急なんでね。せまくて悪いけど」

「いえ、大丈夫です」

机は統括係長の隣。部屋の角ギリギリの位置。ほとんどどん詰まり。

それでも、不思議と気分はすっきりしていた。

すべてを失った痛みはむろんある。慕ってくれた部下も、尊敬してやまなかった上司も、今は誰一人、玲子のそばにはいない。牧田が開けた心の穴も、まだ塞がってはいない。

特に、雨の降る日は――牧田と駆け抜けた、あの土砂降りの夜を思い出す。雨の街があんなふうに煌いて見えることは、この先、もう二度とないんじゃないかと思う。

ふと空を見上げ、見えない雨を探すことだってある。

牧田を思い出したくて。彼を、近くに感じたくて。

だが残念ながら、異動初日となる今日、東京の空は雲一つなく晴れ渡っている。まるで、さっさと頭を切り替えろといわんばかりだ。

そう。だから、いい。もう一度、ここから始めようと思う。再び霞が関の本部に這い上がって、今度は自分の手で菊田たちを呼び寄せ、姫川班を再結成しようと思う。

「では、早速ですが統括係長。今現在、強行犯係が抱えている未解決事案の資料を、すべて見せてください。手が回らなかったり、放置されている事案があれば、全部、私が引き受けますから」

さあ。これから、忙しくなるぞ。

スペシャル対談

竹内結子（映画『ストロベリーナイト』主演）×誉田哲也

竹内結子が姫川玲子に切り替わる瞬間

――ドラマの大ヒットを受け、映画化が決まった『ストロベリーナイト』。今まさに撮影真っ只中の現場をお訪ねしたわけですが、お二人はすっかり顔なじみといった雰囲気ですね。

誉田　初めてお会いしたのは、茨城県水戸市の三の丸庁舎でしたよね。連ドラの前のスペシャルドラマ版で、勝俣《かつまた》（武田鉄矢《たけだてつや》）や大塚《おおつか》（桐谷健太《きりたにけんた》）との絡みのシーンを撮影していた時。

……もっとも、僕はこの時ほとんど竹内さんを直視できませんでしたけど。

竹内　え、どうしてですか？

誉田　だって竹内さんからすれば、あの時点では僕なんてただの見知らぬオッサンでしょうし、あまり見ちゃいけないかな、と（笑）。

竹内　そんなことはないですけど（笑）、でも私は私で、あの時はすごくテンパッていたのを覚えています。玲子というキャラクターの強さに戸惑っていたというか、ちゃんと戦える女性という役柄が初めてだったので。あの武田鉄矢さんを前に言いたい放題やるなんて、もう、それだけでいっぱいいっぱいですよ。

誉田　長くて難しいセリフも多いドラマでしたしね。

竹内　それまでは私、理路整然と相手に問いかけたり問い詰めたりする役はあまり経験がなくて、どちらかと言うと、のんびりしたセリフ回しの役が多かったんです。

誉田　でも、「玲子」を演じている時の竹内さんは、僕のなかでも完全に「玲子」なんですよ。他の役やCMでお見かけする竹内さんはあくまで「竹内結子」なんですが、火曜の九時に『ストロベリーナイト』が始まると、竹内さんが突然「玲子」になる。

竹内　お、それは褒め言葉と受け取っていいですか？

誉田　もちろん。凄いと思いますよ。だって、『ストロベリーナイト』の番宣でバラエティ番組などに登場している時の竹内さんは、全然「玲子」には見えないですもの。これは不思議です。

竹内　衣装とかセリフの問題ですかね？

誉田　それだけじゃなく、ちょっとした動作やリズムみたいなものだと思うんですよね。先ほどの撮影を見ていても、サッと身を翻《ひるがえ》す時の動きとかが、もう完璧に「玲子」してるんです。仕草というよりは、スピード感みたいなものが。

竹内　原作者の方にそう言っていただけるのは嬉しいですね。「玲子」を演じている時は、なるべく一定の緊張感を維持するよう心がけているので、そのせいでしょうか？（笑）それと、この役では普段は履かないタイプのヒールを履くので、自分が鳴らしている踵の〝カツッ、カツッ〟という音を感じるようにしています。

女子高生役から女刑事へ

――**誉田さんが女優・竹内結子を初めて知ったのはいつですか？**

誉田　これはあちこちで言っているエピソードなんですけど、もともと姫川玲子というキャラのヒントは、映画『リング』に出演していた時の松嶋菜々子《まつしまななこ》さんから得ているんです。テレビ局のディレクター役だった松嶋さんが、部下の男性を呼びつけて「これ調べといて」と言いつけて颯爽《さっそう》と去るシーンが印象的で。そういう、凜々《りり》しくてキリッとした女性を描きたかったんです。

竹内　そしてその『リング』に、私は最初に貞子の呪いで死んでしまう女子高生の役で出演していました（笑）。それが今ではこうして女刑事の役をいただけるようになったんですから、私も大人になったなあとしみじみ思います。

誉田　刑事役ということで、ドラマ版『ストロベリーナイト』では玲子の警察手帳がたまに登場していましたけど、あれに載っている竹内さんの写真がまたステキでいいんですよね。

竹内　引っ詰めにした顔写真のやつですね。あれ、最後に欲しかったんですけど、ドラマの最終回を撮り終えたあともらえなくて、「なんでかな〜」と思っていたら、こうして映画の撮影でまた使うからだったんですね（笑）。

誉田　ドラマ版にかぎらず、全体として女性キャストが少ない作品だと思うんですけど、そのあたりで苦労もありましたか？

竹内　そうですね、回によって加藤《かとう》あいさんや木村多江《きむらたえ》さん、蓮佛美沙子《れんぶつみさこ》さんなどが登場しますが、女性率は本当に低いですよね。玲子はただでさえ孤独な人なのに！

――孤独という言葉がでましたが、竹内さんが感じる玲子の人物像はどのようなイメージですか？

竹内　絶対に他人とは相容《あいい》れないものを持っていて、「この人には理解してもらえないだろうな」と、自ら壁をつくっている。そんな雰囲気を常に持っている女性、ですかね。

誉田　玲子はもう、こういう佇《たたず》まいでしかいられない人なんでしょうね。

竹内　ですよね。たとえ心は開いたとしても、決して委《ゆだ》ねることはしない。自分の足で立つ心地よさを取り除いてしまったら、逆にダメになる。そんな女性だと思います。

誉田　うーん、原作者である僕以外に、玲子をそこまで掘り下げて考えてくれる人は他にいないので、とても嬉しいです。

竹内　ひとつひとつの物語に乗っかりながら、いろんな人物とのやり取りを経て、撮影を終えたあとに初めて〝ああ、玲子というのはこういう人なのかな〟と感じることが多々ありますよ。誉田さんの場合、それぞれのキャラの視点になりかわって書いているわけですから、映画監督の立場に近いものがあるのでは？

誉田　そうかもしれないですね。ただ、僕の場合は、現場（舞台）があって視点となる人物がそこに立ったら、見たことや感じたことについてできるだけ僕のフィルタを通さず、その人物の感覚だけをすくい取って書くようにしているんです。僕の主観を極力挟まないようにして。

竹内　そうやって描かれた場面が、そのまま映像になったところを想像したりもしますか？

誉田　しないこともないですよ。でも、映像化ってすごく緻密な作業なんだなと、最近は痛感しています。たとえば、小説だったら「制服警官」とひとこと書けば、読者はみんな制服姿の警察官を思い浮かべてくれますよね？　でも、撮影現場では、「拳銃がお尻のほうに寄り過ぎ！　直して！」なんて細かな指示がたくさん飛んでいるわけじゃないですか。そういうことは小説の世界ではあり得ないことで、拳銃のホルスターって慣れてない人が着けるとあんなふうに後ろに回っちゃうんだ、というのはひとつの発見でしたね。

玲子が恋に落ちる！　映画『ストロベリーナイト』の見所

――今回『インビジブルレイン』を原作に映画化されるわけですが、この企画を最初に耳にした時、率直にどう感じましたか？

竹内　ドラマを撮っていた時は、とにかく必死にこの役に食らいついていた三ヶ月間でした。実際にドラマが放送される頃にはもう撮り終えて、私もオンエアを自宅でのんびり観ていたのですが、「もうこの現場には戻れないんだな……」とちょっと寂しく感じたんですよね。なので、映画化の話を聞いた時は純粋に嬉しかったですし、その反面、気が引き締まる思いでした。

誉田　それにしても、撮影を見学するたびに感じますが、映画は大勢のスタッフが関わり合う、大変な現場ですよね。

竹内　そうですね。でも、これが他の作品であれば、顔も見たことのない方が大勢集まってきてみんなで映像をつくるんですけど、今回はすでに気心の知れたスタッフがまた集結しているので、ちょっとしたお祭り気分もありますよ。あるいは、またこのメンバーでやれるという、〝ご褒美〟の時間。

誉田　竹内さんが玲子を演じるようになって、はや二年になります。ひとつの役柄としては、やっぱりこれは長いですよね。

竹内　長いですね。勝手に髪の毛を切れなくなっちゃいましたから（笑）。

――ちなみに、今回の重要なキーパーソンのひとり、マキタ役を演じる大沢《おおさわ》たかおさんには、どんな印象を受けますか？

竹内　「洗練された大人の男」ですね。そして、マキタはとっても怪しいです（笑）。お洒落なんですけど、広告代理店の人でもアパレル系の人でもない、独特の雰囲気で。

誉田　身近にいそうでいないタイプの人に仕上がっているわけですね（笑）。

竹内　大沢さんとは他の作品でもご一緒させていただいていますが、どの作品ともまた違う人物になっていて。純粋に、〝これから何が起きるんだろう!?〟とワクワクさせるオーラのある方ですね。

――原作『インビジブルレイン』では、そのマキタに玲子が恋をするという点が大いに注目されます。

竹内　何と言っても、あの姫川玲子が男を見る時に、異性として意識している点は新鮮ですよね。でもそれは、これまでも漠然と感じていた「玲子でも恋愛するのかな？」という疑問に、スッと答えを与えてくれるような展開で……。

誉田　そう、彼女は決して、恋愛をしないわけじゃないんですよね。

竹内　玲子は背負っているものがある女性ですから、異性として誰かを意識した時にどうなるかと想像してみると、やっぱり普通の恋愛物語になるわけがないと思うんですよ。そう考えた時に、今回の恋愛のかたちは、私が考える玲子のイメージとぴったりだな、と。

誉田　そう言っていただけると嬉しいです。もともとの考え方としては、玲子が惚れるような男――しかもそれを読者が納得できるような人物が描けたら格好良いだろうな、というのがあったんです。もっと言えば、〝玲子が惚れるような男が書けるだろうか⁉〟という挑戦ですよね。竹内さんにとっても、今回の演技には厄介な部分も多々あるのでは？

竹内　現場で会う人が皆、「今回の難しいよねえ、頑張ってね」って言ってくれます（笑）。難しいのは百も承知なので、いつも「あまり考えないようにしてます」と答えるんですけど。

誉田　たぶん、玲子だって日頃、少しは男を異性として見ている部分があると思うんですよ。でも、「いや、ないわ」と結論を下すのが異常に早いタイプなだけで。ところが今回登場するマキタは、そんな玲子と同じ匂いを持っていて、しかも彼女の非日常的な部分まで包んでくれる男性だったわけです。それが彼女の心に反応した、という。

竹内　なるほど。理詰めで説明できることではないんでしょうけど、恋をする玲子をどう演じるかについて、事前に監督と相談をしたんです。でも、恋する女を演じるのではなくて、終わってみればあれが恋だったのかも、というのが玲子らしいと思うんですね。なるべく「考えないようにしてる」というのは、そういう意味でもあるんです。

姫川班を襲う一大事とは⁉

誉田　僕の場合、ひとつの長編作品を書き下ろすのには、だいたい三、四ヶ月ほどの時間がかかるのですが、その間ずっと玲子のことだけを考えているわけではありません。マキタもいれば健斗《けんと》もいるし、姫川班の他のメンバーもいる。でも、竹内さんは三ヶ月なら三ヶ月間、ずっと玲子について考えてくださるわけです。ある意味、僕よりずっと深く彼女のことを知ろうとしてくれている、世界で唯一の人なんですよね。

竹内　それは責任重大……。でも、確かにいろんなことを考えさせられるキャラクターですよね。

誉田　玲子というのは、僕のキャリアをずっと引っ張ってきてくれた存在なんです。作家として、このシリーズによって昇ることのできたステップもあるし、こうしてスペシャルドラマが連ドラになり、ついには映画になるという貴重な経験もさせてもらえました。そして、そんな玲子をあの竹内結子さんが演じてくれるというのが、これもまた凄いことです。

竹内　聞けば聞くほど、両肩にずっしりと何かが……（笑）。でも面白いもので、たとえば連ドラを毎週観てくれている方から、「良かったよ」と言われても嬉しいし、「エグいよね」と言われてもやっぱり嬉しいんです。

誉田　原作はもっとエグいですからね（笑）。僕としては一緒に矢面に立ってくれる人ができて良かったです。ちなみに、竹内さんが『インビジブルレイン』の原作をお読みになった時は、まだこうして映画化するプランはなかったと思うんですけど、純粋にこの物語についてどのような感想をお持ちになりましたか？

竹内　姫川班が……大変なことになってしまった、と（笑）。

誉田　ああ（笑）。ここであまり詳しく言うわけにもいかないですけど、姫川班って玲子にとってすごく居心地のいい場所だったわけじゃないですか？　それを揺るがしてやろうという気持ちがあったんですよね。

竹内　なんて意地悪！　姫川班って、本当に居心地いいんですよ。この現場も含めて。なのに、誉田さんはどうして玲子を幸せにしてくれないんですか？

誉田　玲子に幸せになられても……、読者も視聴者も微妙じゃないですか？（笑）　僕は前から言ってるんですけど、ストーリー的に必要があれば、玲子が死んでしまうシーンだって書くつもりはあるんです。

竹内　ええ！　……でも、殉職というのもちょっと演じてみたいかも。

誉田　ただその場合、亡くなるなら亡くなるで、〝死ぬ価値〟を高めておく必要があります。今はまったく想像もつかないけど、玲子にふさわしい死に方というのも考えなければなりませんし。少なくとも、玲子が単に肺炎をこじらせて死ぬ、みたいなことはあり得ませんから。

竹内　うーん、やっぱり誉田さんはきれいには死なせてくれなさそうだから、できるだけ生きていたいです（笑）。

誉田　でも本当に、竹内さんに玲子を演じていただけて良かったですよ。すでにもう、玲子についての考察の深さは、僕より上を行っちゃっている感じすらありますもの。

竹内　ありがとうございます。私にとっても姫川玲子という人物は、女優としてひとつ新しくいただいたポジションです。ちゃんと自分の足で立ち、それまで演じてきたどの役とも違う女性像で、やりがいも大きいし、私自身の視界を広げていただいたような気すらしています。

誉田　映画『インビジブルレイン』の仕上がり、今から楽しみにしています。残りの撮影も頑張ってください！

聴き手・構成／友清　哲

二〇〇九年一一月　光文社刊

光文社文庫

インビジブルレイン

著者　誉《ほん》田《だ》哲《てつ》也《や》

2012年7月20日　初版1刷発行
2023年11月25日　15刷発行

発行者　三宅貴久
印刷　萩原印刷
製本　ナショナル製本

発行所　株式会社　光文社
〒112-8011　東京都文京区音羽1-16-6
電話(03)5395-8149　編集部
8116　書籍販売部
8125　業務部

落丁本・乱丁本は業務部にご連絡くだされば、お取替えいたします。
ISBN978-4-334-76433-3　Printed in Japan

組版　萩原印刷